D1216186

GALDÓS EN SU SIGLO XX

Una novela para el consenso social

Carolina Fernández Cordero

La Casa de la Riqueza
Estudios de la Cultura de España
55

El historiador y filósofo griego Posidonio (135-51 a.C.) bautizó la Península Ibérica como "La casa de los dioses de la riqueza", intentando expresar plásticamente la diversidad hispánica, su fecunda y matizada geografía, lo amplio de sus productos, las curiosidades de su historia, la variada conducta de sus sociedades, las peculiaridades de su constitución. Sólo desde esta atención al matiz y al rico catálogo de lo español puede, todavía hoy, entenderse una vida cuya creatividad y cuyas prácticas apenas puede abordar la tradicional clasificación de saberes y disciplinas. Si el postestructuralismo y la deconstrucción cuestionaron la parcialidad de sus enfoques, son los estudios culturales los que quisieron subsanarla, generando espacios de mediación y contribuyendo a consolidar un campo interdisciplinario dentro del cual superar las dicotomías clásicas, mientras se difunden discursos críticos con distintas y más oportunas oposiciones: hegemonía frente a subalternidad; lo global frente a lo local; lo autóctono frente a lo migrante. Desde esta perspectiva podrán someterse a mejor análisis los complejos procesos culturales que derivan de los desafíos impuestos por la globalización y los movimientos de migración que se han dado en todos los órdenes a finales del siglo XX y principios del XXI. La colección "La Casa de la Riqueza. Estudios de la Cultura de España" se inscribe en el debate actual en curso para contribuir a la apertura de nuevos espacios críticos en España a través de la publicación de trabajos que den cuenta de los diversos lugares teóricos y geopolíticos desde los cuales se piensa el pasado y el presente español.

GALDÓS EN SU SIGLO XX

Una novela para el consenso social

Carolina Fernández Cordero

Iberoamericana • Vervuert • 2020

Esta obra ha recibido una ayuda a la edición de la Comunidad de Madrid.

Este libro se ha publicado con el apoyo de la Casa Museo Pérez Galdós-Cabildo de Gran Canaria.

Amor de Dios, 1 – E-28014 Madrid
Tel.: +34 91 429 35 22
Fax: +34 91 429 53 97

Elisabethenstr. 3-9 – D-60594 Frankfurt am Main
Tel.: +49 69 597 46 17
Fax: +49 69 597 87 43

info@ibero-americana.net
www.iberoamericana-vervuert.es

ISBN 978-84-9192-160-8 (Iberoamericana)
ISBN 978-3-96869-054-4 (Vervuert)
ISBN 978-3-96869-055-1 (e-Book)

Depósito legal: M-16419-2020

Diseño de cubierta: Rubén Salgueiros
Imagen de cubierta: “Manifestación anticlerical en Madrid”. Fotografía de Eduardo Vilaseca publicada en *Nuevo Mundo*, 7 de julio de 1910, pp. 18-19. Imágenes propiedad de la Biblioteca Nacional de España
Interiores: ERAI Producción Gráfica

The paper on which this book is printed meets the requirements of ISO 9706

Este libro está impreso íntegramente en papel ecológico sin cloro

A Julio Rodríguez Puértolas,
presente en mi memoria, vivo en estas páginas.

Agradecimientos

Esta obra es el resultado de un largo proceso colectivo en el que han intervenido muchas personas con quienes he compartido momentos vitales y años de investigación. Sin su ayuda y sus cuidados nunca habría podido llevarla a cabo. En su desarrollo fue fundamental la presencia de Julio Rodríguez Puértolas. Estas páginas mantienen un diálogo constante con él, con su manera de mirar el mundo, que, como en el caso de Galdós, era su forma de habitarlo. También se encuentran la fuerza, la energía y el apoyo incondicional de mi familia (incluida la que se ha ido o ha llegado en este tiempo), y el amor compañero de Andy y de Tara. En la creación de este texto tuve la suerte de discutir planteamientos y detalles con Víctor Fuentes, Iris M. Zavala, Patricia Artés, Manuel Aznar, Fernando Larraz, Pilar Hualde, Raquel Arias Careaga, Victoria Galván y sobre todo con César de Vicente Hernando, a quien nunca dejaré de agradecer su lectura minuciosa, que me arrancó muchas de las reflexiones que aquí se encuentran. Agradezco a Ana Isabel Mendoza y a Ana Méndez, de la Casa-Museo Pérez Galdós, su amistad y generosidad sin límites; a Nieves Romero Díaz y a Ana Cairo Ballester, el haberme abierto sus puertas en Estados Unidos y Cuba respectivamente; a Ramón Asquerino, siempre maestro y amigo, su mirada literaria mágica, que hace leer incluso a quien parece imposible; a Manolo, la B12 y su deseo de leer estas páginas; a María Román, a Paco Cuevas y a Marta Blanco las horas de conversación y risas postgaldosianas. Este libro no habría sido posible sin el apoyo de la Casa-Museo Pérez Galdós y de Iberoamericana Editorial Vervuert, que han apostado sin dilación por el proyecto y me han dado todas las facilidades posibles para que se transforme en libro. Desde un principio y mucho en esta última etapa han sido imprescindibles la ayuda y el cariño de mi hermana Marta Ortiz Canseco y de Raquel Arias Careaga. Sin su insistencia, a la que se suma la de Alicia Martínez, esta investigación nunca habría salido de mi escritorio. Gracias, de verdad, gracias.

Índice

Introducción 13
1. El siglo xx, un problema para la crítica galdosiana 13
2. Coger el testigo. Historia y literatura 22
3. El consenso como horizonte 23
4. Un estudio ideológico 26

Parte I
Galdós en diálogo con su siglo xx

Capítulo 1. *Electra*, puerta de entrada al siglo xx 33

Capítulo 2. "Quien manda, manda": en busca de la nueva clase media 41
2.1. De camino al nuevo siglo 42
2.2. El tiempo del cambio 49

Capítulo 3. Intelectuales y campo cultural español en el siglo xx 53
3.1. La aparición del "intelectual total" (1890-1906) 55
3.2. La consolidación del "intelectual total" (1906-1915) 67

Capítulo 4. La irrupción del movimiento obrero 79

Capítulo 5. Regeneracionismo radical y republicanismo 111
5.1. Galdós y el regeneracionismo radical 112
5.2. Galdós y los republicanos 125
5.2.1. El compromiso político 125
5.2.2. La cultura republicana de Galdós 147

Parte II

Búsqueda y creación de una nueva novela

Capítulo 6. La novela en tiempos de transición 171

Capítulo 7. Configuración y búsqueda de una nueva novela... 187
7.1. El modernismo y el intento frustrado de una nueva estética 192
7.2. Hacia los límites del espacio narrativo: América en Galdós 197
7.2.1. El imaginario americano de Galdós 207
7.3. Hacia los límites de los géneros literarios: el teatro y las novelas dialogadas 222
7.3.1. De la novela a la novela dialogada y al teatro 222
7.3.2. *Casandra* y la consolidación de la novela dialogada 226
7.3.3. Sistema dialogal y elementos teatrales en *El caballero encantado* 237
7.4. Hacia los límites de lo real: relaciones entre la realidad y la imaginación 243
7.4.1. Realidad e imaginación en *El caballero encantado*.... 247
7.4.2. Los elementos mitológicos 268

Conclusiones 305

Bibliografía 309

Índice onomástico 333

Introducción

Este estudio revisa, analiza y profundiza en los últimos veinte años de la vida y obra de Benito Pérez Galdós, con especial dedicación a su producción narrativa. Desde una perspectiva historicista y sociológica, disciplinas fundamentales desde las que abordar la relación estética-ideología, se plantea ahondar en las contradicciones y conflictos que surgen al leer al Galdós de esta época, así como conseguir una visión integral del novelista en relación con el escenario histórico en que se desarrolló. Su preocupación por la situación crítica de España y el proceso de politización que vive en esta etapa lo llevan a construir una nueva novela que lo empuja a situarse en los límites del realismo a la vez que refleja y contribuye a la formación de la incipiente clase media, su principal lectora. Ni su literatura ni su vida pública dejaron indiferente a ningún sector de la sociedad española, con quien mantuvo un constante diálogo rico en tensiones y matices.

1. El siglo XX, un problema para la crítica galdosiana

Los últimos veinte años de Benito Pérez Galdós, que coinciden exactamente con las dos primeras décadas del pasado siglo, es el periodo que más dificultades ha creado a la crítica galdosiana a lo largo del tiempo. Sus lectores, habituados a una escritura realista decimonónica, no consiguieron encajar con facilidad los procedimientos de este autor que, en el siglo XX, se posicionaba en nuevos lugares estéticos e ideológicos, entendidos (en el mejor de los casos) durante largo tiempo a espaldas del resto de su obra o como producto de la vejez y la senilidad. Dicha dificultad se encuentra incluso entre sus críticos contemporáneos. Así, por ejemplo, Andrenio, que en su *Novelas y novelistas* (1918) analiza pormenorizadamente la última serie de los Episodios Nacionales y las tres novelas galdosianas del XX, no comprende el uso de lo maravilloso y el alejamiento del realismo decimonónico[1] del novelista, a pesar de que lo respeta y admira:

> Las últimas novelas de Galdós, que pertenecen a esta manera alegórica, ofrecen un vivo contraste con el realismo intenso lleno de plasticidad, verdaderamente pictórico, de las novelas españolas contemporáneas del momento de plenitud (111).

Otros, sin embargo, se muestran incondicionales a su obra y no solo elogian esos cambios de estilo, sino que los asimilan como propios de un autor en conexión plenamente con la literatura del momento. Luis Benavente, que reseña para *El Liberal* de Murcia *La Primera República*, asume como natural su manera de explicar la historia de España a través de nuevos procedimientos:

> Y viene aquí el maestro a darnos una prueba de su amor a las nuevas tendencias de la literatura, igual que hizo en el episodio del rey *galantuomo* y en su "Cuento real e inverosímil", *El caballero encantado*. Con maestría suma nos lleva, desde la villa y corte, por medio de un sueño sublime, a presenciar los sucesos del Cantón de Cartagena, no sin antes habernos deleitado con los cambios de Gobierno provisional, con las luchas titánicas realizadas por los Figueras, Pi i Margall y otros tantos

1 En su crítica a *El caballero encantado* perdona el "abuso" de lo sobrenatural por tratarse precisamente de un escritor de la categoría de Galdós (106-107), y de la quinta serie de los Episodios Nacionales destaca *Cánovas* porque "en ese se usa menos de la tramoya y artificio de lo sobrenatural, con lo cual, dada su índole, sale ganando el libro" (57).

> que intervinieron en la sorda lucha sostenida, que dio al traste con los proyectos vivificadores de una República española, que terminara, de una vez para siempre, con la monarquía decadente, a la que se culpa como promotora de nuestras desdichas pasadas (1911: 1).

Su amigo Tomás Romero, en una nota que publica en *El Liberal* sobre la inminente edición de *De Cartago a Sagunto* (1911), se muestra entusiasmado del trabajo que Galdós está llevando a cabo por entonces. Romero, que ha tenido el privilegio de leer ya parte de la novela, destaca, precisamente, las novedades que incluye:

> [...] he leído y hasta releído más de ochenta galeradas de esta nueva producción que tiene en el telar el maestro, y encontré tantas cosas bellas y tantas cosas nuevas, que necesito un gran esfuerzo para comprimirme y no quebrantar la reserva y el misterio que se me impuso al agasajarme con aquellas primicias (1911: 1).

Unos años antes, Ramón M.ª Tenreiro, otro de los críticos de la época, también había realizado una reseña muy elogiosa de *El caballero encantado* (1909) al poco tiempo de publicarse. En ella no solo aceptaba sino que incluso reivindicaba los procedimientos del nuevo novelar galdosiano, en particular el uso del elemento fantástico (1910: 174). No obstante, tras la muerte del novelista no mantendría la misma opinión sobre, en este caso, la cuarta y quinta serie de los Episodios Nacionales, en las que vio acentuada "paulatinamente la decadencia de sus facultades creadoras, caracterizada por el abuso de la intervención del elemento maravilloso" (1920: 321-335). A pesar de ello, reconoce que

> algunas de las páginas más elocuentemente despiadadas y justicieras acerca de nuestros vicios colectivos, de las que inspiró la musa de la derrota en las obras literarias posteriores a 1898 se encuentran en la serie final de los Episodios Nacionales (334).

Sirvan estos testimonios como una muestra significativa de las múltiples reseñas que se pueden encontrar sobre la obra galdosiana del siglo XX en vida del autor. Estas solían ocuparse especialmente (de manera positiva o negativa) de los cambios y novedades que incluía en sus novelas, lo que demuestra de manera evidente que existe una diferencia con respecto a su novelar anterior.

El novelista era por entonces un escritor ya consagrado y cada publicación suya obligaba a los críticos a generar una opinión al respecto. En este sentido, Ramón Gómez de la Serna, que no era precisamente un entusiasta de Galdós, recordaba en sus *Nuevos retratos contemporáneos* de 1945: "La realidad de Galdós estuvo acentuada como no se tiene idea. Hay que haber vivido aquellos días para saber cómo se esperaba su nuevo libro con el título inscrito sobre el fondo de la bandera española, en parentesco con los estancos de tabaco pintado con los mismos colores, contando con el sol de mediodía como ningún otro libro" (2004: 561). El lanzamiento de una obra galdosiana era un acontecimiento cultural obligatorio para la prensa y los intelectuales de la época. Y es que Galdós, a pesar de encontrarse ya en su plena madurez, siguió siendo un referente para escritores, editores, etc., hasta prácticamente su muerte[2], como hemos visto en las firmas de los comentarios anteriores. Sus reseñadores fueron periodistas e intelectuales de los círculos más progresistas como Luis Morote, Valle-Inclán, Baroja, Azorín, Alberto Sevilla, Pedro de Répide, Alberto Insúa o Pérez de Ayala. Los propios hermanos Álvarez Quintero adaptaron *Marianela* al teatro en 1916, con todo el entusiasmo de Galdós[3], y en 1921 refundieron su comedia inédita *Antón Caballero*. A estas dos versiones hay que sumarle la adaptación de *El amigo Manso* por Francisco Acebal en 1917.

En la Casa-Museo Pérez Galdós, donde se encuentra prácticamente toda la correspondencia conservada del novelista, custodian un número muy destacable de cartas en su mayoría procedentes de otros intelectuales de la época[4]. A través de ella se demuestra que no solo

---

2 No me detengo en la crítica conservadora y reaccionaria que, como demostró Julio Rodríguez Puértolas (1990), también fue gran lectora (aunque no admiradora) de sus obras.

3 Para más información sobre el proceso de adaptación de la obra, véase Alonso (1994: 165-175).

4 Algunas fueron recogidas por Ortega (1964); otras, por De la Nuez y Schraibman (1967) y otras se pueden consultar en el archivo digital de la Casa-Museo Pérez

acuden a Galdós para felicitarle por sus obras o pedirle recomendación, sino también para consultas literarias o para solicitarle textos tanto teatrales como novelescos con el fin de publicarlos. Entre las múltiples cartas, son reseñables, por ejemplo, una de Blasco Ibáñez del 26 de mayo de 1918 en que le solicita permiso para publicar *Tristana* en una nueva colección que va a llevar a cabo con la editorial Prometeo, así como material para realizar un estudio sobre él; otra de Eduardo Marquina (05/03/1903) en que le invita a escribir el prólogo de *El pastor*; otra de Felipe Trigo, que el 14 de abril de 1916 se dirige al escritor para proponerle colaboración en su nueva revista, *La vida*; o, finalmente, una de Eduardo Zamacois del 9 de marzo de 1914 en la que le informa sobre un editor de Barcelona interesado en publicar sus obras. Entre todas ellas destaca una de Carlos Arniches, fechada el 24 de junio de 1916, en la que le propone ser jurado en un concurso de novelas junto a Azorín, Baroja, Blasco Ibáñez y Palacio Valdés en el Círculo de Bellas Artes. La carta resulta muy representativa porque sitúa a Galdós junto a unos novelistas tan característicos de estos años como diferentes en su estilo narrativo.

Estos ejemplos demuestran en qué lugar del entorno novelístico se puede situar a Galdós, que no es ni mucho menos el del olvido. Toda su red de amistades, el respeto mostrado por los intelectuales y las cartas que intercambia con muchos de ellos, desde Mauricio López-Roberts, uno de los continuadores más fieles del realismo, hasta Pérez de Ayala, el más destacado de los escritores de novela intelectual por entonces, a quien le unía una estrecha amistad, sitúan a Galdós en el centro de la novela del siglo XX como autor consolidado y respetado.

Otro fue el panorama oficial tras su muerte en 1920. Ya en los años en que las vanguardias abrieron nuevas vías estéticas y que la novela había superado las posibilidades ofrecidas por el realismo decimonónico, el canon literario empezó a sepultar la obra no solo del Galdós del siglo XX, sino también del XIX. Los intelectuales más estudiados

---

Galdós (<http://ica-atom.grancanaria.com/index.php/correspondencia>). Las enviadas por el propio Galdós fueron publicadas en un excelso volumen anotado por Alan E. Smith, María Ángeles Rodríguez Sánchez y Laurie Lomask en 2016.

por la crítica, como Unamuno y Ortega[5], se ocuparon de oscurecer su nombre y Valle-Inclán contribuyó no poco con su "Don Benito el garbancero", quedando solo algunos poetas como Cernuda o Lorca interesados en su figura (Turner 2009: 842)[6]. Sin embargo, al igual que hubo quien se esforzó en desestimarlo, siempre existió un grupo de seguidores que mantuvieron vivo su legado. Alberto Insúa, Pérez de Ayala, Marañón, Gómez de Baquero, Eduardo Marquina, Manuel Bueno, Martínez Sierra, Díez-Canedo o Francisco Grandmontagne, entre otros, conformaban este círculo, que se completaba con la figura del anarquista Alberto Ghiraldo, ocupado por entonces en recopilar todos sus escritos inéditos. También los sectores más populares y la clase obrera continuaron leyéndolo al igual que a otros realistas de la época y anteriores. Así, por ejemplo, en 1927, Galdós se encontraba entre los novelistas más vendidos, a la altura de Cervantes, Blasco Ibáñez o Unamuno (Martínez Rus 2018: 85). O, en 1936, unos meses antes de que comenzara la Guerra Civil, la anarquista Soledad Gustavo lo incluía en su Galería de Hombres Célebres de *La Revista Blanca* reconociéndolo como un escritor "de masas y exaltación" y destacándolo como revolucionario en toda su obra literaria (1936: 1277).

Como ya demostró Víctor Fuentes en 1990 y nos ha recordado en su último volumen publicado con motivo del centenario (2019: 21-31), fue en el bando republicano y en el frente, durante la Guerra

5 La colección La Novela Corta publica, a la muerte del escritor canario, *Juicio crítico de Galdós*, en el que se ensalza su labor como novelista del XIX (sin hacer mención al siglo XX); no obstante, afirman que sus novelas en poco tiempo "serán un precioso documento de esa época que parece ya lejana en la rápida evolución de las costumbres y el progreso" (1920a: 2). Años después, Gómez de la Serna corroboraría este sentir en su semblanza galdosiana: "...como ya me sucedía cuando le veía pasar por las calles de Madrid, me resulta ahora un hombre del otro mundo, una especie de resucitado incierto, grafómano, creador de volúmenes que corren multiplicados en distintas direcciones y se pierden en las bibliotecas de los hogares" (2004: 556-557).

6 Unamuno y Ortega, intelectuales muy influyentes en los años posteriores a la muerte de Galdós, mediante sus juicios sobre el estilo y la vigencia de las obras del novelista, contribuyeron a que estas carecieran de interés para los intelectuales y escritores de la época. Véase al respecto, Henríquez Jiménez (2004) y Arroyo (1966).

Civil, cuando, por urgencia histórica, empezó el proceso de recuperación del novelista; un proceso que se consolidó en el exilio y desde el hispanismo[7], pero que, sin embargo, obvió su producción del siglo XX.

En las décadas del cuarenta al sesenta se rescata al Galdós más decimonónico y los estudios se centran en las estructuras, en la biografía y en las influencias de Cervantes, Dickens o Balzac (Turner 2009: 843)[8]. En los estudios de Chonon H. Berkowitz (1948), José Schraibman (1963) o José F. Montesinos (1968), entre otros, se incidía en la edad y la ceguera galdosiana, para desestimar sus obras de casi todo el siglo XX[9]. Ello les sirvió para hablar de desmemoria (Montesinos

---

7 Un ejemplo de este proceso lo encontramos en un artículo del profesor Ángel Lázaro publicado en la revista cubana *Nuestra España* en febrero de 1940, donde recuerda que, unos años antes, a Galdós ni se le había leído ni se le intentaba leer, salvo excepciones como la suya y la de otros intelectuales que trataban de recuperar sus escritos, proceso que interrumpió la guerra y que solo se completó con la publicación de algunos artículos en *La Voz de Madrid* y alguna conferencia en la Hispano-Cubana de Cultura y en la Universidad de Puerto Rico (54).

8 Joaquín Casalduero, en 1943, año del centenario de su nacimiento, publica su *Vida y obra de Galdós: 1843-1920* e inaugura los estudios galdosianos. Después de él, otros galdosistas también convertidos en clásicos revalorizarían la figura del escritor canario: Ricardo Gullón, con sus *Galdós, novelista moderno* (1959) y *Técnicas de Galdós* (1970), o José F. Montesinos y su *Galdós* (1968); *El naturalismo español*, de Walter T. Pattison (1965); *Spanish Realism: the Theory and Practice of a Concept in the Nineteenth Century*, de Jeremy Medina (1979); o *El pensamiento moderno y la novela española: ensayos de literatura comparada: la repercusión filosófica de la ciencia sobre la novela* (1965) y *The Novels of Pérez Galdós. The Concept of Life as Dynamic Process* (1954), ambas de Sherman Eoff, etc. Chonon H. Berkowitz había rescatado mucha información biográfica que plasmaría en *Galdós, Spanish Liberal Crusader* (1948) y, que años después completarían Alfonso de Armas, Sebastián de la Nuez Caballero, Benito Madariaga de la Campa, Pedro Ortiz Armengol y, recientemente, Francisco Cánovas Sánchez. Joseph Schraibman publicó en 1961-1962 las cartas de Manuel Tolosa Latour y las del archivo de Pérez Galdós, que editó junto con Sebastián de la Nuez Caballero en 1967.

9 En realidad, su producción más censurada y criticada abarca los años 1909 en adelante. Ángel del Río, por ejemplo, resumía de esta manera aquel periodo: "...participación, sin brillo, en la vida política —fue diputado varias veces—, y en su vejez, tras el estreno de *Electra*, se le tomó como bandera de combate con una cierta inhibición por su parte; varios viajes al extranjero para alejarse, sin

1973: 245), de baja energía creadora y de "sosiego" causado por la edad (Eoff 1954: 16), y hasta de un estilo propio de la época, "el estilo de la vejez" (Schraibman 1963). Hinterhäuser, por su parte, encontró en las novedades de su escritura un "sentimiento típicamente senil (anhelo de rejuvenecimiento, de un renacer físico y espiritual)" (1963: 216), y no dudó en calificar su pulsión revolucionaria de anarquista (212). Más adelante, su biógrafo Ortiz Armengol, inspirado sin duda por Berkowitz, describió a un Galdós presa fácil para el republicanismo en 1906 y mencionó el oportunismo de adscribirse a él como una necesidad para aumentar su popularidad en el momento (1996: 644 y ss.)[10]. Solo unos pocos, entre los que destaca Joaquín Casalduero,

---

duda, de la vida que como artista le absorbía y recobrar la perspectiva; vejez —ya ciego— triste y con apuros económicos" (1969: 97). Opiniones tan negativas hoy en día pueden encontrarse, por ejemplo, en artículos como el de Ángel Ruiz Pérez, "Visión bucólica y regeneracionismo de Galdós" (2009) en que califica *El caballero encantado* de novela fallida, o muy recientemente, en la prensa, Rafael Narbona insistía en que "sus últimos años se oscurecieron por la ceguera, la pobreza y la ingratitud" (2020). Con tales afirmaciones contrastan otras de la época como esta del caricaturista republicano portugués Leal da Câmara, que tras entrevistarlo en 1916 destaca por encima de sus cualidades (a pesar de su ceguera y su complicada situación económica), su memoria: "lembrava-se do meu nome, de varios desenhos e de legendas que eu publicara em Madrid há dezoito anos" (González Martel 2009: 51); o esta carta a Pérez de Ayala del 13 de enero de ese mismo año en que se disculpa por no poder verlo: "Estoy sumamente ocupado y por eso no voy a verle. Ni venga usted a esta su casa por encontrarme fuera de ella casi todo el día" (Ortega 1964: 441); o, para finalizar, este testimonio de Clemente Cimorra, que cumpliría veinte años a la muerte de Galdós y recordaba en su biografía: "No cuelga la pluma, ni con la vejez, ni con la maldita ceguera que le pone losas sobre la mirada" (1947: 146).

10 Los juicios de Berkowitz sobre estos años se inspiraron en las opiniones de Fernado Soldevilla que, en *El año político* de 1920, por ejemplo, se despachaba así con motivo de la muerte del novelista: "Después fue republicano, por afán de popularidad, que utilizaron algunos elementos, llevándole de mitin en mitin y leyendo algunas cuartillas suyas (él no era orador y, además, ya estaba muy mal de la vista), para explotar con su presencia y sus palabras el entusiasmo del público". Estas y otras ideas extendidas como que Galdós no escribía sus discursos, etc. quedaban desmentidas en testimonios incluso de su propia época (Del Olmet y Carraffa 1912: 99 y ss. y véase Madariaga de la Campa 1979: 216-217).

trataron su producción del siglo xx con el rigor con el que analizaron la del xix. ¿Por qué este desprecio? ¿Por qué la crítica galdosiana entendió a ese Galdós a espaldas del resto de su obra? ¿No era el mismo Galdós de *Doña Perfecta, Fortunata y Jacinta* o *Misericordia* que el de *El caballero encantado*? Si no lo era, ¿qué diferencias existían?

En los años setenta, el marxismo literario abrió nuevas vías para acercarse al novelista. Las lecturas desde la Historia y la ideología arrojaron luz sobre datos y textos hasta entonces desconocidos o ignorados. Los críticos marxistas no solo rebatieron los argumentos oscurantistas de las décadas anteriores, sino que le devolvieron a Galdós esos últimos veinte años de vida hasta entonces denostados. Son los años en que, desde el punto de vista político e ideológico, abraza y milita en el republicanismo y, desde el literario, escribe *El caballero encantado*, la quinta serie de los Episodios Nacionales, *La razón de la sinrazón* y sus últimas obras de teatro.

Julio Rodríguez Puértolas entonces y Francisco Caudet posteriormente, rescataron y dignificaron *El caballero encantado* y la quinta serie de los Episodios Nacionales mediante distintas ediciones críticas de sus textos[11]; Benito Madariaga de la Campa (*Biografía santanderina*, 1979 y otros trabajos), Víctor Fuentes, con su *Galdós, demócrata y republicano (Escritos y discursos, 1907-1913)*, en 1982, Brian J. Dendle, José M.ª Jover Zamora, Carmen Menéndez Onrubia, Lieve Behiels, por citar otros críticos destacados y no necesariamente marxistas, aportaron argumentos y recuperaron un importantísimo número de escritos de su época republicana en los que se muestra una visión totalmente opuesta a la sostenida por los estudiosos de las décadas anteriores: un Galdós despierto, comprometido socio-políticamente y un incansable trabajador hasta el final de sus días, cuyas energías solo

11 *El caballero encantado* fue publicado en Madrid: Cátedra, 1977 y Akal, 2006, con introducciones y anotaciones de Julio Rodríguez Puértolas. La quinta serie de los Episodios Nacionales fue reunida, editada y estudiada por Francisco Caudet en Madrid: Cátedra, 2007. Por otro lado, Rodríguez Puértolas había incluido en su *Galdós, burguesía y revolución* de 1975 un profundo y desafiante estudio sobre *El caballero encantado* que sacaba del olvido la novela señalando su radicalidad y relevancia como obra de madurez y en relación con el Galdós más militante.

mermaron en sus últimos años[12]. Se volvió a conectar al novelista con su época, puesto que de ese Galdós era del que sus críticos contemporáneos destacaban muy positivamente la búsqueda de nuevos cauces para una literatura comprometida con la realidad crítica del país, eficaz en un deseado proceso de modernización.

Esta labor de recuperación se fue potenciando desde entonces hasta llegar a hitos como el VII Congreso Internacional de Estudios Galdosianos de 2001, el primero en el que se dedicó una sección completa a investigaciones sobre el Galdós del XX. Hubo que esperar, por tanto, a cambiar de milenio para que otro Galdós, el más incómodo y diferente, el no canónico, fuera estudiado como el de los años ochenta y noventa del XIX. Desde entonces se han multiplicado los estudios y campos de investigación, pero sus resultados se encuentran dispersos, conectados y confrontados entre sí tan solo de manera parcial. Esta fragmentación dificulta y en muchas ocasiones impide encontrar una respuesta a las preguntas que surgen al situarnos ante este Galdós. Algunas tan simples como qué diferencia al novelista posterior a *Electra* del anterior, por qué un escritor burgués consagrado como él decide en ese momento no solo participar activamente de la vida pública del país, sino además llevarla a su obra, qué relación guardan estas dos direcciones o qué es lo que incomodaba a la crítica para que lo rechazara.

2. Coger el testigo. Historia y literatura

A fin de esclarecer al menos algunas de estas cuestiones y de conseguir una visión orgánica pero situada del Galdós más maduro, este estudio propone entender al novelista en su conjunto. Para ello ofrece una lectura de su producción escrita (novelas, piezas teatrales, artículos,

12 Su primer biógrafo, Rafael de Mesa, que firmó su estudio sobre el novelista el 17 de noviembre de 1919, poco antes de que Galdós muriera, destacaba su actividad republicana hasta 1914, a pesar de sus problemas de salud entre 1912-1914 y apuntaba, sin embargo, que fue a partir de 1916, cuando verdaderamente entró Galdós en una etapa de debilitamiento progresivo que parece culminar en ese mismo 1919 (49-70).

prólogos, discursos y correspondencia) cruzada con su actividad pública (política e intelectual). A lo largo de las siguientes páginas se desgranará cada uno de los elementos que construyen su persona y su escritura entendiendo esta realidad integrada en un todo histórico. Esta investigación, por tanto, se encuentra vertebrada por el vínculo entre escritura e Historia, del que se deduce que la literatura galdosiana surge como espacio fértil para el debate sobre las tensiones sociales. Una literatura que, dirigida por un sustrato ideológico determinado y un proceso histórico concreto, cristaliza en una forma de narrar en constante diálogo con los procesos históricos en que se desarrolla. Esta investigación propone un planteamiento analítico que conecta lo general histórico con lo literario concreto atendiendo especialmente a las clases y estatus sociales, así como a la ideología. Ambos niveles de análisis se encuentran relacionados entre sí y deben entenderse como parte de un todo integral. Con esta premisa como telón de fondo, se pretende buscar una explicación coherente a la situación política e ideológica del novelista, así como a los nuevos mecanismos que operan en su escritura durante este periodo. Se estudiará a Galdós insertado en su "radical historicidad" (Rodríguez 2002: 30 y ss.) y en diálogo constante con la actualidad del momento. De este modo, se intentará establecer un puente con las investigaciones del XIX y aportar un material con que leer a este autor desde el comienzo hasta el final de su vida.

3. El consenso como horizonte

Desde el punto de vista de la Historia, existe una relación entre el ascenso de la clase media, el desarrollo capitalista, y la implantación del sistema democrático y el Estado liberal. Estos fenómenos, que responden a los criterios sociales, económicos y políticos del tiempo que se inicia con la Revolución francesa, se desarrollan a distintos ritmos en los diferentes países que intentan romper con el Antiguo Régimen. Todos ellos encuentran obstáculos que enfrentar y pasan por momentos de apogeo, avance y retroceso desde que empiezan a ser pensados e implantados.

En España se comienza a establecer este escenario de manera definitiva y —más o menos— compensada entre el último tercio del XIX y el primero del XX, especialmente en los años situados entre el Desastre de 1898 y la I Guerra Mundial (1914-1919)[13]; tiempo en que se inicia la quiebra de un sistema por el que la Restauración de 1875 había llevado de nuevo al poder a la clase social que había visto peligrar su hegemonía con la Revolución del 68 (Beltrán Villalva 2010: 237).

Pero, a partir de 1898, esa clase social hegemónica se encuentra en una situación de crisis que no poco va a recordar a los años anteriores a 1868, aunque tendrá que enfrentarse a una nueva realidad en la que la clase obrera y el nuevo mapa del mundo marcan la diferencia. También el auge de un sistema capitalista desarrollado ya en las potencias que ahora dirigen dicho mapa presiona sobre España hasta impulsar su aceptación del nuevo sistema. Se crea entonces un nuevo escenario histórico (económico, político e ideológico) en el que Galdós no solo se ve implicado indirectamente, sino que también participa de forma activa, tanto con sus escritos literarios y políticos como con sus actuaciones públicas.

En esta nueva coyuntura histórica hay que situar el discurso galdosiano de entrada en la Real Academia de 1897. En él Galdós declaraba que España se encontraba en un momento de cambio en el cual se estaba configurando una nueva clase media. Explicaba también que su forma y organización concretas aún se desconocían, pero que estaría compuesta por diferentes tipos sociales procedentes de las antiguas clases ahora en descomposición (Pérez Galdós 1999: 222). Esta idea de una sociedad interclasista, que Víctor Fuentes explica al detalle y

---

13 Pierre Vilar la sitúa en el periodo de la Restauración (1875-1917) por ser cuando "se abren las crisis contemporáneas" (2008: 132); Tuñón de Lara entre 1885-1936, años en que se sentará la base sobre la que se desarrollará la cultura moderna (1973: 9); Santiago Roldán y José Luis García Delgado se centran en los años 1914-1920, puesto que consideran los anteriores como periodo de transición en que el desarrollo industrial se empieza a gestar (1973); Gabriel Tortella y Clara Eugenia Núñez (2011: 32-33) o Raymond Carr (2003: 55-56) no concretan y abarcan el siglo XX en general, etc.

con total acierto en su introducción a *Misericordia* (2003: 6-11), vertebra todo el siglo xx galdosiano y alcanza tanto a sus escritos políticos como a los literarios. A partir de entonces, Galdós buscará constantemente la manera de contribuir a la unidad entre las distintas clases sociales con el fin de que juntas construyan una sociedad fuerte y sana que liquide el estado crítico y retrógrado en que la Restauración había sumido al país; buscará también, a través de su concepto de "alma nacional" un consenso social (en el sentido gramsciano), entre los de arriba y los de abajo, que sitúe a la sociedad en un nuevo periodo de equilibrio y armonía, que traiga la paz social a unos tiempos en los que, además, el aumento del conservadurismo augura un inminente retroceso para el país.

Esta idea se viene generando ya desde los años noventa, pero se va a ir concretando y materializando en el siglo xx hasta convertirse en el epicentro de sus acciones y de su literatura. Su desarrollo va a suponer el paso de una solución individualista de los años noventa, como veíamos en *Halma*, *Nazarín* o *Misericordia*, a una solución colectiva materializada especialmente a través de su militancia política[14]. *Electra* será la primera obra galdosiana que ejerza un efecto real notable en la masa social y la primera prueba para Galdós de cómo la literatura puede no solo reproducir, sino producir la formación de la clase media. Esta obra introduce al escritor en la vida pública española y lo inicia en una carrera política (en el sentido de política ciudadana, no institucional) que lo extrapola de su categoría de novelista y lo posiciona socialmente en un lugar privilegiado que se hará sentir incluso hasta el día de su entierro.

A partir de este suceso, el escritor canario irá detallando y puliendo esta idea de la necesidad de consenso en la configuración de la nueva clase media; al tiempo, la irá poniendo en práctica en un proceso definido por un cada vez mayor compromiso político cuyo punto climático se encuentra en los años de la Conjunción Republicano-Socialista.

14 Su producción novelística del siglo xx va desde *Las tormentas del 48*, de 1902, hasta las noticias que programaban la redacción de *Sagasta* hacia 1914, donde residen los cambios más reseñables con respecto al xix.

4. Un estudio ideológico

Al llevar a cabo este proyecto vital se activa todo el mecanismo ideológico que opera con cada producción (Ángeles 2000), de modo que las propuestas concretas de Galdós en sus escritos, las que definan esa nueva clase social, no serán más que las de su propia ideología, como revelarán sus novelas[15]. Así pues, el escritor en este comienzo del siglo XX se muestra consciente, como diría Marx, de que la clase que domina es la que impone su ideología y de que es la ideología la que subyace a todos los hechos y los mecanismos de formación de una sociedad (Marx y Engels 1985: 50-51); de que la fuerza y el empuje de la antigua burguesía liberal había entrado en los círculos de poder y había acabado por realizar demasiadas concesiones a las clases privilegiadas del Antiguo Régimen; de que el exceso del moderantismo en la burguesía era el causante del retroceso y de que las clases anteriormente en el poder perpetuarán su posición; y también de que no podrían llevar a cabo ese discurso alternativo con las mismas armas y revoluciones del siglo pasado. Por ello, Galdós, siempre atento a los movimientos sociales y políticos que lo rodeaban, observaba y estudiaba la sociedad también en el plano ideológico.

Desencantado y asumida ya la falacia del liberalismo decimonónico, se aproximaría cada vez con mayor intensidad a las nuevas ideas cada vez más populares en el nuevo siglo. Aunque hubo una clara influencia de las ideologías procedentes de las clases burguesas, Galdós se acercó más que cualquier escritor burgués de su generación a

15 Entiendo por ideología una manera de pensar y habitar el mundo, un principio humano que determina nuestras acciones, puesto que "la ideología sirve para construirnos, la ideología es lo que nos produce, la ideología se despliega para que nos pensemos y nos vivamos como individuos" (Rodríguez 2002: 639). Dejando a un lado el debate teórico sobre la veracidad o falsedad en el proceso de configuración o de descripción de la ideología, a lo largo de este estudio el concepto será aplicado atendiendo a su inmanente capacidad de praxis, a partir de la idea de que una ideología conlleva implícito un fin de cambio y mejora del mundo, siempre sometida a la subjetividad del individuo que la elabora (véanse Eagleton 2005 y Ángeles 2000).

otras ideologías como el socialismo. Tanto con unas como con otras entrará en desacuerdo en algún punto, a veces por límites estructurales, a veces por oposición en las resoluciones. En su horizonte no se encontró una estrategia revolucionaria para quebrar el sistema de base que sustentaba la Restauración (la falsa democracia), ni las estructuras ni las instituciones[16], sino simplemente el impulso de solucionar una crisis política que impedía una sociedad menos miserable y más justa.

El consenso reside también en el desarrollo de su propia ideología, puesto que esta se configura a partir de preceptos procedentes de diferentes ideologías contestatarias del momento. Inspirado en ellas, Galdós busca la manera de acabar con los males de la patria siempre en un intento de ahondar en las conciencias para dirigirse después a la política. Lo ideológico, que tanto éxito le había concedido a la clase hegemónica, se transforma en una estrategia política que genera paradójicamente un discurso antiburgués. En la praxis ideológica y política aprenderá a apelar a la colectividad, al trabajo en conjunto, superando el individualismo tan propio de su clase: "en las naciones se corrige la anemia más fácil y prontamente que en los individuos: se cura con una fiebre que España padece ahora en altísimo grado, y el ansia de vivir" (Pérez Galdós 1999: 267-268). Para conseguir ese cambio colectivo solo podrá recurrir a la unidad de las ideologías afines en las distintas clases sociales. Desarrollará sin mucha profundidad su propia teoría sobre un reparto más justo de las riquezas con el que resolver las diferencias económicas, pero principalmente se centrará en crear un discurso ideológico con el que hacer frente a los grupos más influyentes en el poder institucional, como la Iglesia, a quienes responsabiliza, en última instancia, de la situación del país. Galdós entendió que si quebraba su hegemonía ideológica, las diferentes libertades que se estaban perdiendo podrían ser recuperadas. Todo el

16 No debemos olvidar que en estos momentos, existe en realidad un "consenso mayoritario sobre la legitimidad del poder", a pesar de los carlistas, del crecimiento de los republicanos y del movimiento obrero, puesto que discrepan de su legitimidad, pero finalmente lo aceptan o no hacen nada por cambiarlo (Tuñón de Lara 1967: 23).

siglo XX galdosiano es un intento por llevar a cabo esta solución tanto desde la literatura, como desde los artículos de prensa, como en su actividad política.

Esta investigación se divide en dos amplias partes en las que se profundiza en la vida pública (con especial acento en sus relaciones con los movimientos colectivos incipientes de la época tanto ideológica como socialmente), en la narrativa y, en menor medida, en el teatro del escritor a través de una lectura histórica e ideológica de los textos. Así, la primera parte sitúa al escritor canario dentro de los movimientos sociales del siglo XX en todos los escenarios en que se ubica, tanto políticos, como intelectuales o estéticos. En su relación con cada uno de ellos se encuentra el germen de su actividad pública y literaria, que se caracteriza por la ya citada búsqueda constante del progreso para España. Sin comprender el proceso crítico de estos años resulta imposible entender el sentido de su literatura, entregada, además, a su propia renovación estética y a la que se dedicará la segunda parte de este estudio.

El interés del novelista por llegar a un público amplio, por reproducir y fomentar el diálogo entre las distintas clases sociales a través de la novela, lo imbuyen en una metamorfosis constante que se traduce en una nueva escritura inacabada y atravesada por un principio de experimentación inmanente. Esta realidad implica una nueva manera de leer el mundo, de narrarlo o/y de llevarlo a la escena. Galdós va a descartar lo que no representa a la sociedad moderna del XX para sustituirlo por una serie de novedades con las que construye una nueva novela: ampliación de nuevos espacios novelescos a lugares realmente desconocidos por el autor, como América; combinación de lo teatral con lo narrativo como una forma de expresión más adecuada a la nueva manera de percibir la realidad (más directa, fugaz y efectiva); o uso de la imaginación (materializada en lo fantástico y lo mítico) como recurso que ofrece un mayor número de elementos reales en la novela. Estas novedades empujan a la escritura galdosiana hasta los límites de la novela realista, generando una serie de tensiones entre lo ya establecido y las nuevas aportaciones, así como una desestructuración en los moldes de la novela tradicional de la que partía, exactamente iguales a las que crea la nueva sociedad en el orden vigente.

La manera de narrar, el contexto histórico (el tiempo presente de la escritura) y su ideología mantienen una relación tan relevante que definen su producción literaria del siglo XX en un grado mayor que en el XIX porque estos textos serán reflejo claro de lo que él mismo vive directa e indirectamente. Se entiende, de hecho, como la materialización de esa ideología. Prueba de ello es, por ejemplo, que los años más radicales coinciden con los más alejados de la novela realista decimonónica. El comienzo real y efectivo de esa contribución viene con el escándalo que se produce tras el estreno de *Electra*; por ello se ha establecido como punto de partida cronológico de esta investigación. Comenzamos.

Parte I

Galdós en diálogo con su siglo XX

CAPÍTULO 1

Electra, puerta de entrada al siglo XX

En plena resaca del *affaire* Dreyfus en Francia y con la asimilación de la pérdida de las últimas colonias, el 30 de enero de 1901 estrenó Galdós el drama *Electra* en el Teatro Español de Madrid. Algo después, en una entrevista publicada en el *Diario de Las Palmas* (07/02/1901), reconocería el dramaturgo:

> En *Electra* puede decirse que he condensado la obra de toda mi vida, mi amor a la verdad, mi lucha constante contra la superstición, y el fanatismo y la necesidad de que olvidando nuestro desgraciado país las rutinas, convencionalismos y mentiras, que nos deshonran y envilecen ante un mundo civilizado, pueda realizarse la transformación de una España nueva que, apoyada en la ciencia y en la justicia, pueda resistir las violencias de la fuerza bruta y las sugestiones insidiosas y malvadas sobre las conciencias (Finkenthal 1980: 112).

La trama, que tenía como telón de fondo el caso de la señorita Ubao[1], convirtió la obra en un manifiesto anticlerical que proclamaría al autor abanderado de la libertad y de los republicanos[2]. Su efecto fue de tal grado que muy rápidamente se convirtió en icono del momento, hasta el punto de que llegó a crear una efímera moda "Electra" que no solo dio nombre a una revista, sino también apodo al ministerio de Sagasta, formado tras la dimisión de Azcárraga al poco de estrenarse la obra (Mainer 2001: 966)[3].

La *Electra* de Galdós surgió para las ideologías burguesas progresistas como un acontecimiento extraordinario, dado que la obra se desarrolla precisamente sobre los dos preceptos ideológicos que mayor enfrentamiento habían producido con el absolutismo conservador: la libertad de elección individual, es decir, la privacidad, y la lucha entre fe y razón. Su estreno y el posterior escándalo impulsaron el inicio de una potente campaña de prensa en defensa de la libertad de cultos y de elección (pilares del laicismo y el racionalismo), dirigida por liberales y republicanos[4]; una forma de convertir una obra literaria en un acto político, como ya señalaba Claudio Frollo, en un artículo publicado en *El Progreso* el 7 de febrero de ese mismo año:

---

1 El conflicto de la obra gira en torno a la elección de pretendiente para Electra y la negativa de esta a casarse con un burgués conservador llamado Pantoja. Herido su orgullo por el rechazo de ella, no parará a partir de entonces hasta conseguir que Electra sea recluida en un convento, del que al final escapa con ayuda del antagonista y héroe de la obra, Máximo, modelo de ciencia y positivismo. La obra se estrenó en plena polémica causada por el parecido y real caso de la señorita Ubao (menor de edad y rica heredera bilbaína, encerrada en un convento por el deseo de un fraile y sin el consentimiento paterno), que se resolvería meses después.

2 Sirvan como ejemplo los artículos publicados el 30 y 31 de enero en *El País* y *La Correspondencia de España* respectivamente (para ampliar sobre el tema, véase Berenguer 1988: 203-238, que reproduce numerosas críticas teatrales a la obra).

3 La crítica ha establecido una relación de causa-efecto entre los dos hechos y ha asumido que la *Electra* de Galdós contribuyó a dicho cambio (Madariaga de la Campa 1979: 211).

4 Bien pudiera ser parte, como afirma Carlos Seco Serrano (2000: 1101), de una estrategia de Sagasta dado su interés por renovar la imagen del Partido Liberal.

> Acto político es *Electra*; acto político ni más ni menos que lo fuera en Francia la carta "Yo acuso" de Zola. Zola, que únicamente con su carta no hubiera conseguido la revisión del proceso Dreyfus, pudo alcanzarlo porque la masa, la opinión, no solo le aplaudió, sino que fue con él, fue tras él, luchó con él valerosamente, tenazmente hasta que el preso de la Isla del Diablo fue devuelto a la vida y a la calle (Jareño López 1981: 149).

Y también el propio Galdós en una carta a José Alcalá Galiano a unos meses del estreno[5]:

> Te mando *Electra*.
> Ya la han representado aquí en ciento cincuenta teatros. Contra todas mis previsiones, la han hecho bandera revolucionaria, y por dondequiera que va salen los obispos echando excomuniones y el pueblo gritando (Pérez Galdós 2016: 520).

Si el debut de esta pieza teatral le facilitó a la prensa materia ideológica con que presionar al poder y provocar en las calles, a Galdós como escritor le regaló lo que hasta ahora ninguna de sus obras le había proporcionado: una campaña a favor de sus ideas y, posteriormente, una vía —la política— por la que materializarlas. Más allá de las decenas de felicitaciones y del aumento de su fama mundial, vivió en su propia persona el alcance masivo de la literatura y presenció un impacto social que superaba las denuncias de sus novelas crítico-realistas; por primera vez, su obra estaba contribuyendo a la transformación de la realidad de una manera material. A este fenómeno reaccionó desvinculándose rápidamente de todos los disturbios y movilizaciones producidas[6], pero aprovechó el efecto de *Electra* para

5 Este aspecto ha sido ampliamente abordado por la crítica galdosiana. Véanse al respecto el extenso capítulo XVI ("Apotheosis") de Berkowitz (1948), las páginas que le dedican Fox (1988: 65-93) y Ayuso (2014: 40-44), así como los artículos de Blanquat (1966), Catena (1974) o López Nieto (1993).

6 En Madrid, "después de la representación del día 1 se produce un altercado en el que se ven implicados obreros y detractores del drama de Galdós. A la salida del teatro un grupo de obreros gritó ¡viva la libertad!, mientras que un grupo

estimular las conciencias con el fin no solo de plantear una salida a la crisis del momento, sino también de contribuir a la configuración de una nueva clase media, cuyo proceso de composición ya había augurado en su discurso de 1897; es decir, nada de lo que desencadenó *Electra* le fue ajeno. El que el novelista se apartara, sin embargo, no impidió que a partir de entonces su situación como persona pública cambiara por completo y que aquel acto se convirtiera en el comienzo del camino que define su trayectoria vital durante todo el siglo XX (Schnepff 2006: 76).

Su posicionamiento ideológico como escritor liberal progresista no solo se corroboró públicamente, sino que traspasó los teatros para llegar, por un lado, a los intelectuales y por otro, a las calles de muchas ciudades del mundo, desde Madrid hasta Buenos Aires, donde la obra se estrenó y se representó numerosas veces. A partir de este fenómeno, el novelista tendría en cuenta en cada una de sus producciones el poder del arte, la literatura y, especialmente, del teatro, para incidir en la conciencia social[7].

Su alcance sobrepasó también su clase social, desencadenando respuestas incluso por parte del movimiento obrero, que por primera vez

---

minoritario grita ¡vivan los jesuitas! Se llega al enfrentamiento de ambos grupos, interviene la policía y esta castiga duramente a los obreros y no a los luises" (Hidalgo Fernández 1985: 62). *El Correo*, en "Tumulto en la Plaza de Santa Ana. Agresores y agredidos. Versión de la policía", identifica a estos obreros como pertenecientes a la sociedad de obreros El Porvenir del Trabajo que, reunidos en junta aquella noche en su local del Horno de la Mata, habían decidido ir a saludar a Galdós por la obra, a felicitarle por el servicio que "con tan hermosa producción prestaba a la causa de la libertad y la democracia" (véanse Berenguer 1988: 217-218 e Hidalgo Fernández 1985: 62). Se temió entonces la repetición de este tipo de altercados en otras ciudades, especialmente en Santander (véase la carta de Villanueva y Gómez en la que le pide a Galdós que evite los disturbios en el estreno de la obra en dicha ciudad; Dean-Thacker 1992: 203).

7 Con esta franqueza lo explicaría en unas declaraciones sobre su obra *Mariucha* dos años después: "...la primera razón de *Mariucha* hay que buscarla en ese afán o comezón que a todos los españoles nos acomete de ponernos la máscara griega para engrosar la voz y hablar alto a la familia nacional. El teatro ha sido siempre el vehículo más eficaz para transmitir una idea cualquiera a mucha y diversa gente" (en Fox 1970-1971: 612).

le prestaría atención[8]. Los trabajadores se unieron a la protesta callejera posterior al estreno llegando incluso a tener altercados con los neocatólicos (conocidos popularmente como los *neos*) y la policía. Sin embargo, en un primer momento ni las instituciones ni los colectivos organizados respondieron con el mismo interés. Ni siquiera los socialistas del partido se mostraron dispuestos a apoyar una acción que no procedía de la clase obrera[9]. A pesar de ello, el impacto del conflicto y el debate suscitado por el escándalo, alimentado además por la prensa liberal, los obligó en cierto modo a pronunciarse e incluso a radicalizarse en su anticlericalismo, ya representativo del decálogo ideológico del partido. Así, *El Socialista* publicó una columna sobre el tema más de una semana después de dichos disturbios, aunque sin haber visto la obra (Sin firma 1901: 1). En ella acusaban a los liberales de oportunistas y les reprochaban haber formado un escándalo que finalmente no produciría ningún cambio sustancial. Los socialistas, que se definían como críticos consolidados de los privilegios de la Iglesia[10], creían en la reforma y en la acción para que la protesta pudiera superar el mero conflicto inicial. Para ellos no era suficiente el escándalo; había que buscar la acción y el cambio verdadero para que la protesta fuera efectiva:

> Hay que ir más hondo; hay que ir a las raíces. Hay que hacer laica la enseñanza, separar la Iglesia del Estado, confiscarle los bienes.
>
> Hay que educar, educar y educar. Dar conciencia y temple a los individuos para que sean menos los que chillen y más los que concuerden sus actos con sus voces (Sin firma 1901: 1).

---

8 Hasta entonces, Galdós había escrito sobre los anarquistas en 1893 y sobre el Primero de Mayo en 1890 y 1895, pero la prensa obrera nunca había respondido a sus artículos, algunos negativos y otros desconfiados (Fernández Cordero 2015: 289-291).

9 Esta posición hay que entenderla en el contexto de una etapa que llegaría hasta 1909, en que el Partido Socialista, en el que prevalecían las ideas de Pablo Iglesias, rechazaba la unión con los intelectuales burgueses (Gómez Molleda 1980 y Cánovas Sánchez 2019: 349).

10 Según M.ª Teresa Martínez de Sas (1975: 80), en el VI Congreso del Partido, que se celebraría en Gijón un año después, el discurso anticlerical del dirigente Pablo Iglesias fue el más duro de su vida, precisamente para resarcirse de no haber participado en los disturbios producidos por la obra galdosiana.

Y también centrarse en el verdadero conflicto, el económico, dejando el moral y el religioso para la clase burguesa:

> Pour un socialiste, la question essentielle est la question économique. Le problème religieux, si important qu'il soit en Espagne, ne domine pas les autres. D'ailleurs, ceux qui donnent en Espagne le plus d'importance à la question religieuse ne sont pas contre le clergé, mais contre les moines. Nous, socialistes, nous sommes contre les églises (Pablo Iglesias en "La tactique du Parti Ouvrier Espagnol", *La Petite République* 21/04/1901, en Blanquat 1966: 283).

Esta actitud confrontadora iría diluyéndose a medida que se consolidaba el fenómeno. Así, unos meses más tarde, órganos de prensa obrera como el *Noticiero Obrero*, de la Asociación de Obreros del Arte de Imprimir en Sevilla y cercano al socialismo, llevó un seguimiento de las representaciones de la obra a partir del 17 de marzo, anunciando desde el estreno en Cariñena (Zaragoza) hasta la última reposición del mes de abril en Sevilla (Hidalgo Fernández 1985: 74-77). El día después del estreno en dicha ciudad publicó un artículo en el que *Electra* se alzaba como "la mayor protesta contra los que han sido causa de nuestras ruinas y del atraso vigoroso en que se encuentra actualmente nuestra clase trabajadora"[11]. El artículo atraía hacia los postulados obreristas la obra, y lo que quizá auguraba un éxito parecido al de Madrid, ni siquiera contó con la aceptación esperada. Faltó el apoyo burgués progresista que hizo saltar la chispa en la capital, por lo que, paradójicamente, se vio reducido, al contrario que unos meses atrás, al interés de los movimientos obreros.

A pesar de este resultado, es evidente que el fenómeno *Electra* sobrepasó los intereses de la burguesía progresista y de los intelectuales afines y que consiguió arrastrar a una masa compuesta de diferentes clases sociales, lo que fomentó en Galdós un creciente interés por incluirlas en sus siguientes textos. A partir de esta obra, el novelista entra en un nuevo diálogo con la realidad del momento establecien-

---

11 Hidalgo Fernández (1985: 173-174) reproduce íntegro el artículo; la cita es de la p. 173.

do una relación con la historia presente como nunca antes lo había hecho. A través de su militancia política, Galdós pondrá no solo su pluma, sino toda su persona al servicio de su ideología mediante la aparición en mítines, publicaciones, manifestaciones, etc. *Electra* es su puerta de entrada al siglo XX, un tiempo en que su trayectoria se encontrará absolutamente imbricada con la nueva configuración del mundo que traen los años 1901-1920. Iniciará una conversación histórica en su escenario económico, político, social y cultural, como se verá en los siguientes capítulos.

CAPÍTULO 2

"Quien manda, manda": en busca de la nueva clase media

La España a la que Galdós se enfrenta en el siglo XX no ha resuelto ni siquiera en parte los primeros conflictos surgidos entre modernidad y premodernidad, relacionados con la implantación del sistema capitalista. La modernización española de finales de siglo se produce en medio de una pugna entre el conservadurismo agrario interno y las inversiones de capital financiero de países aledaños que impulsan la renovación del sistema económico y la lenta industrialización. El reparto de la tierra, el caciquismo, el absentismo del campo, el desarrollo de la industria, etc. serán los problemas que definirán la crisis política y económica del sistema restauracionista. Conocer mínimamente la formación de esa coyuntura histórica resulta imprescindible para entender tanto la posición política como ideológica del Galdós de la época, puesto que muchos de estos conflictos emergen constantemente en su obra. El escritor canario participa, opina y se ve determinado[1] por

1 Entiéndase en el sentido en que el historiador mexicano Carlos Pereyra definió el

el escenario histórico en que se ubica, de modo que se muestra muy consciente del momento de tránsito, inestabilidad y posibilidades en que se encuentra el país.

2.1. De camino al nuevo siglo

Entre 1898 y 1914 la economía española inicia su proceso de asimilación del sistema capitalista y se halla en plena fase de acumulación de capitales. La situación geográfica y la coyuntura histórica que revela una lucha de fuerzas entre intereses nacionales e internaciones por obtener el poder, se resuelve con el mantenimiento de un sistema agrario propio del Antiguo Régimen, al que poco a poco le va superando el modelo capitalista.

El país se resiste a modificar la economía tradicional, lo que conlleva un grave estancamiento agrario, del que debía salir para empezar a modernizarse. Debido a la falta de renovación y mejora de la maquinaria del campo, así como de una revisión del sistema de reparto de tierras que había enriquecido a unas pocas familias y entidades eclesiásticas como propietarios de grandes latifundios, la agricultura española se mostró incapaz de impulsar una modernización que desembocara en el consiguiente desarrollo de la industria, como en otros países (Tortella *et al.* 1981: 32; Carr 2003: 50; y Tortella y Núñez 2011: 40). Galdós se hace eco de ello y lo denuncia a principios de siglo en su artículo "Rura" (1903) y, al final de la década, en el capítulo VI de *El caballero encantado* (1909), en el que Gil-Tarsis, el protagonista, aparece como jornalero en la paupérrima casa de José Caminero y su mujer, Eusebia (1968c: 241-245).

Las desamortizaciones, lejos de contribuir al reparto, habían configurado un oligopolio —solución burguesa— gracias al cual se mantenía el antiguo sistema de gestión, cuando no lo potenciaba desviando

determinismo científico (1979: 167-183), según el cual "a) los acontecimientos históricos ocurren siempre en forma definida o determinada; b) el desarrollo del proceso no es arbitrario, sino legal; y c) las formas a través de las cuales los acontecimientos adquieren sus características específicas dependen de condiciones preexistentes" (173).

un capital que podría haber contribuido al desarrollo de la industria (al "estilo prusiano" en palabras de Jordi Nadal [1975: 81] y Raymond Carr [2003: 51]). Como es sabido, los más beneficiados de la desamortización fueron la alta burguesía y los nobles terratenientes, que al ganar en absoluta propiedad unas tierras que antes poseían por derechos señoriales, veían abierta la puerta de acceso al mundo moderno, regido por la circulación de capitales.

En el Episodio Nacional de 1902 *Las tormentas del 48*, el narrador, Pepe García Fajardo, describe en cierto momento la fortuna ("diez veces, quizá veinte veces mayor que lo heredado de sus padres, y estos fueron ricos") de su futuro suegro Feliciano de Emparán, que ilustra esta situación histórica que planteamos:

> Se cuenta que Emparán "retuvo", el cómo no lo sé, una gran parte de los valores públicos que poseían las monjas, y que anduvieron de mano en mano en la catástrofe de la desamortización. [...] Bienes de frailes compró Emparán por mano ajena, y bienes de aristócratas, que en la continua liquidación del acervo histórico pasan, por pacto de retro, o por venta al contado rabioso, de las manos que llevaron guantelete a las desnudas y puercas manos de la usura (1968a: 1508).

Por el contrario, los que perdieron fueron los que no tenían cabida en el nuevo orden: la Iglesia y los trabajadores del campo[2]. El poder de las viejas estructuras se volvía a hacer evidente con las leyes agrarias, que nunca se dictaron en favor de un nuevo reparto de tierras, sino de la perpetuidad del sistema establecido[3].

Tras el Desastre del 98, se hizo urgente el proceso de industrialización. Para ello, dos fueron los principales factores que contribuyeron

2 "¡Cuánto mejor en política y en economía repartir al pueblo esta masa de bienes en vez de sacarlos al mercado!", se lamentaría Galdós a través del Mendizábal que daba título al Episodio Nacional de 1898 (1968a: 539).

3 Sirva como prueba de ello el bloqueo al que fue sometido el proyecto de Canalejas (ya) en 1910 para expropiar tierras de propiedad privada mal o no cultivadas; proyecto que, dos años después, tras su muerte, ni siquiera se había llegado a discutir en el Parlamento (Tuñón de Lara 1967: 57).

a su impulso: las inversiones extranjeras y la repatriación de capitales una vez emancipadas las últimas colonias[4].

El interés extranjero por la explotación industrial española alarmó a los gobiernos, que en varias ocasiones apostaron por el arancel proteccionista (Cánovas en 1891 y Maura en 1907) como vía de "recuperación" del control de la economía industrial del país; de este modo facilitaron las inversiones nacionales y reportaron grandes beneficios a los capitalistas (esta vez) españoles que acabarían uniéndose a sus homónimos extranjeros. El enriquecimiento conjunto que resultaría de esta alianza se tradujo en la formación de las grandes empresas capitalistas del país a finales de siglo (Tuñón de Lara 1960: 55-56 y 61 y ss.)[5]. La mayor inversión de capital extranjero en la industrialización española recaería en el sector minero, financiado desde 1869 sobre todo por el Reino Unido y Francia. Esto suponía que, a priori, la mayor parte del beneficio obtenido se exportaría e impulsaría el ascenso de capitalistas foráneos que se estaban lucrando a costa de los beneficios de extracción y exportación del mineral español. De modo que España era, como le diría Rosario de Acuña a Galdós en una carta de 1909, "el ratón que tiene el leopardo inglés entre sus garras", destinado "irremisiblemente —por ser nación sin virilidad ni cultura— a colonia protegida del sajón" (Bellón Fernández 2018: 505). Galdós hace mención a varios de estos tipos y situaciones en que los capitalistas extranjeros son un recurso de auxilio para las clases altas en la época del mandato de O'Donnell (véase el capítulo IX del Episodio Nacional homónimo).

---

4 Un ejemplo esclarecedor se encuentra en las minas de Riotinto (Huelva), explotadas con capital inglés, como demuestran este testimonio de la Comisión del Instituto de Reformas Sociales, tras visitar la mina en 1913: "...toda aquella vastísima explotación de 'Río Tinto' y sus anejas, a partir de Huelva, vienen a constituir una colonia extranjera servida por españoles" (Tuñón de Lara 1972: 516).

5 También en ese tiempo se asistió a la formación de los grandes bancos españoles, como el Banco Hispano-Americano (1901), el Banco Español de Crédito, con capital francés y de los Países Bajos (así España cubrió un tercio de su deuda con los segundos), y el Banco de Vizcaya (de 1901, pero absorbido por el Banco Vascongado en 1903), creado por los navieros y exportadores vascos.

Esta manera de salvaguardarse para seguir manteniendo su *statu quo*, vino acompañada de una serie de pactos socio-políticos originados en el XIX cuyos resultados se recogen en el XX. Así, desde un punto de vista político, en otros (y anteriores) procesos de modernización europeos la consolidación de la burguesía como clase reportó una consecuencia política (la creación del Estado liberal) a partir de la cual derrotó o absorbió al anterior poder; en España, sin embargo, tal situación se produjo con una burguesía que había asimilado los valores de la aristocracia.

Esta inversión del proceso lógico evidencia la fuerte presencia del conservadurismo en los ámbitos de poder y control del país a lo largo del siglo. A consecuencia de ello, todo intento de revolución, cambio o propuesta alternativa al orden sociopolítico existente sería destruido o absorbido hasta llegar a anular su capacidad de cambio. Paradigma y ejemplos que lo confirman son, entre otros, los destinos de la I República, así como la tardía y más que cuestionable consolidación del Estado liberal[6].

El retroceso al que la Restauración somete al país durante sus primeros años y el fracaso de la Septembrina obligan a la alta burguesía a buscar una nueva vía por la que acceder al poder; una vía que en ningún caso pasaba por otra revolución y que solo podría encontrarse

6 Al final de la Revolución del 68, el país tuvo una verdadera oportunidad de modernización estructural con la proclamación de la I República. Sin embargo, esta se vio frenada por una situación revolucionaria inmadura, resuelta mediante su absorción por parte de la burguesía financiera y el desorden obrero de los cantones. Su escaso tiempo de vida fue el suficiente para demostrar la inoperatividad de proponer alternativas a un sistema capitalista que aún no se encontraba plenamente desarrollado; el poder de las viejas estructuras contaba todavía con demasiada fuerza como para proyectar algo más allá de la pugna Antiguo Régimen-liberalismo (como el federalismo de Pi i Margall). En este sentido, es prueba clara cómo el poder conservador —con la ayuda del ejército— vuelve a tomar el control del país que se legitima con la reimplantación de la monarquía en 1875. Como explica Beltrán Villalva, "lo que en la Restauración se gestó políticamente fue un partido conservador (reunía aristócratas, alta burguesía, altos funcionarios, más el apoyo del clero) que se complementaba paradójicamente con un supuesto partido antagonista en el que se reuniría la izquierda de la Unión Liberal (con predominantes amadeístas y adeptos a la Constitución del 69), pero que, como el conservador, aceptara la monarquía de Alfonso XII y la Constitución del 76" (2010: 232). De esta manera toman el poder y bloquean cualquier intento de alternativa.

a través de una estrategia política (una manera por la que respaldar el nuevo orden económico mundial). La estrategia política de la nueva clase emergente para resolver las diferencias con el antiguo poder hegemónico consistió en acercarse cada vez más a sus métodos en lugar de romper con ellos, como muestra la trayectoria del Partido Liberal, que responde casi más a los valores conservadores que a los progresistas que proclamaban —renuncia a la Constitución del 69 y aceptación de la del 76 (a pesar de la intención de cambio), verticalidad y monopolio del poder por parte de un único dirigente, delegación de los poderes en unos comités locales (parte de las redes caciquiles en el plano provincial-local) a cambio de resultados electorales...—, o el ennoblecimiento de muchas familias de la alta burguesía tanto mediante enlaces matrimoniales como por transferencias económicas. La clase burguesa, tras el fracaso de sus intentos revolucionarios, entiende que si quiere acceder al poder debe acercarse a la aristocracia, por ser el orden económico y político dominante en España. Del mismo modo, la aristocracia es consciente de que para seguir ostentando su hegemonía debe fraternizar con la burguesía financiera y comercial porque de ella viene el nuevo orden económico y político dominante en el mundo. Esta situación, procedente de tiempos anteriores a la Revolución del 68 (véase la situación de Pepe García Fajardo en *Las tormentas del 48*, que para salir de su ruina económica accede al casamiento con una nueva rica, sugerencia nada casual de su hermana monja), reverbera en el siglo XX y se puede leer todavía en la descripción galdosiana de las amistades de Carlos de Tarsis (*El caballero encantado*). Entre ellas se encontraban

> individuos de la burguesía enriquecida en negocios [...] y otros que llegaron a la redondez económica por inmediata herencia de padres laboriosos o por combinaciones mercantiles favorecidas de la ocasión o del acaso. Muchos de estos plebeyos enriquecidos ostentaban ya título de marqueses o condes, y a otros les tomaban las medidas para cortarles la investidura aristocrática (1968c: 226)[7].

7 Un caso real lo cuenta Tuñón de Lara: "Los duques de Alba y Osma eran los grandes colaboradores de los Pereire en la 'Compañía de Caminos de Hierro del Norte', si bien sus aportaciones iniciales fueron poco cuantiosas. La 'Com-

La burguesía, tras haber equilibrado su poder ante su antagonista aristócrata mediante la absorción de sus valores, aporta la base del desarrollo económico, de modo que el poder de los grandes terratenientes se va a combinar con el de los grandes empresarios. Se produce una unión que supera el ámbito económico entre el sistema feudal y el sistema capitalista; una realidad mixta, que lejos de suponer un avance en términos de "libertad, igualdad y fraternidad" para el país, incrementaría las distancias entre dominantes y dominados[8]. Se produce entonces lo que Tuñón de Lara llamó "interpenetración" entre la aristocracia y la burguesía. Galdós plasma esta situación ya en sus Novelas Españolas Contemporáneas (círculo social de los Arnáiz y Santa Cruz en *Fortunata y Jacinta*...), en muchos de sus personajes de los Episodios Nacionales[9] y, a principios del siglo XX, lo recuerda en su "Soñemos alma soñemos" de 1903 al referirse a las clases sociales en el poder tras las revoluciones del 54 y del 68:

pañía de Andaluces' (que nace ya en tiempos de la Restauración, reuniendo los fragmentos de pequeñas compañías de evidente impotencia económica para tal empresa) tiene como personalidad principal el marqués de Loring" (1967: 37-38). Este, junto con el marqués de Larios, bodeguero ennoblecido con Isabel II, domina grandes extensiones en Andalucía. En términos políticos, parece que algunos conservadores incluso adoptaron medidas liberales, como el conde de Romanones que apostó por la conversión en funcionarios a los maestros de primaria en 1901. Téngase en cuenta que una situación parecida se daba también en Inglaterra (Tuñón de Lara 1997: 15-50).

8 Dice el bailío Wifredo de Romarate en *España sin Rey* agradeciendo la revolución y los logros de los liberales: "nos dan la libertad que esa misma libertad necesita para ser abolida... O como dijo el sabio: *Similia similibus*" (1968b: 790) y posteriormente, sobre la Constitución: "Es una prenda de vestir que nosotros nos pondremos, pero volviéndola del revés... Del derecho podrá servirnos para Carnaval" (791).

9 Baste como ejemplo esta conversación entre Mita y Teresa en *O'Donnell*:
"–[...] Verá: alguna vez hablamos Pepe Fajardo y yo de la sociedad de mis tiempos de soltera. Yo le pregunto: '¿Y Fulana... y Zutana...?'. Y él casi siempre me responde: 'Es Marquesa'. Resulta que de poco tiempo acá, todos los que tienen algún dinero son Marqueses, Condes o algo así... Por eso yo pensé... Dispénseme.
–Sí, hija mía: la pregunta es de lo más natural... Hay, en efecto, sin fin de títulos de nuevo cuño, unos con dinero, otros buscándolo..." (1968b: 203). O más claramente, la solución a la crisis de Eufrasia en *Prim*: "un Ministerio de Progresismo tibio con tropezones de *neísmo* ilustrado" (568).

"Había dos noblezas, la de los pergaminos y la de los expedientes, y los puestos más altos de la burguesía se asimilaban a la grandeza de España" (1968c: 1495). O más claramente en *El caballero encantado*:

> Relaciones más sociales que políticas tenía Tarsis con otros individuos de la burguesía enriquecida en negocios de los que no exigen grandes quebraderos de cabeza [...]. Muchos de estos plebeyos enriquecidos ostentaban ya el título de marqueses o condes, y a otros les tomaban las medidas para cortarles la investidura aristocrática... (1968c: 226).

Tal unión permitió que unos y otros se establecieran como un oligopolio formado por una élite de grandes familias de nobles (como los Alba), terratenientes (nobles o no) y burguesía ascendente del XIX (comercial, financiera y bancaria), para poseer el control absoluto del Estado y la Administración (basta recordar que entre 1901 y 1916 los dieciocho gobiernos que dirigen el país repiten constantemente los cargos ministeriales tanto en uno como en otro partido)[10]; juntos formarán lo que Tuñón de Lara denomina el "bloque de poder" (1967: 24-42).

Pero el dominio de la aristocracia y el conservadurismo no solo se ubicaban en los interiores del sistema político vigente. La aristocracia hacía uso de su potencia ideológica para legitimar su estatus de superioridad. Como ya vio Tuñón de Lara, bajo el propósito de "libertad e igualdad" que oficialmente proporcionaba el aparataje del Estado liberal se escondían los verdaderos valores por los que apostaba la nueva élite, que no eran otros que los del Antiguo Régimen: monarquía de origen divino, inmovilismo estructural y conciencia de élite. La aristocracia conseguía así legitimar y perpetuar los pilares de su ideología a través de la estructu-

10 Según Tuñón de Lara, entre los diputados registrados en 1899 había 197 abogados, 16 industriales, 9 ingenieros, 5 generales, 8 catedráticos, 2 médicos, 2 farmacéuticos... La nobleza eran 7 duques, 41 marqueses, 27 condes, 3 barones y 3 vizcondes, cuyas profesiones en general eran castrenses o abogacil y su principal ingreso, "la renta de la tierra"; en 1903 lista 195 abogados, 53 propietarios, 11 industriales, 22 militares, 6 marinos, 18 ingenieros, 12 periodistas, 4 médicos, 3 escritores y un obrero (1967: 34).

ra burguesa para formar una nueva élite que ya no asociaría esos valores ideológicos al Antiguo Régimen, sino al nuevo y moderno orden mundial. De esa manera, el conservadurismo parecería haber sido superado en una nueva imagen moderna y depurada de viejos ideales. Sin embargo, la realidad fue más bien la contraria: la antigua nobleza volvió a encontrar la manera de perpetuarse frente a una burguesía aún débil, a diferencia de lo que ocurre en otros países, y hasta el momento incapaz de desarrollar su potencial de clase frente a los poderes tradicionales (Tuñón de Lara 1967: 42).Como afirmaba el propio Galdós en octubre de 1901,

> Hemos visto terminar revolucionariamente un reinado, y los demoledores, ante los ojos de la misma generación en que combatieron, restauraron errores y vicios que tan acerbamente habían maldecido. Los avanzados han sido imitadores ciegos de los retrógrados, y los prudentes han repetido los actos de los delirantes (Shoemaker 1973: 538).

Este escenario será el que presente Galdós a lo largo de todas sus Novelas Españolas Contemporáneas del siglo XIX, centrándose y mostrando la situación desde el punto de vista de quienes buscan la ascensión al poder, es decir, la burguesía. La novela que de manera más completa refleja el funcionamiento de ese proceso es *Fortunata y Jacinta*, donde la familia Santa Cruz-Arnáiz y todos los que socialmente les rodean (los Moreno, los Trujillos, los Samaniego, los Gravelinas...) serán paradigmas no solo de la interpenetración a la que se refería Tuñón de Lara sino también de cómo la ideología que los define es la de la aristocracia (véase el poder de Guillermina Pacheco, *la rata eclesiástica*, la importancia del matrimonio o la honra social de la familia, entre otros). Ellos representan la ley y el orden que luego volverá con la Restauración, una ley y orden infranqueables y que no admite ningún tipo de réplica porque, como afirma el narrador-novelista, "quien manda, manda" (Pérez Galdós 2003: 336).

2.2. El tiempo del cambio

Ahora bien, ese bloque de poder no es perenne e inamovible: si la incompetencia de Juanito Santa Cruz se mostraba impune en los inicios de la

Restauración gracias a su posición social y económica, la nueva coyuntura histórica de principios del XX planteará un escenario bien diferente, inmerso en un proceso de cambio que hace tambalear su poder hegemónico. En 1909 Juanito Santa Cruz se ha convertido en Carlos de Tarsis —"un señorito muy galán y de hacienda copiosa, criado con mimo y regalo como retoño único de padres opulentos" (1968c: 223), deprimido tras haber agotado su capital heredado— y ya no son los Baldomero ni las *ratas eclesiásticas* quienes ejercen el poder, sino la Madre, de quien el novelista dirá "quien manda, manda" (340). El hecho de que ahora sea un personaje ambiguo, simbólico, con capacidad metamórfica en personas de cualquier clase social de la España del momento resulta bastante sintomático en cuanto a representación del poder. La Madre, a la que se le dedicará un apartado posterior, es el símbolo de ese consenso social que Galdós busca para la España de principios del XX.

Si en 1887 no existía una manera de romper el férreo principio de autoridad sustentado por una oligarquía muy bien definida socialmente, en 1909, según nos muestra en sus escritos, ese poder ahora es susceptible de ser ocupado por otros grupos, clases o simplemente, personas diferentes. Es consciente de un posible cambio social porque se está empezando a romper el anterior consenso (aunque este no se quiebra hasta 1917[11]), sobre quién debe sustentar ese poder, incluso hasta llegar al rey (recuérdese que entonces Galdós ya era diputado republicano). La clase dirigente de la Restauración estaba acabada para Galdós, como auguraba al final de *Cánovas* en 1912, al aludir al funcionamiento del sistema en 1875:

> Los políticos se constituirán en casta, dividiéndose, hipócritas, en dos bandos igualmente dinásticos e igualmente estériles, sin otro móvil que tejer y destejer la jerga de sus provechos particulares en el telar burocrático. No harán nada fecundo; no crearán una Nación, no remediarán la esterilidad de las estepas castellanas y extremeñas, no suavizaran el

11 Según Jover Zamora, a final de siglo "no se puede hablar de quiebra política. La oligarquía sufre un rudo golpe, pero las fuerzas sociales que le son hostiles actúan en orden disperso y carecen de madurez. La vieja estructura social no entrará en crisis hasta 1917" (2001: 422).

malestar de las clases proletarias. Fomentarán la artillería antes que las escuelas, las pompas regias antes que las vías comerciales y los menesteres de la grande y pequeña industria (1968b: 1410).

El Desastre había abierto la brecha por la que volver a plantearse una nueva revolución liberal en la que se recuperaran sus valores progresistas perdidos en el curso de la interpenetración. Pero esta no podría ser como las del siglo anterior, no contaban con suficientes fuerzas para ganar una batalla con armas, ni tampoco la pérdida humana valdría la pena para un pacifista como Galdós, pero sí era el momento de remover las conciencias hasta revolucionarlas, como él mismo afirma a finales de 1909, ya en la Conjunción Republicano-Socialista: "El país desea tener un cambio de postura, pero antes quiere garantías. Hagamos la revolución en las conciencias para luego hacer la política" (Dendle 1994-1995: 148). Se trataba de romper con el discurso ideológico decimonónico progresista en favor de uno nuevo acorde a las necesidades y realidades del siglo XX.

Galdós pasará de ironizar sobre un futuro Delfinito, heredero del poder oligárquico de las clases hegemónicas de la Restauración, a confiar en un Héspero (hijo de Tarsis y Cintia), concebido en el pueblo ("producto" del "*proletariado* y del *intelecto*", Rodríguez Puértolas 2006: 71), pero ya nacido entre la burguesía, destinado a divulgar ese discurso alternativo que durante los años posteriores al 98 había ido gestando el novelista. Él será simbólicamente el futuro de esa nueva clase media aún inmadura que construirá una nueva España. Para ello no solo será determinante la coyuntura de crisis descrita, sino también en gran medida el nuevo estatus que van adquiriendo los intelectuales como gremio y el campo cultural que se va formando entonces.

CAPÍTULO 3

Intelectuales y campo cultural español en el siglo XX

A finales del XIX, tras la pérdida de las colonias, el descontento de las viejas generaciones, eco del 68, y el de las nuevas convierten a la Restauración en el blanco de todos los ataques y el sistema al que reclamar responsabilidades. Las políticas llevadas a cabo desde su sus inicios iban poco a poco desgastando la capacidad de resistencia de los intelectuales, que a partir de entonces comienzan a articular un discurso crítico para denunciar las ya demasiado manifiestas carencias sociales. Entonces, frente al modo decimonónico, críptico o sutil en mayor grado, y frente a la pasividad de los intelectuales hasta el momento, en la década de los noventa comienza aparecer un discurso más directo y espontáneo, que denota una nueva concepción del intelectual. Con el paso de los años estos van a ir implicándose cada vez más en política, sus escritos periodísticos serán mucho más agresivos y su poder social ya no dejará indiferente a quien ataca. Ha comenzado el camino del intelectual hacia el compromiso social, que paulatinamente irá alcanzado un nuevo estatus. Esta situación responde a un fenómeno que se extiende por toda Europa, como culminación de un proceso de autonomía e independencia, iniciado a principios del siglo XIX[1].

Con ello surge un nuevo campo cultural que demuestra la superación de las normas del Antiguo Régimen y en la que se transita del mecenazgo al libre comercio. A la evolución económica le acompaña la ideológica, ya que todo el recorrido a lo largo del siglo desembocará en un concepto de intelectual como figura que une pensamiento y acción —el llamado "intelectual total" (Charle 2000: 57)—. El intelectual se separará de los círculos burgueses originales en un proceso por el que se acercará al proletariado a través de los movimientos obreros incipientes por entonces (Celma Valero 1989: 116-117).

En el devenir de esa doble evolución pasa de ser un grupo heterogéneo a establecerse en red por toda Europa hasta terminar por formar comunidad. La cohesión y la coincidencia de intereses profesionales impulsan la adopción de estrategias colectivas, lo que les va dotando de un progresivo poder social. Tanto es así que pasan de ser un grupo relacionado con la posición que ocupan en el mercado a destacar por su oposición a la hegemonía estatal. Entonces, a los intelectuales se les empieza a definir como "miembros de una 'clase' de pensadores o escritores casi siempre en oposición al orden sociopolítico establecido —o por lo menos al margen de él— (Fox 1988: 14). Galdós, como intelectual consagrado en la época, participaría de la formación y del desarrollo de esa "clase" con diferentes intensidades (a veces no poco contradictorias) en paralelo con su implicación en la actividad política.

Dentro de ese proceso, siguiendo a Paul Aubert en su estudio "Intelectuales y cambio político", se registran dos fases en las que el año 1906 se entiende como un punto de inflexión: hasta dicho momento los intelectuales no actuarían más que como intermediarios —"inductores", si se acude a sus términos (1993: 32)—, impulsores de movimientos, pero pasivos políticamente. Sería el tiempo en que los regeneracionismos a través de Giner, Galdós, Costa, Maeztu, Unamuno, Azorín... surgirían para hacer frente al pesimismo provocado por el Desastre. A partir de 1906 se inicia un periodo de acercamiento

1 Más información sobre este fenómeno en Charle (2000).

cada vez mayor del intelectual a la política que culminará con la Semana Trágica de Barcelona en 1909, momento a partir del cual estos comenzarán a militar por fin en los partidos políticos.

3.1. La aparición del "intelectual total" (1890-1906)

De manera general, se ha considerado que el punto crítico de ese proceso llega en 1897 con el *affaire* Dreyfus, el "J'accuse" de Zola (*L'Aurore*, 13/01/1898) y el "Manifeste des intelectuels" de Clemenceau, publicado un día después[2]. Sin embargo, como recuerda Víctor Fuentes —sin denostar el caso francés—, las letras españolas contaron con sus propios hitos, responsables de gestar un nuevo significado para el concepto (1999: 173-187 y Jover Zamora 2001: 583). Destaca entre todos el caso de los "Presos de Montjuich", llamados así a causa de la bomba que estalló el 17 de junio de 1896, día del Corpus, en Barcelona, por el que se detuvo hasta a cuatrocientas personas relacionadas con el anarquismo, entre ellos los colaboradores de la revista *Ciencia Social*, dirigida por Jaume Brossa y Pere Corominas (Pérez de la Dehesa 1970b).

Este suceso se convirtió en un hito nacional e internacional y el papel de los intelectuales resultó fundamental, tanto en el proceso anterior a la sentencia, gracias a cuya actuación consiguieron reducir de 28 a cinco las condenas a muerte y la absolución con destierro de 61 detenidos (Martínez 2007), como en la liberación final de los presos en 1901 gracias a la campaña de Federico Urales y su *Revista Blanca*.

En ambos momentos recibirían apoyo por parte de los grupos intelectuales que estaban ya reaccionando contra el poder: desde los adscritos al partido republicano y los regeneracionistas (Costa, Rafael Altamira, Giner de los Ríos o Azcárate), hasta anarquistas como An-

2 España se ha considerado uno de los países donde más repercusión tuvo este hecho, dada la cercanía geográfica y la tradicional relación cultural entre uno y otro, hasta el punto de definirse como importante agente impulsor del cambio en el concepto. Véanse Charle (2000: 185-190); Villacorta Baños (1980: 94); Fox (1988: 15-22); Aubert (1993: 27-28); y Celma Valero (1989: 116-117), entre otros.

tonio Ruiz o Tarrida del Mármol, o Anselmo Lorenzo en la campaña revisionista, u otros como Unamuno, Azorín, Maeztu, Ricardo Mella, Blasco Ibáñez, Rodrigo Soriano… Sin embargo, no todos se involucraron ni se comprometieron. Galdós, que en el 96 se encontraba en plena gira de *Doña Perfecta* y, posteriormente, en la escritura de *Misericordia*, etc., se mantuvo al margen de los intelectuales, a pesar de las insistencias de su amante Concha Morell para que se posicionara frente al *affaire* Dreyfus[3]. Las consecuencias del Desastre del 98 se convertirían en materia literaria y de análisis suficiente como para no interesarse por el resto de hechos que ocurrían simultáneamente. En este sentido, no hay que olvidar que tanto la guerra con Filipinas como con Cuba dieron una literatura comprometida que ya mostraba la postura de los intelectuales frente al conflicto. Aunque realmente no se impulsara una campaña relevante en contra de la guerra por parte de ellos, de que sus respuestas no fueron homogéneas ni sirvieron para presionar a los gobiernos y frenar el conflicto bélico, a causa (probablemente) del desconcierto y la falta de una postura grupal unánime[4], muchos escritores reflejaron el tema del Desastre en sus escritos[5].

En cualquier caso, estas protestas y las respuestas de solidaridad entre Francia y España a propósito del *affaire* Dreyfus y del caso de los presos de Montjuich, sumado al ambiente aportado por la *intelli-*

3 Según Ortiz Armengol, ante este suceso Concha Morell instó a Galdós para que se pronunciara a favor del tema judío y apoyara la protesta de Zola, pero este, por entonces encerrado para escribir la tercera serie de los Episodios Nacionales, lo eludió (1996: 556-557). En el caso de Montjuich, quizá porque la acción se había vinculado con los anarquistas, a quienes ya había rechazado públicamente en varios artículos (véase Shoemaker 1973: 400).

4 Este ambiente marcado por la incertidumbre de los días posteriores al Desastre es el que se respirará en las calles de las ciudades españolas, como lo recordará Rubén Darío en su *España Contemporánea* de 1901, puesto que a su llegada a Madrid afirma percibir "en la atmósfera una exhalación de organismo descompuesto" (1901: 22); unos años después lo recordará Miquel dels Sants Oliver en "La literatura del Desastre", publicado en *La Vanguardia*, el 26 de octubre de 1907 (recogido en Rodríguez Puértolas 1999: 276-279).

5 Una recopilación muy completa de estos escritos en torno al 98 se encuentran en la obra de Rodríguez Puértolas (1999).

gentsia rusa los años precedentes, van otorgando un poder cada vez mayor a los intelectuales en estos años de final y principio de siglo que aumentará a lo largo del siglo XX[6]. El compromiso político se convertirá en la característica que mejor defina al intelectual en el tiempo que nos ocupa (y hasta la Guerra Civil)[7]. Exteriorizan su sensibilidad e incomodidad ante ciertas injusticias sociales rebelándose contra el orden establecido y radicalizando sus discursos contrahegemónicos nacidos con autores como Clarín o Galdós. En este sentido, afirmaba *El País* el día después del estreno de *Electra*, de Galdós:

> Descartados los hombres políticos, solo quedan al frente de la nación los hombres de letras. [...] Agotada la generación de políticos, surge a ejercer la hegemonía de los pueblos la generación de intelectuales. [...] En la hora de decadencia de los pueblos, son los literatos los que dan la señal de la resurrección (1901: 1).

Como se ha demostrado con el caso de Montjuich o el *affaire* Dreyfus, la prensa, que a lo largo de todo el XIX había ido adquiriendo

---

6 Teniendo en cuenta todos los sucesos de Montjuich, no resulta descabellado pensar que en España, el cambio en la palabra intelectual ya había empezado a producirse antes del caso Dreyfus. Cierto es que este suceso supuso un impulso más en ese cambio, pero probablemente España se sumó a la postura de los escritores e intelectuales rusos, a los cuales conocían y con cuya situación se identificaban (desde los escritores espiritualistas como Tolstói, Turguéniev, Dostoyevski, etc. hasta los teóricos anarquistas Kropotkin y Ruskin). Que Emilia Pardo Bazán hubiera escrito su famoso ensayo "La revolución y la novela en Rusia" unos años antes o que Baroja publicara una serie de ensayos en *La Unión Liberal* en 1890, demuestran este hecho (Serrano 2000: 304-305).

7 Véase Fox (1988: 17), en que se refiere a dos artículos: uno de Pardo Bazán en 1901, y otro de Unamuno en 1905 ("La crisis del patriotismo"), como textos en los que ya aparece consolidado el nuevo concepto de intelectual. Y Maeztu, en "Los libros y los hombres. Mi programa", artículo publicado en la revista *Electra* (1901: 5-7), pondría de manifiesto esta concepción del intelectual: "He aquí la misión de la crítica, de la crítica con que yo sueño. De una parte, excitará a los artistas para que dejen sus torres ebúrneas por el viento de las carreteras. De la otra, detendrá a las muchedumbres que llenan los caminos para invitarlas a escuchar la canción del artista..." (7).

mayor poder como medio político, será la portadora por antonomasia de esa nueva actitud creada por los intelectuales, su órgano de mayor difusión y expresión. Se convierte entonces en el espacio preferido de la opinión pública para discutir sobre la actualidad y también sobre literatura, por encima de instituciones, marcos legales, etc. Es decir,

> paralelamente a los sucedido en Francia, ante el creciente descrédito de las instituciones, la cultura tratará de convertirse en un "contrapoder", en el que la prensa ejercerá las funciones del parlamento paralelo, el moderno género de la *interview* poseerá un papel equivalente al de la intervención parlamentaria y la moda de las encuestas periodísticas sustituirá atractivamente las votaciones de leyes y decretos (Calvo Carilla 1998: 173)[8].

Por otro lado, revistas como *Gente Nueva*, *Vida Nueva*, *La Vida Literaria*, *Arte Joven*, *Revista Nueva*, etc., reflejan otro conflicto: el cambio generacional, que enfrentará en este final de siglo estética e ideológicamente las tendencias más actuales con las que ya se consideran del siglo pasado[9]. El enfrentamiento entre unos y otros, a pesar de lo que se ha destacado tradicionalmente, nunca fue brusco ni total, sino que se encontró lleno de matices y contradicciones, pues "ni la regeneración cultural de fin de siglo y la conversión al espíritu moderno surgían de la nada, ni la nueva juventud finisecular podía atribuirse con exclusividad los laureles de estas asunciones" (Calvo Carilla 1998: 154).

8 Entre 1895 y hasta 1906 prolifera un importante número de revistas literarias, aunque muchas de corta vida, a veces de fuerte componente político-social progresista (*Germinal*, 1897-1899 y 1903; *Vida nueva*, 1898-1900; *Alma Española*, 1903-1904; *Electra*, 1901; *La República de las Letras*, 1905…), conservador (*Nuestro Tiempo*, 1901-1925), o más afines al movimiento obrero, como la ya citada *Revista Blanca* (1898-1905); en otras ocasiones, se trataba de publicaciones centradas en el aspecto literario y de menor espíritu combativo (*Helios*, 1903-1904; *El Nuevo Mercurio*, 1907; *Renacimiento*, 1907…). Véase una relación de revistas más completa en Celma Valero (1989).

9 Véase del otro lado, el caso de *Gente vieja* (1900-1905), el organismo principal de los considerados "viejos", que publicará artículos contra las nuevas estéticas, aunque siempre cuidadosamente, ya que necesitaban irse incorporando poco a poco a las nuevas tendencias para poder seguir captando lectores.

Al final, tanto viejos como jóvenes publicaban en las mismas revistas y se enfrentaban a una misma ideología hegemónica. Entre ellos se conocían, se respetaban y se escribían. No compartían campo cultural, sino que todos juntos lo conformaban, por lo que resulta deficiente dividir y seccionar un contexto en que los intelectuales convivían en mayor simbiosis de lo que nos han transmitido las historias de la literatura. Ello no significa que carecieran de diferencias e intereses contrapuestos, convertidos incluso en enfrentamientos personales[10]. El término "gente nueva" (acuñado por Luis París en 1888, en una obra del mismo nombre), establecido por oposición a "gente vieja", resultaba, si se entendía en términos generacionales, demasiado impreciso, pasando a delimitarse más bien en criterios de innovación y cambio, puesto que abarcaba un amplio número de tendencias que iban desde los nuevos positivistas, anarquistas, idealistas, hasta los irracionalistas, etc.:

> El término "gente nueva" albergaba, pues, una gran elasticidad semántica como actitud intelectual renovadora, que comprendía desde el

10 Sirva como ejemplo este texto de Baroja: "En España, solar de babiecas, se han concedido títulos de celebridad por cualquier cosa. ¿Castro y Serrano? ¡Un gran novelista! ¿Rodríguez Correa? ¡Un satírico de marca mayor! ¿Ventura de la Vega? ¡Un estupendo autor dramático! ¿Clarín? ¡El *summum* de la crítica! ¿Cánovas, el monstruo? ¡Gran historiador, gran poeta, gran filósofo, gran político! Y ni sus historias, ni sus poesías, ni sus gestiones de hombre público valieron jamás tres ochavos. [...] Alguno de estos vejestorios se reúnen a banquetear una vez al mes. Les propongo que en cada banquete se coman a uno de sus vetustos compañeros. Hay un peligro: la intoxicación. ¿Por qué? ¿Quién es el valiente capaz de engullir una chuleta de Balart, de Grilo, de Núñez de Arce, de Pereda, de Echegaray, de Sellés o de tantos otros que figuran en la inconmensurable lista de los viejos?"; o este de otro algo posterior: "Tenemos en España un museo moderno que es un museo, no de la patria del Greco y de Goya, sino de un país de negros. Tenemos una prensa que es la glorificación de la ñoñez y de la insustancialidad. Vivimos en un ambiente de cursilería y de agarbanzamiento absoluto. ¿A quién se debe? A los viejos. Ellos nos dijeron que los hombres de las Cortes de Cádiz eran grandes hombres cuando no pasaban de ser unos pobres diablos, que los Madrazo eran unos grandes genios de la pintura, que Lorenzana era un gran periodista y Eguílaz un gran dramaturgo. Nos dieron el continuo timo" (citado por Mainer 1987: 20-21).

> regeneracionismo burgués al anarquismo, desde el progreso de las ciencias y del pensamiento hasta el naturalismo de denuncia, la elevación mística o el esteticismo formalmente provocador, y desde la transgresión moral y religiosa hasta el escándalo social de sus modos de vida y sus disparatados atuendos (Calvo Carilla 1998: 178).

La diferencia básica entre unos y otros residía no tanto en la aceptación o no de las tendencias, sino en su praxis (piénsese en la bohemia) (156). Viejos y jóvenes no se encontraban distanciados por una cuestión generacional, sino de actitud: el término "gente joven", en realidad, haría referencia a todo lo ajeno a la tradición rancia y ultraconservadora de la clase hegemónica. Silverio Lanza, Luis París, Alejandro Sawa, Ernesto Bark, paradigmas de esa gente nueva, criticaron a los viejos al principio de esta dicotomía que tendría lugar en los años noventa, pero a medida que se acercaba el fin de siglo, influenciados por la ya citada y nueva concepción del intelectual, empezaron a compartir espacios de publicación. Así, no es de extrañar que revistas como *Vida Nueva* (1898-1900), *Electra* (1901) o *Alma Española* (1903) contaran con colaboraciones tan dispares como las de Luis París, Luis Bonafoux, Jacinto Benavente, Unamuno o Clarín.

Galdós, por su parte, supera esa dicotomía. Considerado en los años noventa como parte de la "gente vieja", criticado en *Gente nueva*, de Luis París[11], comienza a aparecer en la prensa del momento, sobre todo a partir del escándalo de *Electra* en 1901. El novelista, entonces, empieza a ser reclamado como maestro intelectual, liberal y progresista, conductor de la regeneración del país; reclamación que, por cierto, pronto rechaza: "no me tengo por maestro de nadie, sino más bien por discípulo, poco aventajado ciertamente, de la realidad y de los hecho humanos" (Pérez Galdós 1901: 1). Así, *Don Quijote* (prensa republicana radical) publica un fragmento suyo de *Lo prohibido* en 1902 y

11 Al hablar del estado de la novela en España, afirma: "para corregir la pequeñez de nuestros novelistas, necesitamos traducir a los franceses y hemos de nutrirnos con las grandezas de Balzac y de Zola para compensar las deficiencias de Pereda y de Galdós" (1888: 50).

cita sus Episodios Nacionales (04/07/1902), e incluso le dedica una caricatura en la sección "Los nuestros"[12]. Antes había impulsado la confección de la revista *Electra* en 1901 y en 1903 escribirá el texto de portada de la revista *Alma Española* ("Soñemos, alma, soñemos"), como ya se citó anteriormente. Años después, en 1908, José M.ª Salaverría, en su retrato de Galdós, señalaba cómo lo encontraba siempre junto a escritores primerizos y destacaba su gusto por estar rodeado de la masa, de lo popular, de la multitud (1930: 20-21).

La colaboración de los "viejos" en la prensa para emprender campañas editoriales era fundamental. El caso de la revista *Vida Nueva*, una de las más importantes de la época (aparece por primera vez el 12 de junio de 1898), dirigida por Rodrigo Soriano y en la que colaboran Unamuno, Valle-Inclán, Baroja o Pablo Iglesias (por citar algunos), es muy sintomático. Soriano intenta captar constantemente la colaboración de Galdós, durante los años 98 y 99, como demuestran las cartas recopiladas por Peter Bush en "Galdós y *Vida Nueva*" (1980). Baste como ejemplo esta carta de junio de 1899, en la que Rodrigo Soriano reclama con vehemencia la atención del escritor canario:

> Madrid, junio 1899
>
> Mi querido Don Benito,
>
> ¿Qué es de Vd? Nada sé desde un año. Le escribí a Vd. varias veces y no me contestó. Hablé de Mendizábal en *Vida nueva* y no tuvo a bien escribirme dos letras. Defendimos a Vd. contra los ataques de Bureu y de otros hureles y no se dignó Vd. a decirnos si le parecía bien o si le parecía mal. Insertamos en *Vida nueva* los anuncios de sus libros y tampoco logramos sacarle de su mutismo. Lo único que supimos de Vd. fue que se oponía a que publicáramos sus artículos viejos. Yo he pensado muchas veces si la franca y leal amistad que junta con la admiración ferviente que sentía hacia Vd. que mis desinteresadas campañas en pro de sus obras, he-

12 Véase Rubio Jiménez (1998: 300), quien define *Don Quijote* como "una verdadera hermandad de artistas y escritores preocupados por la situación del país y empeñados en modificarla, acogiéndose a la sombra idealista y hasta quimérica del héroe cervantino". Aquí publican Manuel Machado, Marquina, Pi i Margall, Azorín, Baroja, Miguel y Alejandro Sawa, Clarín, Nakens, Dicenta…

chas cuando desmayaban muchos amigos o se ocultaban prudentemente otros, si mi culto hacia la personalidad literaria de Vd. había terminado en injusta frialdad por su parte no por la mía. ¿Tan malo y olvidadizo es el mundo que un año de separación acaba con las amistades al parecer más duraderas? No lo creo así pero mi franqueza me obliga a decir lo que siento. [...] Nadie podía echarnos en la cara cobardía para decir verdades y emprender campañas justas ahora cuando se atormenta en Montjuich a los inocentes y se empapuja de religión y latín a la juventud florida. Díganos qué le parece el periódico y mande a su affmo.

Rodrigo Soriano

Por el correo le mando mi último libro *Grandes y únicos* en que hablo de Vd. (Bush 1980: 9).

A pesar de la creación de un colectivo comprometido bajo la etiqueta de intelectuales al final de siglo, el desconcierto ideológico y la carencia de proyectos claros hace que la verdadera importancia y el impacto real del intelectual fuera menor de lo que pudiera deducirse de las líneas anteriores[13]. No se puede obviar el pesimismo y la frustración provocados por y a partir del Desastre del 98, como se demuestra en gran parte de los textos periodísticos y literarios (Calvo Carilla 1998: 164-167), que en una parte de los intelectuales marca el comienzo de una evolución del compromiso social a un abandono y una falta de lucha a partir de (aproximadamente) 1900, hacia un

13 En palabras de Calvo Carilla: "...sería excesivo hablar de estos intelectuales finiseculares como de una 'nueva clase', y mucho menos atribuir a su control del mercado cultural y de los saberes técnicos la responsabilidad última de su influencia social y de la insultante autoestima que les caracterizaba". Y sigue a Álvarez Junco en (1990) a propósito del papel de Alejandro Lerroux, afirmando que "esta nueva *intelligentsia* gozaba de escasa influencia entre la burguesía, y el discurso que estaba elaborando para legitimar sus aspiraciones de acceder al poder —que, evidentemente, existían, aunque a veces vinieran revestidas de unas miméticas poses nihilistas—, era sensiblemente anti-burgués. [...] Como intelectuales, escritores, artistas, su lucha por el triunfo literario formaba parte de una campaña mucho más ambiciosa: la del poder y el reconocimiento social al que se consideraban acreedores" (1998: 175-176).

individualismo político cada vez más reaccionario (Blanco Aguinaga 2007: 126). Existe, además, una cuestión mercantil que influye profundamente en el desarrollo de la prensa, ya que esta también es dominada y absorbida por el capital desde principio de siglo[14]. El monopolio de los grandes *trusts* obstaculizarán los intentos de publicación de pequeñas revistas por parte de los intelectuales, lo que acabará suponiendo su abandono.

No obstante, toda esta agitación de los 1900 sembrará una semilla que irá germinando en los años siguientes: la inestabilidad socio-política, el avance de la economía capitalista en tensión constante con el imperante caciquismo y el problema agrario, que acentuaba las desigualdades sociales, ayudaron a fortalecer al grupo de los intelectuales. Estos, poco a poco, empiezan a llevar a cabo acciones conjuntas de protesta, aunque inintencionadamente y de manera improvisada. Comienzan a acercarse a los partidos políticos y se suman a sus iniciativas: en 1901, surgen protestas ante la boda de Carlos Caserta con la princesa de Asturias, se produce el escándalo de *Electra* de Galdós y apoyan las huelgas de Barcelona; en 1903 se forma la Asamblea de la Unión Republicana, donde Blasco, Lerroux, Costa, etc. participan; en 1904 se unen contra el caso Nozaleda; y en 1905 emprenden una campaña contra Montero Ríos y otra contra el homenaje a Echegaray (Alonso 1985: 18). Esta última consistió en la publicación de varios artículos en el diario *España* firmados por Azorín[15], pero no consiguió el apoyo de los grandes medios de prensa, como *El País*, ni tampoco el de intelectuales como Galdós, que contrariamente, apoya a Echegaray. La protesta fue enseguida ocultada por los medios

14 En el mismo año 1900 se funda la Sociedad Editorial de España, que agrupa tres publicaciones de gran tirada: *El Imparcial*, *El Liberal* (ed. de Bilbao, Murcia, Sevilla) y *El Heraldo de Madrid*. Llamados el "trust de la prensa" por la competencia, compran *El Defensor de Granada* en 1907 y *El Noroeste* (Gijón) en 1908.

15 Véase Riopérez y Milá (1979: 371-381), que los reproduce y analiza parcialmente. Entre ellos, el que verdaderamente entró en conflicto con el homenaje oficial fue el publicado en febrero bajo el nombre de "La protesta", dividido en cuatro epígrafes: "Su espíritu, Su texto, Las firmas y Final del comienzo".

y por quienes realmente no estaban interesados en una acción rompedora[16]. No obstante, contribuyó a alimentar un espíritu de lucha común que poco a poco iría madurando y se iría potenciando gracias también a los encuentros posibilitados por los eventos del centenario de *El Quijote*.

La politización de los intelectuales y de la literatura ya se encuentra en un punto de no retorno y cada vez se hace más evidente. Así, por ejemplo, en mayo de ese año Blasco Ibáñez crea *La República de las Letras*, revista de política y literatura, que destacó entre sus principios el compromiso del escritor. En ella se encuentran colaboraciones tan dispares como las de Eugenio d'Ors, Martínez Sierra, Antonio Machado, Julián Besteiro, Federico Urales, Unamuno…, supervisadas por un consejo de redacción compuesto por el propio Blasco Ibáñez, Luis Morote, Pedro González Blanco, Rafael Urbano y también Galdós.

Entre todas las revistas de la época esta es quizá la más interesante a la hora de describir la posición del novelista como intelectual durante esos años, especialmente el número homenaje que le dedican en julio de 1907. En él se recogen, además de su relato "Theros" (1890), una serie de testimonios y opiniones sobre el novelista procedentes de las diferentes generaciones que están confluyendo entonces: la suya y la de Emilia Pardo Bazán, la de los cada vez más consagrados Azorín, Unamuno o Blasco Ibáñez, la de novelistas que o están o estarán en pocos años renovando la novela (Felipe Trigo o Gabriel Miró), la de los modernistas como Martínez Sierra, y hasta un joven Antonio Machado expresaba su admiración por el novelista al que todos tienen por maestro. Este número homenaje refuerza la imagen de Galdós como intelectual de notable influencia, en un momento en que ya abraza el republicanismo, con afiliación de partido incluida.

Volviendo al año 1905, *La República de las Letras*, además de por lo apuntado anteriormente, resulta interesante porque, según Cecilio Alonso,

16 Incluso el diario *España*, donde Azorín publicó tales protestas, acaba por defenderlo el 18 de marzo.

hay motivos para suponer que fue en aquella redacción donde se gestó la fase inicial de la protesta de junio, si nos atenemos al hecho de que el manifiesto que se repartió había sido impreso en sus talleres, y que fueron precisamente Pérez Galdós y Blasco Ibáñez quienes encabezaron las firmas (1985: 27-28).

La protesta a la que se refiere es la organizada contra Montero Ríos: a mediados de junio, el Partido Liberal llega al poder, con Montero Ríos a la cabeza. Este, a quien no se le perdonaba haber firmado el Tratado de París, incluye entre sus ministros a Weyler (Ministerio de Guerra), lo que termina de enfurecer a los intelectuales que habían condenado la gestión de los sucesos del 98. Una nueva decepción para los "burgueses antiburgueses", como Galdós. Así, el 27 de junio, *El País* abría el diario con un editorial llamado "Los intelectuales en campaña", como prólogo de un pasquín que Ricardo Fe publicó suelto y que al día siguiente reprodujeron varios periódicos (incluido el mencionado periódico). El manifiesto-protesta llevaba por título "El país y los políticos" y cargaba directamente contra el gobierno de Montero Ríos:

> El hombre que firmó el Tratado de París está hoy definitivamente juzgado, al construir con el cortejo de sus deudos un gobierno nepotista que carece de aquellos prestigios de cívico acierto y altruista empeño que reclama la vida aciaga de España (citado por Alonso 1985: 31).

Las firmas de Galdós y Blasco Ibáñez serían las primeras entre las de intelectuales como Azorín, Baroja, Maeztu, Luis París, Ciges Aparicio, Valle-Inclán, Luis Morote, Manuel Machado...[17]. A causa de esta heterogeneidad no tardarían en aflorar las desigualdades ideológicas y los ya citados intereses personales hasta convertir la protesta en una estrategia política por parte de los grupos marginales que seguían viendo impedido su acceso al poder[18].

---

17 Protesta publicada en *El País* del 28 de junio de 1905.

18 Véase "La semana burguesa" de *El Socialista*, del 7 de julio (1), que no duda en recordar con sorna cómo afirman encontrarse "alejados y desdeñosos de la política y sus medros, ante el silencio guardado por aquellos en quienes *era* mayor

Así pues, la burguesía frustrada del 68 empezaba a ver la luz en el devenir para implantar de nuevo un ideal depurado de "libertad, igualdad y fraternidad". Los intelectuales, una élite ilustrada, entre los que se encontraba lo que quedaba de esa burguesía desengañada, tenían ahora la oportunidad definitiva de llevar a cabo su proyecto. Esto va atrayendo a intelectuales alejados hasta el momento del escenario político, como Galdós, que incluso empieza a apoyar órganos de prensa más involucrados en la cuestión social, como *La anarquía literaria*, publicado ese verano. El primer número anunciaba colaboraciones de Unamuno, Costa, Pablo Iglesias, Manuel Bueno... y una larga lista de intelectuales entre los que se encuentran Galdós, Juan Ramón Jiménez, Manuel Machado o Felipe Trigo, que contribuyeron monetariamente con entre dos y cinco pesetas.

Todo este ambiente creado en el entorno republicano durante ese año 1905 se tradujo en la dimisión de Montero Ríos en favor de Moret, aunque no por ello el problema de fondo, la desunión entre los intelectuales, se solucionó por la actitud interesada e individualista de un colectivo que, mientras el sistema de la Restauración había sido controlado, se había situado al margen, pero que ahora iba adquiriendo cierto poder. En cualquier caso, es reseñable que en España, entre 1898 y 1906, se va gestando un ambiente de cambio, de posicionamiento y acción intelectual ante los sucesos acontecidos. Se encuentra por fin en pleno proceso de modernización y los intelectuales están interviniendo activamente. Estos, poco a poco, se van convirtiendo no solo en colectivo destacado, sino en una fuerza política (la que verá sus ideales culminados en la II República). Por tanto, 1905, como afirma Cecilio Alonso, es "fecha clave en que la crisis se acentúa, patentizando la impotencia de aquellos intelectuales pioneros que, a partir de tal fecha, se verán obligados a cambiar de táctica o al abandono de la lucha" (Alonso 1985: 19).

deber hablar, nos alzamos jueces de este linaje de ambición, que concita el rencor torvo y airado de todo *un* pueblo", cuando entre los firmantes se encontraban algunos que solo pensaba en obtener beneficio de esta situación.

El caso de Galdós en relación con el compromiso como intelectual en estos primeros años del xx, no mantiene un *continuum*, sino que responde a la inestabilidad con la que vive el periodo: no participa ni en Montjuich ni en el caso Dreyfus, pero provoca el escándalo de *Electra*, apoya la revista que lleva su nombre y enseguida se aparta de su eco político; no colabora en la protesta de Echegaray, pero impulsa junto a Blasco la de Montero Ríos, mientras está escribiendo *Casandra*, *Aita Tettauen* y *Carlos VI en La Rápita*, en un momento en que Marruecos pasará a ser uno de los tema de debate fundamental entre los intelectuales hasta prácticamente la II República (Varela Olea 2002: 331).

3.2. La consolidación del "intelectual total" (1906-1915)

La inestabilidad del sistema hegemónico de la Restauración fue provocada principalmente por las movilizaciones y protestas surgidas a raíz del Desastre, lo que alarmó a los sectores conservadores y al ejército. Los militares, que en mayo de 1900 habían asaltado la redacción de *El Progreso*, en Xátiva, y en agosto de 1901 *El Correo de Guipúzcoa*, en Bilbao, el 25 de noviembre de 1905 entran por la fuerza en las redacciones del *Cu-Cut!* y *La Veu de Catalunya*, órganos de la Lliga, a causa de una caricatura antimilitarista publicada tras el éxito en las elecciones municipales del 12 de noviembre. Todo ello desembocó en la llamada Ley de Jurisdicciones al año siguiente, por la que se sometería a tribunal militar a quien ofendiera o atentara contra el ejército y sus valores institucionales (Serrano y Salaün 1991: 35). Los militares, que aún conservaban sus privilegios, no permitirían bromas con respecto a su estamento. Ellos poco a poco durante las primeras décadas del xx se legitimarían a sí mismos como únicos defensores de la patria y se alzarían con licencia para imponer su ley por encima de cualquier democracia[19].

19 La propuesta de la Ley de Jurisdicciones no calmó la rabia del ejército y los asaltos a la prensa antimilitarista no cesaron. Así, en plena votación de dicha Ley,

El ejército, al margen de la política interna desde el golpe de Estado de Serrano en el 74, volvía a recordar que contaba con una hegemonía que en ningún momento había sido cedida, ni mucho menos perdida. Ante la actuación del ejército, la burguesía liberal vio peligrar sus democrática y costosamente conseguidas "libertades" (sobre todo, la libertad de prensa, obtenida mediante la ley del 83), así como la frágil consolidación de su Estado liberal.

Los primeros afectados ante la amenaza de la libertad de prensa, lo que consecuentemente incluía la de expresión, eran los intelectuales. De ahí que, en vista de la aprobación de la Ley de Jurisdicciones (promulgada finalmente el 20 de marzo de 1906), iniciaran nuevas protestas. Esta vez sería Unamuno quien, mediante tres artículos publicados en la recién inaugurada revista *Nuestro Tiempo* emprendiera la campaña. La difusión en la revista y en folletos de "La crisis actual del patriotismo español" (25/12/1905) y de "La patria y el ejército" (05/02/1906) cosecha su éxito y poco a poco va recopilando apoyos, hasta el punto de calificar él mismo la acción como su *J'accuse* particular (Alonso 1985: 66), pues su postura desató simultáneamente la ira de la prensa militar y la consiguiente defensa fervorosa de los más progresistas. Consecuencia de todos los apoyos recibidos fue la invitación, una vez que el proyecto de Ley se estaba debatiendo en el Congreso, por parte de un buen número de intelectuales y políticos con diferentes motivaciones e intereses (incluidos personales y de partido) a dar un mitin, en el que explicara sus ideas de viva voz y así sobrepasar la élite intelectual para llegar al pueblo. La invitación se publicó en la prensa el 20 de febrero de 1906 e iba firmada por muchos intelectuales, entre ellos Galdós.

El mitin se programó para el 25 de febrero en el Teatro de la Zarzuela y consiguió movilizar incluso a quienes nunca se habían implicado activamente en ninguna protesta. Fue un evento de gran expectación al que personas de múltiples procedencias se acercaron

---

se asaltó en Alcoy el semanario anarquista *Humanidad*, tras la publicación de un artículo que atacaba frontalmente al ejército bajo el título de "Fuera vagos" (Alonso 1985: 56-60).

a escucharlo[20]. Sin embargo, las expectativas no fueron cumplidas. Unamuno no arriesgó y se mostró mucho más diplomático que en sus artículos. Tanto fue así que consiguió invalidar las valientes acusaciones de sus escritos[21]. Su falta de interés por liderar ningún movimiento frenó una acción que bien podría haber presionado para parar una ley que otorgaba mayor poder a los militares[22] y, sin embargo, salió adelante no muchos días después (el 23 de marzo).

En cualquier caso, esta campaña supuso un impulso para otras posteriores como la llevada a cabo por el diputado republicano Luis Morote en favor de la abolición de la pena de muerte, que coincide con otra de tinte anticlerical sobre la Ley de Asociaciones. En ambas participa Galdós[23].

Estas reacciones de los intelectuales, por tanto, no resultan insignificantes. Por un lado, la expectación creada y el número de seguidores que consiguen los intelectuales, gracias, sobre todo, a las colaboraciones de la prensa, demuestran la adquisición paulatina de un poder cada vez mayor sobre la población, y por otro, su interés por la política (todavía más en el pensamiento que en la acción) les iba acercando

20 Véanse los pormenores en Alonso (1985: 84 y ss.).

21 Ello produjo bastante desconcierto y de ellos se hicieron eco los periódicos al día siguiente. Solo algunos incondicionales como Azorín le volverían a agradecer su actuación y le adularon. Y aunque días después (el 27 de febrero) le consiguieron una segunda conferencia en el Ateneo, "Estado actual de la juventud española", la campaña de Unamuno por frenar el abuso de los militares acabó cerrándose definitivamente con un tercer y último artículo, "Más sobre la crisis del patriotismo", que se publicaría el 10 de marzo también en *Nuestro Tiempo*. Se trató, por tanto, de una maniobra autocontrolada y autolimitada por quien decidió comenzar la protesta.

22 Lo explica en carta a Zulueta el 28 de mayo de ese mes: "Usted sabe que yo no quiero organizar nada; no me propongo sino hinchar y henchir las almas de un número de prójimos, y que luego ellos, del exceso de mi corazón, se busquen y se unan y se organicen lo que sea" (citado por Alonso 1985: 109).

23 Varela Olea (2002: 345-352) hace un seguimiento del desarrollo de esta campaña, de la que nos interesa desatacar la lectura de una carta de adhesión por parte de Galdós en un mitin realizado en el Centro de Unión Republicana del distrito de la Universidad el 28 de noviembre. Fue publicada por *España Nueva* y *El País* el 29 de noviembre con el título "Carta de Galdós".

gradualmente al poder, hasta el punto de que este se empezaba a sentir amenazado.

En consecuencia, a partir de ese 1906 los intelectuales, unidos como gremio, van a ir acercándose cada vez más a sus organismos ideológicos, pasando, por tanto, del pensamiento a la acción. Así, los años siguiente del "gobierno largo" de Maura (1907 y 1909), se produce una dispersión de los intelectuales como colectivo. Su posicionamiento ideológico individual los lleva a deshacerse como grupo, pero entran por fin activamente en la vida social española: al Partido Conservador se marcha Azorín, elegido diputado por Purchena (Almería) en abril de 1907; los partidos republicanos, aprovechando la crisis del Partido Liberal y el contacto establecido en los últimos años con los intelectuales, comienzan a incluirlos en sus filas, como es el caso de Galdós, que en abril también obtiene un acta por Madrid, tras haberse declarado republicano poco antes; mientras tanto, los partidos obreros, como el Partido Socialista, aún siguen rechazándolos por su falta de posicionamiento claro en la lucha de clases (Gómez Molleda 1980: 63).

Ello, sin embargo, no impidió que algunos intelectuales como Ciges Aparicio se declararan socialistas al tiempo que rechazaban y atacaban al republicanismo (*El libro de la decadencia. Del Periódico y de la Política*, 1907), en consonancia con lo que se establecía desde el partido. "¿Pero es que nuestro ideal se cifra en la lucha o en la poltrona?", preguntaba con convencimiento en su artículo "Cobardía" (*El Socialista*, 01/05/1908), por el que se declaró socialista. Los intelectuales ya no podían ser solo denunciantes, tenían que ser activistas y así lo intentó mediante la publicación de una serie de artículos en *El Mundo* en los que se evidenciaban las pésimas condiciones de trabajo de las minas de Almadén[24]. El efecto del bloqueo de la campaña no consiguió sino unir más a Ciges al movimiento obrero, lo que se tradujo en participaciones cada vez más estrechas con el Partido Socialista, hasta llegar a la Semana Trágica de Barcelona y el fusilamiento de Ferrer i Guàrdia en 1909, momento clave en el camino hacia el compromiso político de los intelectuales.

---

24 Véase Alonso (1985: 159 y ss.).

Algo antes, otras campañas fueron emprendidas por parte de los regeneracionistas, que presionaron para oponerse exitosamente al proyecto de ley contra el terrorismo de 1908 propuesto por Maura. Tras frenar ese intento, intentaría repetirlo con respecto a la guerra del Rif, que empezaba a recordar al final del siglo pasado y no dejaba de incomodar a sus opositores. A medida que avanzaba el año 1909, se iba incrementando la tensión del ambiente, hasta que el 11 de julio se publicó un decreto por el que se reclutaban reservistas para la guerra y que, como en tiempos del 98, afectaba sobre todo a la clase obrera. Tanto fue así que la protesta se convirtió en prioridad relegando a segunda fila el resto de conflictos abiertos (De Cambra 1981: 37). El curso de estos acontecimientos lo resume el periodista Hilari Raguer en un estremecedor artículo que *El País* publicó con motivo del centenario:

> Cuando el 11 de julio empezó el embarco de tropas en Barcelona, las madres y esposas de los movilizados multiplicaron los actos de protesta, mientras las damas de la burguesía repartían medallas y rosarios a los soldados. Una multitud furiosa se adueñó de la ciudad y se ensañó con los edificios religiosos, sobre todo las escuelas de la Iglesia. Tres sacerdotes fueron asesinados, se destruyeron unos 80 edificios religiosos (la mitad aproximadamente de los entonces existentes) y en un convento se desenterraron momias de monjas.
>
> El Gobierno de Maura actuó con la máxima energía, y la insurrección se disolvió tan rápidamente como había estallado. El 2 de agosto, los obreros volvían a las fábricas y empezaba la represión. Se dictaron 17 penas de muerte, de las que cinco fueron ejecutadas. De estas, dos tendrían especial resonancia. Una fue la de Ramón Clemente García, un deficiente mental que había bailado con una momia de monja: sería para la memoria posterior el episodio más emblemático de la Semana Trágica. La otra fue la de Francisco Ferrer Guardia, creador de la Escuela Moderna, acusado de ser el promotor de los incendios de iglesias y escuelas. La campaña internacional en su defensa acabaría derribando al Gobierno de Maura (2009).

Efectivamente, las detenciones por la Semana Trágica desencadenaron una fuerte respuesta internacional, sobre todo en Francia, donde hubo inmediatas manifestaciones tras conocer la noticia y posteriormente dictarse la condena. Dicha presión se tradujo en éxitos directos: no habría más ejecuciones, las represiones disminuirían en Cataluña y finalmente caería el gobierno de Maura[25]. Pero no solo esta provocaría la dimisión del Gobierno, sino también la nacional. Los intelectuales, con protestas poco aunadas, pero al fin y al cabo protestas, realizaban su aportación a la causa. Rodrigo Soriano y Alejandro Lerroux, a través de *España Nueva* (Madrid) y de *El progreso* (Barcelona), respectivamente, publicaron sus artículos en favor de Ferrer. En Barcelona, también Joan Maragall publica el 1 de octubre en *La Veu de Catalunya* (órgano de la Lliga de Prat de la Riba y Cambó) su primer artículo de crítica ("Ah!, Barcelona..."), etc. El curso de los acontecimientos en 1909 dejaba cada vez más en evidencia la absoluta fragilidad del régimen de la Restauración y la urgencia y oportunidad real de empezar a buscar alternativas. Con el fin de forzar la dimisión del presidente, un Galdós que veía ecos del Desastre en la guerra de Marruecos, como ya había denunciado en "Habla Galdós" el 27 de septiembre, publica el 6 de octubre, en *El País* y en *España Nueva* (un día después en *El Liberal*), "Al pueblo español", donde trataba de agitar las conciencias:

> Me determino a lanzar estas voces para dulcificar el amargor de la pasividad en que vivimos, condenando y sufriendo, maldiciendo y callando.
>
> [...]
>
> El quietismo y el ojalá funesto dominan en las respetables facciones de los llamados prohombres. De su boca sale un gemido lastimero, pero nada más que el gemido, y sus cuatro garras permanecen sin el menor movimiento, clavadas en sus marmóreos pedestales (Fuentes 1982: 83).

En ella pide al pueblo que actúe, que intervenga en la vida política del país...

> Ya es hora de oponer a los atrevimientos de nuestros gobernantes algo más que el asombro seguido de resignación fatalista, algo más que

25 Véase Robert (1989), donde demuestra el impacto internacional de la noticia y cómo el ejercicio de solidaridad de las demás naciones fue determinante para la caída de Maura.

las maldiciones murmuradas, algo más que las protestas, semejantes a cohetes que estallan con luces y ruido, apagándose al punto en cobarde silencio (82).

...y que exija al gobierno que responda ante quien lo ha elegido, que dimita, puesto que su gestión institucional es nefasta:

> Que la Nación hable, que la Nación actúe, que la Nación se levante, en el sentido de vigorosa erección de su autoridad; que no pida al Gobierno lo que este, enredado en la maraña de sus desaciertos, no pueda dar ya: verdad en las informaciones de la guerra; orden, serenidad y juicio de sus acuerdos políticos y militares.
>
> [...]
>
> Lo que España debe pedir a sus actuales gobernantes es que se ausenten del trajín de los asuntos públicos y tras los daños causados, reparen en sus yerros, que si lo hicieran con el rosario no habrá ninguno con número bastante de cuentas para llegar al fin (83).

De estos textos y de su posicionamiento ante este suceso, se deduce un Galdós diferente al de los años anteriores como intelectual. Su compromiso y acción política, cada vez más intensa desde su adhesión al republicanismo en 1907 y su intención de presentarse a diputado a Cortes por Madrid, habían ido en aumento hasta llegar a 1909. La repercusión de este proceso en el ambiente intelectual y político del momento lo llevó a ser considerado como el sustituto de Costa (véase Salaverría 1930: 22). Cuando Costa ya se encontraba sin fuerzas para emprender la renovación del país, Galdós recogía su testigo para intentar hacer realidad su proyecto[26]. Él funcionaría como un elemento

26 En una carta de Costa a Galdós, fechada el 17 de junio de 1907, el primero le confiesa al segundo: "Me pide usted rumbos, como se los pedí yo a usted, salvo justificadamente, en otra ocasión. Por desgracia, no tengo ninguno fuera del que no puede decirse que no es, ¡ay!, la revolución. Porque también esta ha quedado en agua pasada. Se acabó el caudal de la fe, que es acabarse todo. Si puede usted pasar la vista al recorte adjunto verá cómo siento en punto a la situación actual, irremediable: oigo ya a España expirante, exclamando desde su cruz: Consummatum est!" (De la Nuez y Schraibman 1967: 280).

de cohesión entre todos los intelectuales y políticos dispersos tras la crisis de la Unión Republicana y la dimisión de Salmerón en 1906 (Fuentes 1982: 22).

Esta actitud del novelista se enmarca en un fenómeno que ocurre paralelamente y a causa de estos sucesos: una nueva praxis por parte de los intelectuales. Tras la Semana Trágica, estos superan una etapa caracterizada por una común, pero insuficiente, intención de cambio. Hasta entonces, la maraña ideológica y la falta de un proyecto claro para subvertir el régimen existente habían castrado toda tentativa de cambio (Alonso 1985: 51-52). Como afirmaba Maeztu, "cuando cesamos de dar gritos para volver las miradas a nuestro alrededor, nos encontramos dolorosamente con que las cosas seguían como antes" (1911: 34). Esta afirmación resume la situación de los intelectuales en el periodo entre el 98 y 1910, puesto que la elección de la expresión "dar gritos" hace referencia a una acción estática, de rabia, de necesidad de mostrar una sensación, pero no implica ruptura, ni intención de cambio. Ello refleja, en realidad, la labor social de esos intelectuales "inductores", cuya protesta no exigía necesariamente una consiguiente actuación.

Entonces, encontramos a un Galdós más cercano que en los años anteriores a esta nueva concepción del intelectual y más aún que las generaciones que habían despertado con el 98, convirtiéndose en el único de su generación todavía conectado con la realidad del momento desde la palabra y la acción, a través de la presidencia de la Conjunción Republicano-Socialista. El caso Ferrer había iniciado un nuevo periodo en la relación de los intelectuales con la política que prácticamente culminaría con la II República en 1931. Los años en los que Galdós formó parte de ese fenómeno y de alguna manera contribuyó son los del principio de todo ese proceso. Para él este periodo no solo es el de verdadera actividad política ciudadana (frente al periodo más institucional como diputado por el Partido Liberal en el siglo anterior) sino el de un último empeño por llevar a cabo un renovado proyecto ideológico repensado en los años anteriores, y potencialmente factible gracias a las brechas que el sistema político restauracionista estaba evidenciando.

Con la Conjunción van a simpatizar las nuevas generaciones de intelectuales, las que posteriormente estabilicen el proyecto burgués y las que recogerán el testigo del liberalismo del siglo anterior (Menéndez Alzamora 2006: 161). Con ellos el intelectual acabaría por estar integrado verdaderamente en la vida política institucional del país, hasta llegar a ser parte del poder. El grupo de la Joven España (Azaña, Ortega, Pérez de Ayala, etc.), reunido en torno al Ateneo de Madrid, irrumpía en la vida pública española con aires renovados, fuerza rebelde y el interés político que necesitaba la *intelligentsia* en aquel momento (Jover Zamora 2001: 582 y Menéndez Alzamora 2006: 166).

La coyuntura histórica del momento exige seguir enfrentándose a los mandos hegemónicos tradicionales, como la Iglesia y la oligarquía, aún muy poderosos (de ello Galdós se encargará en buena medida). Sin embargo, será la debilidad del sistema sobre el que se sostienen lo que posibilite la revisión de un liberalismo que por fin pudiera acabar con los restos del Antiguo Régimen. Así, el proyecto de estos jóvenes intelectuales consistirá en forjar un nuevo liberalismo burgués que en estos años se desarrollará en paralelo con el renovado proyecto galdosiano. Algunos, al igual que Galdós, vieron entonces en el socialismo socialdemócrata de corte bersteniano (o "sentimental", siguiendo a Jordi Gracia [2014: 168]), un lugar posible desde el que conseguir sus objetivos. Así, se unía el radicalismo burgués con el socialismo no obrerista, que "recogía la herencia crítica del pensamiento marxista y, dando un rodeo por el socialismo revisionista norteuropeo, enlazaba la idea democrática, en su marcha evolutiva, con el socialismo moderno" (Villacorta Baños 1980: 117), lo que Maeztu llamó "la táctica liberal". Para Ortega, por ejemplo, y a pesar de las diferencias con el marxismo del PSOE, Pablo Iglesias era el modelo de hombre que representaba "la política nueva", el "santo laico" español —junto a Giner—, la única esperanza de cambio y renovación (Marichal 1974: 38 y Gracia 2014: 114).

Sin embargo, estas empatías y simpatías con el Partido Socialista desaparecerían al surgir un órgano político ideológicamente afín, el Partido Reformista. Desde mediados de 1913, en que oficialmente se funda, Ortega (y también Galdós, como se verá posteriormente) interrumpe sus relaciones con el Partido Socialista. Por un lado, la negación de la lucha de clases y de la necesidad de un nuevo sistema que rompiera con el vigente les aleja de los preceptos del partido obrero. Y por otro, el llegar a aceptar la monarquía como sistema de gobierno tan válido como la república en el camino del reformismo les separa además del resto de los partidos conjuncionistas (Pflüger Samper 2001: 191). La causa que se ha atribuido a este distanciamiento es la fragmentación de los partidos tradicionales en otoño de 1913, que posibilita la apertura del campo de acción a los de la Liga de Educación Política que Ortega, Azaña y otros habían fundado también en esos meses. Este organismo se entiende como el símbolo de esta generación intelectual, cuya consolidación como tal no llega hasta 1914, año en que queda establecida oficialmente la Liga mediante la conferencia "Vieja y nueva política", de Ortega, y la publicación de las *Meditaciones del Quijote*. Dicho discurso se ha considerado como el primer texto condensador de las ideas que dispersamente habían ido surgiendo en una serie de textos publicados desde 1909[27]. En ellos se sistematizará ese nuevo proyecto liberal del que se viene hablando y que responde al nombre de radicalismo democrático burgués (Villacorta Baños 1980: 115), cuyo propósito sería reconstruir la España liberal y "salir al ruedo de la vida pública, rehacer la sociedad española por medio de la cultura, con los valores máximos de la libertad y de la justicia y manteniendo la esperanza en un porvenir que no se resigne a la perpetuación del mal cometido por las generaciones anteriores" (Pflüger Samper 2001: 182).

En este nuevo credo liberal surgen las ideas de la España vital frente a la España caduca, la de recuperar y luchar por las libertades más elementales —como la libertad de conciencia—, la implicación del Estado como garante de la paz social, la obsesión por la europeización del país, la importancia de la educación laica y de la figura del

27 Estos son *Los problemas nacionales y la juventud*, de Ortega y Gasset (conferencia pronunciada el 15/10/1909 en el Ateneo de Madrid); el "Nuevo liberalismo", de Melchor Almagro Sanmartín (conferencia del 31/05/1910 también dictada en el Ateneo); "La revolución de los intelectuales", de Ramiro de Maeztu (el 07/12/1910 en el mismo lugar); "El problema de España" (del 04/02/1911) y "Vistazo a la obra de una juventud", de Azaña (publicado en la *Correspondencia de España* el 25/09/1911) (Villacorta Baños 1980: 114 y ss., y Pflüger Samper 2001: 183-184).

intelectual como conductor y educador de las masas... Toda una serie de preceptos que procedían del regeneracionismo costista y que entroncaban con la Sociedad Fabiana de 1907. Ellos encarnarían hasta la II República la postura liberal burguesa que tomaba el testigo del liberalismo del XIX absorbido desde hacía tiempo por el conservadurismo. Ellos son la muestra de que en estos años la realidad del país sigue reproduciendo el modelo de las dos Españas que Galdós llevaba retratando desde la primera serie de los Episodios Nacionales[28].

Galdós, que por entonces era ya una figura más que consolidada, se encuentra siempre cerca de este círculo intelectual aunque nunca participa de él (no perteneció a la Liga de Reformas Sociales). Cuando este se afianza, el novelista ya ha abandonado el activismo político y su apoyo al Partido Reformista en torno al cual ellos se unían era más simbólico que real. Aun así, en abril de 1915, Galdós le pide a Pérez de Ayala y a la revista *España*, en la que participan la mayoría de miembros de la Generación del 14, apoyo con su reposición de *Los condenados* en el Español, y algo después lo mismo hará Pérez de Ayala a causa de la polémica entre la revista *España* y *ABC*; durante la I Guerra Mundial, cuando estos escriben el "Manifiesto de los Intelectuales en favor de los Aliadófilos", Galdós se suma a la causa y firma dicho manifiesto (Dendle 1984: 127); y en 1917 es elegido por unanimidad presidente de la Liga Antigermanófila de España (Dendle 1981: 41).

Aunque no se hayan encontrado relaciones ni muy directas ni muy estrechas con Azaña ni con Ortega, Galdós sí estuvo muy cerca de otros integrantes de esta Generación del 14 como Luis Simarro y,

---

28 Véanse, por ejemplo, estas palabra de Ortega, quien en 1914 volvía a recordar que la realidad española no había resuelto el conflicto de la premodernidad : "Dos Españas, señores, están trabadas en una lucha incesante: una España muerta, hueca y carcomida y una España nueva, afanosa, aspirante, que tiende hacia la vida, y todo está arreglado para que aquella triunfe sobre esta. Porque la España caduca se ha apoderado de todos los organismos públicos, de todo aquello que podemos llamar lo oficial y que no es solo la Gaceta y los ministerios, y esa España cadavérica y purulenta convertida en España oficial, gravita, aplasta, agota los gérmenes de la España vital" (1964-1965: 8).

especialmente, Ramón Pérez de Ayala, a quien le unió una estrecha amistad[29].

La creación y constitución de este nuevo liberalismo coincide con el tiempo de mayor actividad política del novelista. Ambos heredan los ideales de un regeneracionismo que había fracasado en su concepción de la primera mitad del XIX (con su europeísmo exacerbado y la obsesión por la educación laica). De alguna manera no es tanto la realidad intelectual del momento lo que comparten con Galdós, sino su ideología. Por otro lado, la mayor diferencia entre ambos, más allá de lo generacional, que condiciona obviamente las energías con que unos y otro operan, se encuentra especialmente en la concepción del pueblo que cada uno de ellos tiene. En el caso de esta generación joven, la herencia de Costa se hace notar al concebir el pueblo como una masa poco capacitada y cualificada para poder afrontar los problemas del país por sí misma, necesitada de unos líderes educadores y conductores hacia su emancipación (Pflüger Samper 2001: 197). Galdós, como se verá más adelante, aprendió e incorporó a su proyecto ideológico, al menos cuando estuvo cerca de los socialistas, la importancia y la potencia de la colectividad, de la masa. En él, la clase obrera dejó un poso que le llevó a alejarse al menos en ciertos aspectos de la ideología burguesa que tradicionalmente define su pensamiento.

29 Luis Simarro, que en 1910 está escribiendo *El proceso Ferrer y la opinión europea*, le pide a Galdós que prologue este primer tomo de la obra. En la correspondencia con Teodosia Gandarias se trata varias veces sobre este tema y de ellas se deduce que Galdós prefirió centrarse en la escritura de *Amadeo I*, por lo que no escribió el prólogo. Aun así, Simarro no desiste y le insta a escribir el del segundo tomo. Sin embargo, no he encontrado publicaciones de ese volumen posterior. Es probable que tampoco lo llegara a escribir.

CAPÍTULO 4

La irrupción del movimiento obrero

Las inversiones de capital financiero exterior propiciaron un modesto desarrollo industrial y la urbanización de las ciudades a lo largo del siglo XIX. Ello impulsó la creación de las organizaciones obreras en la década de los ochenta; su proceso de consolidación comenzaría a partir del decreto de libertad de asociación (1882) y la posterior Ley de Asociaciones (1887), ambas medidas del gobierno liberal de Sagasta[1]. Esto se traduce en una aparición tardía

1 Entre los hechos más relevantes que indican el avance de la configuración del obrerismo en la década de los ochenta se encuentran la fundación del Partido Socialista (1879), las huelgas obreras en Barcelona (1880) y una importante huelga de tipógrafos en Madrid que se extiende por todo el país (1882) o los congresos obreros en Barcelona y Sevilla (mismo año 82). Una vez decretada la libertad de asociación, en 1883 se celebró en Valencia el congreso obrero anarquista de la Federación de Trabajadores de la Región Española y comienza la Mano Negra; a finales del año siguiente Jaime Vera escribía el *Informe a la Comisión de Reformas Sociales*, la mayor aportación al socialismo español procedente directamente del marxismo. Un año después, el 1 de septiembre de 1886,

del movimiento obrero en la historia de España, lo que implica que Galdós se encuentra presente en todo su proceso de desarrollo, de modo que su formación y consolidación surge en paralelo a la asimilación del fenómeno por parte del novelista. Galdós, atento en todo momento a los procesos históricos del país, ya advertía en los ochenta de unos síntomas de "incomodidad" entre los trabajadores e insistía en la importancia histórica de la aparición de una nueva clase; ambas ideas pronto darían lugar a la llamada cuestión social (Shoemaker 1973: 141).

El novelista, que hasta principios de los noventa parece desconcertado e ignora los detalles de este nuevo fenómeno, no deja de estar atento a su desarrollo[2]. Tanto es así que en el año 95, con motivo del Primero de Mayo, escribe una crónica de la jornada que más bien podría entenderse como una reflexión sobre el peligro que supone el desarrollo del movimiento obrero. En este sentido, la idea que vertebra el texto es la de miedo al despertar de la clase proletaria, por lo que propone como freno a su avance la aceptación de la desigualdad como algo intrínseco a la sociedad, la resignación cristiana y el cuidado personal e individual (Pérez Galdós 1999: 216). Estas ideas lo acercan a las campañas de evangelización del sindicalismo católico, medios ideológicos de contención orientados a evitar la subversión de

se produce un atentado contra la patronal en Barcelona, se firma el pacto de "Unión y Solidaridad" de las distintas asociaciones obreras en dicha ciudad y los incidentes de los trabajadores de Chicago impulsan la celebración internacional del Primero de Mayo. Dos años después se funda la UGT (12-14 agosto) y se celebra el I Congreso del Partido Socialista para constituirse definitivamente como partido (23-25 de agosto), lo que se traduce en la anexión del movimiento obrero a la II Internacional.

2 Esta preocupación de Galdós va en consonancia con la década en que la mayoría de los intelectuales muestran un interés relevante sobre el fenómeno del movimiento obrero. Es en estos años y en los anteriores cuando Unamuno y Maeztu se declaran socialistas, Azorín simpatiza con el anarquismo (Blanco Aguinaga 1978: 57-175), aparece el grupo Democracia Social y su revista *Germinal* (Pérez de la Dehesa 1970a) y un Clarín hasta entonces implicado de manera intermitente en el tema, se incorpora al debate sobre las diferentes alternativas socialistas y anarquistas del momento (Lissourgues 1987).

la clase proletaria del orden establecido[3]. La conclusión, que a priori podría sorprender, nada tiene de extraño si se tiene en cuenta que estos son los años de *Ángel Guerra*, *Halma* y, sobre todo, de *Nazarín* (del mismo 1895), y que el miedo a lo que pudiera desatar la cuestión social era latente[4].

A partir de textos como este sobre el Primero de Mayo, se deduce que entre de todas las ideologías obreras, el socialismo era verdaderamente la más temida, incluso teniendo en cuenta la difusión anarquista, a quienes los métodos violentos les desprestigiaban y les impedían una acogida favorable entre los tradicionalmente progresistas. El socialismo, que poco a poco iba calando entre la masa obrera y sin utilizar métodos violentos, sí que daba motivos para temer la fuerza colectiva que podría alcanzar[5]. Sin embargo, este miedo no acababa

---

3 La Encíclica *Rerum Novarum*, de 1891, impulsa la moda de editar obras católicas en las que se analiza y condena el movimiento obrero. Entre ellas destaca el famoso *Socialismo y anarquismo*, del padre Vicent, cuyas doctrinas se muestran más cercanas a la encíclica. Para más información, véase Álvarez Junco (1981).

4 Unos años antes, Joquín Dicenta, que había encabezado el grupo Democracia Social y había obtenido gran éxito con su drama social *Juan José*, describió así este problema: "No es una aspiración, no es un deseo, no es una esperanza, no es una súplica; es un clamor que llega a todas partes, que se entra por todos los oídos, que llama a todas las conciencias honradas y golpea en todos los cerebros pensadores. Es un alarido formidable que viene de abajo con vibraciones de angustia, de desesperación, de ira, de sorpresa y de cólera; que infunde piedad y causa espanto: piedad, porque lo arranca el dolor; espanto, porque lo provoca la injusticia. Es la inmensa protesta de una humanidad pisoteada por otra humanidad; son los miserables, los explotados, los hambrientos, los sin ventura, que gritan encarándose con los potentados, con los explotadores, con los hartos, con los felices: '¿Hasta cuándo va a durar esto? Basta de martirio. No podemos, no queremos sufrirlo más'" (1898: 191-192). Y Jacinto Benavente en *Los primeros*, pieza publicada en *Germinal* (25/12/1897), y que recrea un diálogo entre un padre y un hijo revolucionario, acaba con estas palabras del segundo: "Yo soy socialista por atavismo. ¡Y pobres de vosotros el día en que la sociedad se entere de que tan muertas son las manos burguesas como las manos frailunas… Querido papá!" (Zavala 1974: 32).

5 Téngase en cuenta que los años noventa son los del comienzo del impulso capitalista y de la alianza entre el Partido Socialista y la UGT, bajo el mando de Pablo Iglesias, para emprender su camino político hacia el poder. Por otro lado, también es la década de las organizaciones anarquistas, de menor coordinación

de surgir en esos años noventa, la burguesía venía temiendo su alcance ya desde la década de los cuarenta con los socialismos utópicos, como recordaría el propio Galdós algo después en *Las tormentas del 48*:

> Es la voz pavorosa del Socialismo, la nueva idea que viene pujante contra la propiedad, contra el monopolio, contra los privilegios de la riqueza, más irritantes que los de los blasones. Tiembla la presente oligarquía ante estos anuncios, y no sabiendo cómo defenderse, solo pide que esta vindicación la coja confesada (1968a: 1497).

Así pues, en los años posteriores al Desastre se inicia un recorrido para Galdós (en consonancia con otros intelectuales) que lo irá aproximando al movimiento obrero, que reflejará un cambio de actitud y opinión frente al fenómeno, hasta concluir con la adhesión y encabezamiento de la Conjunción Republicano-Socialista en 1910, momento de mayor acercamiento. El comienzo de ese proceso podría fecharse de nuevo en el estreno de *Electra* en 1901, cuyos detalles en relación con el obrerismo ya se analizaron anteriormente.

Su discurso anticlerical presentaba dos de las ideas mediante las cuales Galdós irá relacionándose con los socialistas: la acción directa frente a la farsa liberal y el cambio por medio de la educación. Es a través de ellas como el novelista va a conectar con el movimiento obrero a medida que vaya aumentando su compromiso político, como ya apuntaba en las declaraciones de ese 25 de abril a *Le Siècle*:

> L'ouvrier espagnol est sobre, intelligent. Il lui manque l'organisation. Il lui manque surtout l'instruction. L'instruction lui donnera tout. Et nous revenons ainsi à notre point de départ. Il faut créer en Espagne l'enseignement primaire, laïque, rationnel, réellement obligatoire. L'oeuvre scolaire, ce sera le baptême de la nouvelle vie (Blanquat 1966: 308).

---

y precisión en sus objetivos, pero siempre fieles a la búsqueda de la ruptura del sistema. No obstante, se trata aún de un fenómeno desorganizado en general, y no solo por las posturas enfrentadas entre socialistas y anarquistas, sino también por la aparición de los llamados movimientos societarios, creados como protecciones gremiales o de profesiones específicas, sin atender a una causa común.

Para el Primero de Mayo los cajistas de *El Cantábrico* y responsables del periódico socialista *La Voz del Pueblo*, le piden una colaboración a través de su director y amigo de Galdós José Estrañi, para el número especial de ese día. En la petición del propio Estrañi (carta del 24/03/1901) al escritor canario remite a la admiración que ya sentían los socialistas por él:

> Ya sé que le causo a Vd. con esto una molestia, ya lo sé, don Benito, pero estos socialistas son grandes admiradores de Vd. en la precisión de parodiar a los amantes de la época del romanticismo cuando decían:
> —¡O tu amor o la tumba!— diciendo yo:
> —¡O la firma de Vd. o la muerte! (citado por Dean-Thacker 1992: 103).

Un impacto similar al de *Electra* en relación con la clase obrera de provincias puede concluirse del estreno de *Mariucha* en 1903. La comparación que Michael A. Schnepf llevó a cabo entre el único manuscrito conservado de la obra y la edición de 1905 daba cuenta de cómo Galdós había omitido partes y elementos que podrían haber provocado conflicto en el momento del estreno (2006: 75)[6]. Aunque no está fechado, parece tratarse de una copia tardía, pensada para el estreno de la obra, puesto que contiene dibujos del decorado y del escenario. Por ello, los cambios que analiza Schnepf bien pudieron ser de un momento no muy lejano a la representación, cuando precisamente en Barcelona las huelgas y los paros eran noticia desde hacía tiempo y se estaba reclamando en el Congreso la revisión del proceso de Montjuich (Fox 1970-1971). La supresión de los datos sobre la composición de la obra prueba que Galdós estaba al tanto de los movimientos obreros y de que aún temía su alcance. Por esto mismo

---

6 La obra fue estrenada en el Teatro Eldorado, de Barcelona, en 1905. Según Michael Schnepf (2006), el que fuera esta la ciudad elegida condicionó la representación y la versión finalmente publicada del texto. Al parecer, Galdós eliminó todos los elementos susceptibles de fomentar la tensión que en la ciudad se respiraba debido a la huelga de carboneros, activa desde hacía unos meses. El novelista, a la vez que seguía la senda del escándalo de 1901, establecía las distancias con las ideologías obreras que ya continuaban con sus mecanismos de presión.

parece que en lugar de ahondar en el conflicto simplemente prefirió diluirlo presentando una solución totalmente pensada desde su clase social burguesa, como le dejó entrever Ángel Cunillero, en su artículo sobre la obra para el órgano de prensa anarquista *La Revista Blanca*:

> Nadie se regenera convirtiéndose de parásito de la sociedad en explotador de la misma. Galdós sienta la tesis de que los hombres nobles son a manera de parásito del cuerpo social; pero presenta como tipo del hombre moral y regenerador a dos ridículos comerciantes que negocian con el sudor ajeno. ¿Dónde está la regeneración? ¿Dónde un rayo de luz artístico? ¿No hay en esta complejidad de almas que constituyen el mundo, y que debieran sentir los artistas, inspiraciones más grandes y más nobles que las de vender carbón o de vender sombreros? ¿Acaso para los artistas regenerarse es sinónimo de saber ganar dinero? (1903: 129-130).

Por entonces, ya las organizaciones obreras evidenciaban estar interesadas en una lucha cuyos objetivos diferían de aquellos de los burgueses más progresistas y Galdós no quiso, en un contexto teatral en el que contaría con la presencia de un público obrero, dejar lugar a interpretaciones que pudieran ver en la obra un apoyo a sus métodos; no quiso comprometerse con ellos ni presentar el conflicto desde su perspectiva[7]. Muy diferente actitud adoptaría cuando se tratara de

7 El Desastre de 1898 aumenta la tensión social y, aunque 1900 comienza con algunos logros como las leyes de protección del trabajo de niños y mujeres y la Ley de Accidentes Laborales, se abre el siglo con una huelga en Barcelona que reúne a más de ochenta mil obreros (17/02/1901). El auge del movimiento aumenta con el desarrollo capitalista (hay que recordar que esta es la década de formación de toda la estructura del sistema capitalista: grandes formaciones empresariales, bancos, etc.); tanto es así que ya el hecho de asociarse a principios de siglo es un fenómeno multitudinario. De los tres núcleos obreros del país, Madrid, Barcelona y Asturias-Vizcaya, se registran un 30, 15 y 20%, respetivamente de obreros asociados (Tuñón de Lara 1972: 411). Sin embargo, el motivo del asociacionismo no eran causas políticas (excepto casos potenciados por quienes tenían intereses en ello, como Lerroux), sino de mejoras de las condiciones de vida: "la adquisición de una nivel de conciencia 'asociativa' con fines socioprofesionales por sectores muy importantes de la población obrera" (412). A medida que van pasando los años, las tensiones van aumentando (a excepción del año 1905, pa-

una publicación en un organismo cuyo público no fuera la clase obrera, como ocurre con el artículo "¿Más paciencia?" de 1904[8]. En este los que él llama *infrahispanos* reflexionan sobre las consecuencias si no se les tiene en cuenta para mejorar la sociedad:

> Si estas voces que el superhispano dirige al infrahispano fuesen desoídas o menospreciadas, y siguierais negándonos la educación y aplicando a nuestra miseria las seculares recetas de paciencia y sobriedad, tened en cuenta así como evolucionan las ideas y los intereses en la eterna rotación de la voluntad humanas evolucionan también las virtudes, y sin quererlo ni pensarlo, nuestras almas se desnudarán de la mansedumbre para vestirse de la severidad [...]. ¿No queréis traernos al campo los beneficios de las ciudades? Pues nosotros llevaremos a las ciudades las inclemencias de estos yermos, representadas en la tempestad de nuestros corazones, ansiosos de justicia. Inteligencias incultas y manos bárbaras os devolverán la lección ascética: contra paciencia, acción; contra miseria, bienestar (1968c: 1500).

Galdós básicamente advierte del cansancio de las clases bajas y de que, si no ponen remedio a este importante problema, buscarán la revolución. Este mismo mensaje es el que recuperará al calor de la Semana Trágica en *El caballero encantado*.

Unos años antes, en 1906, Galdós está escribiendo *La vuelta al mundo en la Numancia*, donde relata el asunto de la revolución de Loja de 1861. La historia, que para nada influye en el curso de la narración (más bien la frena), ocupa los capítulos II a IV, y pertenece a la primera parte de la obra, que contiene mayor grado de ficción y está dedicada a plantear el marco sobre el que se desarrollará la trama principal. Galdós hace llegar al protagonista Diego Ansúrez y a su mujer Esperanza a la ciudad de Loja, en Granada, donde vivirán con una hermana de ella. Allí van a permanecer el suficiente tiempo

réntesis de acción social y política) y con ellas la acción en el movimiento obrero, que ya iba camino de consolidarse (360).

8 Segundo artículo de Galdós en *El progreso agrícola y pecuario*, publicado el 31 de enero de 1904. En él trata desde el punto de vista del regeneracionismo costiano el problema del campo, con el fin de denunciar el desigual reparto de la tierra y el absentismo de los propietarios (véanse las pp. 115 y 116 de este trabajo).

para que nazca su hija, Mara, para que su mujer enferme y muera, y también para asistir a todo el proceso de la revolución de la ciudad (gestación, desarrollo y sofoco). En este relato, al que le dedica tanto como a la enfermedad de Esperanza (que transcurre, quizá de manera causal, en paralelo), Galdós trata por un lado el conflicto de la tierra y por otro, la lucha de clases. En primer lugar, presenta la ya común situación de desigualdad entre propietarios y jornaleros, basada en un sistema caciquil que

> no era más que un retoño de la insolencia señorial en el suelo y ambiente contemporáneos; el feudalismo del siglo XIV, redivivo con el afeite de artificios legales, constitucionales y dogmáticos, que muchos hombres del día emplean para pintarrajear sus viejas caras medievales y ocultar la crueldad y fieros apetitos de sus bárbaros caracteres (1968a: 445).

Ante este panorama, el pueblo se divide en dos bandos, uno "moderado" (entrecomillado del propio autor) y otro liberal. Al primero pertenecen la nobleza y una parte del "estado llano", mientras que el segundo contaría con el resto del "estado llano" y la plebe[9]. Galdós representa de manera metonímica la situación de la España de entonces y de la del tiempo de escritura, tanto por la denuncia del tema del caciquismo como por la estructura política presentada. Esta estructura le sirve al novelista para mostrar el funcionamiento de las relaciones políticas entre el representante de los moderados, Carlos Marfori, y el de los liberales, Rafael Pérez del Álamo, y lo que ocurre en las calles:

> Invitaba Marfori a Rafael Pérez a tomar café juntos. Alardeaba el albéitar de convidar a don Carlos y a los caballeros y genízaros que le acompañaban. Bebían disputando, juraban y confundían sus voces airadas sin llegar a las manos (447-448).

Esta manera de relacionarse responde a los principios de la democracia, sistema en el que se confrontan ideas a través de la palabra y se

9 Según esta división galdosiana, se entiende que "el estado llano" es la clase media o la burguesía y que la alta se une al grupo "moderado", mientras que la baja al liberal.

evita la acción violenta. Este tipo de relación recuerda a las del propio autor con otras personalidades de ideología opuesta, como Maura, con quien mantuvo una amistad incluso en los años siguientes a este texto, cuya tensión y enfrentamiento irían aumentando por cuestiones ideológicas sin que finalizara el trato cordial entre ambos. Frente a la relación oficial de los líderes se encontraba la de la calle, la de la masa incontrolable:

> Por la noche era ella. La contenida saña con que debatían el villano y el noble, estallaba en las oscuras calles. [...] Palos, cuchilladas y muertes eran la serenata usual de las noches que, por ley de Naturaleza, debían ser plácidas en aquel delicioso rincón de Andalucía (448).

Sobre los moderados poco cuenta; sin embargo, a la explicación y al desarrollo de la organización liberal le dedica todo el previo a la revolución. Ello lo consigue introduciendo al protagonista dentro de la propia institución. La "Secreta Orden de Reivindicación y Libertad", constituida como sociedad secreta, muestra un sistema de organización cercano a la de las logias masónicas, aunque en realidad funciona como una organización obrera. Esta actuaba, como ya ha señalado Javier Campos Oramas (2009), tanto en el terreno económico como en el ideológico. En este último, resulta relevante cómo han creado su propia prensa y organismos de difusión, los periódicos *La Discusión* o *El pueblo*, que hacían llegar a todos los rincones posibles:

> Cuando alguna sección trabajaba en faenas campesinas a larga distancia de la ciudad, enviaba a uno de los de la cuadrilla a recoger el periódico (o folleto de actualidad, cuando lo había); y en la ausencia del mensajero, los trabajadores que quedaban en el tajo hacían la parte de labor de aquel. Un tal Francisco Navero, apodado Tintín, repartía los papeles democráticos a los enviados de cada sección. En estas había un individuo encargado de leer diariamente el periódico a sus compañeros en las horas de descanso (Pérez Galdós 1968a: 445).

La sociedad democrática contaba con la mayoría del pueblo y, una vez lo ve factible, intenta combatir la injusticia del sistema mediante mecanismos de presión propios del movimiento obrero. Recuérdese, por ejemplo, la campaña por la que obligaban a los propietarios la regulación del jornal en proporción del precio del trigo, la de los peritos agrícolas que reglaban los precios de los arrendamientos de las tierras o las que del mismo modo llevaron los peritos urbanos y maestros de obras de la ciudad (446). La respuesta ante esto, cuenta Galdós, fue una represión tal que obligó a convertir en cárcel el "Pósito y el convento de la Victoria" (nótese el modo en que Galdós convierte en aparato ideológico del Estado el espacio clerical) (*idem*). Mientras tanto, esta sociedad iba consiguiendo progresivamente armas para preparar una insurrección. La agitación prende el ambiente y la violencia en las calles no se hace esperar. La noche, regida por la ley del Talión, se convierte en el mejor momento en que la colectividad materializa el conflicto de clases.

El sentido que a Galdós le interesa dar a esta revuelta y a esta organización obrera se puede apreciar a través de cómo Ansúrez asimila los diferentes conceptos que la caracterizan. Entre ellos el que más veces aparece es el de democracia, que este interpreta "en el sentido estrecho de protesta de los oprimidos contra los poderosos" (445) y que va junto al concepto de libertad y se opone al poder que representan Isabel II y Narváez (448). Esta definición, desde el punto de vista de los movimientos obreros, se atribuiría más bien al socialismo y al comunismo, pero para Ansúrez estas dos ideologías eran "voces para él de un sentido enigmático que a brujería o arte diabólico le sonaban" (446). Es decir, a un concepto que la burguesía retomó en la modernidad, como es la democracia, le atribuye una definición que entonces ya respondía a ideas con las que se manejaba el movimiento obrero y que aludiría a la lucha de clases. Por otro lado, a los conceptos generados por los propios obreros les atribuye una definición extraterrenal, ahistórica, que los aparta del conflicto social y los sitúa en otra dimensión inmaterial. Este intercambio en los significados de los significantes anula el conflicto de clase entre burguesía y proletariado hasta unirlos, una vez más, en un único bando con el que hacer frente a los valores del Antiguo Régimen. Es más, el símbolo que utiliza Galdós para describir el enfrentamiento que ya se ha puesto en marcha vuelve a ser el mismo del año 1890 en el Primero de Mayo y en 1906 en la noche de San Daniel, el volcán: "...a los seis días de su llegada al Salar [se refiere a Ansúrez] echó al campo la conjura democrática todas sus legiones, y la tierra de Loja fue como un volcán que por diferentes cráteres arroja su fuego" (20)[10].

El volcán, efectivamente, simboliza a un movimiento obrero que ya ha estallado y en el que —una vez más— se han confundido los burgueses liberales con los trabajadores y cuyos conceptos han sido desplazados, cuando no absorbidos, por los liberales. El novelista, por tanto, abandona esa idea cercana al sindicalismo católico de resignación que mostraba a finales de los noventa para posicionarse ahora en una tendencia que ya venía de años anteriores y que desarrollaría a partir de entonces, la unión entre obreros y burgueses para, por un lado, hacer un frente común y, por otro, desviar el estallido del volcán obrero hacia los "obstáculos tradicionales"; es decir, absorber y hacer suya la lucha obrera para poder frenar una posible revolución y un cambio de estructuras[11]. De la unión de esas dos clases nacería la nueva clase media del siglo xx.

La censura de Ansúrez a la revolución y a los métodos violentos de Loja apuntaba a una dirección en la que el autor ya llevaba tiempo trabajando y que está relacionada con la armonía social de las clases:

> ¿Por qué se peleaban los hombres en aquel delicioso terreno, en aquellos risueños valles fecundísimos que a todos brindaban sustento y vida, con tanta abundancia que para los presentes sobraba y aún se podía prevenir y almacenar riqueza para los de otras regiones? [...] Si los que en aquella tierra nacieron podrían decir que habitaban en un nuevo paraíso terrenal, ¿para qué se peleaban por el mangoneo de Juan o Pedro, o por el reparto de los bienes de la Naturaleza, que en tal abundancia concedían el suelo y el clima? ¿Quién demonios había traído aquel rifirrafe de la política, de las elecciones, y aquel furor porque salieran diputados o concejales estos o los otros ciudadanos? (449).

10 Lo mismo dirán Tito y Floriana en *La Primera República* al llegar al cantón de Cartagena: "¡Ay, qué dolor! Hemos venido a un volcán" (1968b: 1181).

11 La insistencia en el aspecto económico diferencia la visión galdosiana de comienzos de siglo y la de finales del xix. Se puede comprobar en el proceso que va desde *Electra*, en la que representa un conflicto puramente moral, pasando por *Mariucha* y hasta llegar a *Casandra*, donde el aspecto económico ocupa el centro del conflicto.

Galdós aprovecha el desconocimiento en materia política y la ingenuidad de Ansúrez para mostrar por un lado la confusión de términos burgueses con los proletarios, y por otro, para deshacer cualquier interés revolucionario que pudiera buscar a quien leyera o escuchara sus escritos. Más aún, cuando él mismo está viviendo una situación parecida a la de Loja como propietario de unas tierras de La Aldea de San Nicolás (Campos Oramas 2009: 674-677). A Galdós no le interesaba promover ningún sentimiento revolucionario y aceptaba una mayor fuerza obrera con el fin de buscar la unión con la burguesía. Por esta razón vemos a un Ansúrez (y a un Galdós) que en este episodio se mueve entre la censura de la revolución y de la violencia, pero alaba la idea que reside bajo las intenciones del levantamiento. Entonces, concluye la narración de los hechos con una opinión sobre Rafael Pérez del Álamo, la personificación de este levantamiento, que, por cierto, aunque albéitar, se dedicaba a herrar caballos, es decir, era un obrero más:

> Tosco y sin lo que llamamos ilustración, demostró natural agudeza y un sutil conocimiento del arte de las revoluciones; arte negativo si se quiere, pero que en realidad nunca va solo, pues tiene por la otra cara las cualidades del hombre de gobierno. Representó una idea que en su tiempo se tuvo por delirio. Otros tiempos traerían la razón de aquella sinrazón (455).

Esa razón no era la obrera, obviamente, era la burguesa progresista, ideal por el que verdaderamente había luchado el herrador y que será el que lleve a su máximo extremo en el siguiente Episodio, *Prim*.

Al año siguiente (1907) se declara republicano y un mes después escribe por tercera vez sobre el Primero de Mayo (*España Nueva*). Se trata de una pequeña reflexión sobre la lucha obrera del momento, en que da cuenta, en primer lugar, de cómo la cuestión social se ha convertido en uno de los conflictos determinantes de principios de siglo (recuérdese que ya lo auguraba él anteriormente). Un Galdós que en ningún momento reproduce el lenguaje propio del socialismo ni de los movimiento obreros en general, se dirige ahora a la clase trabajadora como "proletariado" y muestra admiración por su capacidad de lucha y resistencia contra el poder que sustenta la minoría, así como por su avance en "la inteligencia, la cultura y la organización, por las peticiones tumultuosas de igualdad circunstancial, precursoras del asalto a la igualdad posible" (Fuentes 1982: 56). Su discurso retoma la línea de la entrevista en *Le Siècle*, sobre la educación de los obreros como una prioridad, pero esta vez les incita a que lo hagan por encima de los patronos, para favorecer esa lucha de clases de la que ya había dado cuenta en anteriores ocasiones: "Forzoso es que los obreros perfeccionen su instrucción, tomando la delantera a las clases patronales, que se duermen en la ventaja presente..." (*idem*).

En este aspecto, existe una coincidencia entre socialistas y republicanos, sin embargo, difiere el sentido que cada uno de ellos le otorga a la educación: los socialistas buscan instruirse para poder llevar a cabo la revolución, Galdós para, en primer lugar desplazar a la Iglesia de un espacio que domina, y porque cree que la educación traerá la igualdad de condiciones en el sistema democrático en que nunca dejó de creer. En cualquier caso, la educación será, por tanto, el punto de partida para emprender una reforma estructural orientada a alcanzar la armonía social mediante las capacidades humanas y no la revolución. Una reforma muy cercana a los socialismos románticos y, sobre todo, al fourierismo, que abogaba por un reparto del capital y el trabajo justos para llegar al conjunto armónico de la sociedad. Esa misma idea, que viene gestándose desde años anteriores (véase "La España de hoy"), aparecerá también en un mitin de la Conjunción Republicano-Socialista, en 1910:

> Hora es ya de que todos vivan, de que el trabajo sea fecundo para los de abajo como para los de arriba, de que el bienestar humano descienda, en la debida proporción, a la esfera de los humildes (Fuentes 1982: 89).

O en el homenaje al Dos de Mayo un año después, cuando recuerda que "obra fue de todas las clases sociales fundidas con maravillosa mezcla de jerarquías en el común tipo popular". Allí se unieron "ejército y pueblo, con doble y mancomunada iniciativa". Como ya se ha apuntado anteriormente, a partir de este momento y hasta el final de su carrera política, Galdós no va a dejar de apelar en sus textos a la unidad en todos los sentidos que considere para conseguir esa armonía: a la unidad de las izquierdas, a la unidad de la conjunción republicana-socialista, a la unidad para implantar la república y acabar con en el sistema monárquico de la Restauración, etc.

Galdós va desvelando poco a poco cómo la clase obrera cuenta con unas complejidades y una problemática propias latentes en la coyuntura social del momento; evitar su revolución supone incluirla como parte de su proyecto de cambio. En este sentido surge, por ejemplo, la apuesta por el aparato institucional democrático burgués como el centro de sus reivindicaciones. Y es que con gran rapidez (prácticamente en veinte años) el movimiento obrero había pasado a formar parte de la realidad española y a cobrar relevancia en todos los ámbitos: social y laboral, político (la creación del Instituto de Reformas Sociales en 1903) e incluso legislativo (Ley del descanso dominical en 1904, Ley de huelgas en 1909, etc.). Al ocupar un lugar visible en la realidad del momento entra directamente en contacto con el resto de fuerzas de su alrededor, de modo que a los conflictos internos les va a sumar los que se desatan de la convivencia con esas fuerzas que son, por un lado, la patronal y, por otro, los carlistas y republicanos, opositores no obreros al régimen. A causa de esta conflictividad aumentaban, a medida que iba pasando la década, las tensiones entre obreros y patronos. Las organizaciones obreras (sobre todo los anarquistas), que veían en la huelga el más eficaz método de presión, van incrementando la tensión social hasta llegar a los ya mencionados acontecimientos de la Semana Trágica de Barcelona, en 1909. Desde el punto de vista obrero, esta fue, como afirma Tuñón de Lara,

> una huelga política, en una coyuntura estrictamente política (la intervención en Marruecos), careció de dirección y más todavía de articulación, careció igualmente de fines precisos y fue convertida en motín por sectores al margen del movimiento obrero organizado (1972: 438).

Sus consecuencias, sin duda, resultaron notables, puesto que impulsó el cambio de gobierno y dio pie a una nueva coyuntura política en la que el movimiento obrero será un elemento cada vez más activo. No obstante, esta actividad se verá lejos de ser unificada, ya que, por un lado, los anarquistas no encuentran su lugar en el sindicalismo y tratan de buscar la alianza con el campesinado; por otro, el Partido

Socialista va acumulando éxitos electorales y centraliza sus fuerzas en obtener logros políticos (elección de Pablo Iglesias como diputado por Madrid también en 1910). De este modo, poco a poco se van acercando a los republicanos, hasta que se unen a ellos en la Conjunción Republicano-Socialista ese mismo año.

La postura de Galdós frente a los sucesos del verano de 1909 se presenta totalmente distinta a la de años anteriores. Su compromiso y acción políticos, de gran intensidad desde que en 1907 se había declarado republicano y había decidido presentarse a diputado a Cortes por Madrid, habían ido en aumento hasta llegar al momento presente. Galdós entonces se radicaliza con respecto incluso a tendencias que con anterioridad censuraba sin dudar. Un ejemplo de ello se puede leer en esta confesión que le escribe en carta privada a su por entonces amante Teodosia Gandarias:

> Ya se ha visto la verdad de Barcelona. Total, varios tumultos y 40 conventos quemados. En buena hora sea. Ya les reedificarán las casas a las monjitas y frailecitos, todo volverá a ser lo que fue. Pero ha sido una lección, un primer aviso (Pérez Galdós 2016: 708).

O en *El caballero encantado*, donde en cierto momento, el buhonero Bartolo Cívico propone la quema de conventos como solución al conflicto entre él y unas monjas carmelitas (1968c: 306 y 309).

En otra de las cartas a Teodosia Gandarias, le explica que va a tratar sobre aspectos de la vida española que parecen imágenes de esclavitud (Pérez Galdós 2016: 722). Esa esclavitud era sin duda la de los trabajadores tanto del campo como manuales. Así, en *El caballero encantado* se hace referencia específicamente a cuatro profesiones propias de los medios rurales donde se ambienta el grueso de la novela: jornaleros, pastores, canteros y obreros de la construcción. Entre ellas, a las que más espacio le dedica y las que mayor correspondencia tienen con la realidad son la primera y la tercera, puesto que en el caso de los pastores él mismo los presenta de manera idealizada al modo de la literatura pastoril renacentista en que se basó (Rodríguez Puértolas 2006: 33-35), y en el de los obreros de Numancia, Galdós destaca por encima del trabajo la importancia que tiene como lugar histórico y el desarrollo personal del protagonista Gil-Tarsis (capítulo XV). De hecho, sitúa al propio Tarsis al llegar a las excavaciones en un nivel diferente al de los propios obreros a causa de su verdadera identidad haciendo hincapié en su bagaje cultural:

> De los veinte o más hombres que allí trabajaban, tal vez Gil era el que mejor comprendía toda la grandeza de aquella exhumación. [...] Por las explicaciones que en su tosco lenguaje le dio el capataz, descifraba los caracteres del suelo. Lo negro era la ciudad romana, que los vencedores construyeron sobre los restos de la ciudad celtíbera; lo rojo era Numancia quemada, escoria de ladrillos calcinados y cenizas revueltas con huesos y trozos de cerámica (Pérez Galdós 1968c: 280).

Por tanto, las opiniones más reseñables de Galdós con respecto a los obreros son las que se encuentran en los capítulos referentes a los trabajadores del campo y de los canteros. En las dos se produce un claro elogio del trabajo y el cuerpo del trabajador se convierte en canon de belleza (Rodríguez Puértolas 2006: 70). Es decir, el trabajo y todo lo que ello supone se dignifica y se ve como un elemento positivo para el cambio. De hecho, es el trabajo lo que le enseña la Madre a Tarsis desde el comienzo de su viaje iniciático. La admiración por la labor de los trabajadores en la obra llega a tal punto que los sitúa en una dimensión casi épica. Véase la descripción de los canteros cuando Tarsis llega a Ágreda:

> Era un trabajo de gigantes: algunos, desnudos de medio cuerpo arriba, mostraban admirables torsos y brazos de atletas formidables; otros, agobiados de fatiga, se doblaban por la cintura, contenían el gemido para poner toda su alma en el esfuerzo, sacando a tirones angustiosos de las más hondas flaquezas.
>
> Entró Gil en el trabajo de la cantera con cierto brío, estimulado por la ganancia, por la emulación, por algo de grandioso que veía en aquel luchar al aire libre con lo más duro que existe: la roca. Noble era el arado; mas la barra y su manejo agrandaban y hermoseaban la humana figura (Pérez Galdós 1968c: 260).

Tanto es así que incluso los llega a convertir en héroes, como se entiende del relato de la muerte del campesino José Caminero:

> Herido de muerte cayó sobre el arado como el atleta que expira al dar de sí el postrer esfuerzo, agotada la reserva vital. Luchó con la tierra; murió en la batalla, como un héroe que no quiere sobrevivir a su vencimiento. Si estuviéramos en la edad mitológica, Ceres y Triptólemo le llevarían a su lado en un lugar del Olimpo. Ahora, ni rastro de su nombre quedará entre los vivos (294)[12].

Unos años más tarde, en el Episodio *La Primera República* vuelve a insistir sobre estas ideas con mayor profundidad. Así, en los capítulos en que el protagonista Tito entra en una herrería, la descripción que hace de los trabajadores recuerda a las de *El caballero encantado*:

> Dos hombres hercúleos, con mandiles de cuero, trabajaban en el yunque; un mozo fornido metía los hierros en la fragua, y un guapo chico de tiznado rostro tiraba de la cadena del fuelle (1968b: 1210).

Y algo más adelante:

> ...el hombre perfecto de cuerpo y rostro me cogió por el brazo o por el pescuezo, y llevándome como en vilo, me condujo a otra estancia más grande, en la cual vi dos filas de hombres membrudos y atléticos, que trabajaban en diferentes operaciones de lima, torno y pulimento de metales. Pasando entre ellos pude observar la majestuosa estatura del forjador, comparada con la mía (1210-1211).

También cuando el protagonista se dirige a él lo llama "Señor coloso" (1211) o "divino forjador" (1212), de modo que se produce una contraposición con la imagen pasiva e inactiva de los burgueses[13].

---

12 Frente a estos elogios que hacen del obrero un hombre sano y fuerte, se encuentran figuras como la del bailío Wilfredo de Romarate, al que en *España sin rey*, Paca *la Africana* le dice que está encogido por ser cura, que si hubiera sido labrador (obrero del campo) otra cosa sería (1968b: 820).

13 No se puede pasar por alto que esta descripción pertenece a un titán, a un ser sobrenatural que se sitúa en una dimensión superior a la humana.

El trabajador se convierte en nuevo ejemplo en quienes tanto los Tarsis, es decir, los oligarcas, como los Titos, los intelectuales del momento, deben fijarse para transformar el mundo. En lo que no deben fijarse, sino más bien cambiar, es la situación de explotación en que estos mismos burgueses los tienen. En la llegada de Tarsis a la cantera de Ágreda, justo antes de admirarse de la figura de los trabajadores, denuncia la situación de explotación en que estos se encuentran: "... cuando el espectador se acercaba, ya no sentía lástima del monte, sino de los que en él trabajaban, bajo un sol ardiente, gateando en el áspero declive" (259).

Y más adelante, ofrece una imagen mucho más dura, mientras Gil caminaba al amanecer:

> Viandantes encontraba pocos, y estos de aspecto miserable; mujeres flacas cargando haces de leña; hombres que parecían enfermos y lo estaban de penuria y cansancio, luchadores de la vida, en completo vencimiento y derrota, que iban en busca de una limosna en forma de jornal (267).

A finales de 1909 se produce, ante la tensión que ha ido creciendo desde el asesinato de Ferrer i Guàrdia, la unión de los republicanos y los socialistas para crear la Conjunción Republicano-Socialista, con el fin común de derrocar el sistema de la Restauración y traer la II República. A partir de entonces y hasta 1913 se producirán los años de mayor acercamiento por parte de Galdós al movimiento obrero y del socialismo vendrán las aportaciones más relevantes para la renovación de su pensamiento. El modelo del Partido Socialista y sobre todo el de Pablo Iglesias abren una nueva vía para traer la República y acabar con el orden del momento.

En este punto de finales de 1910, ante una situación clave en que cada vez se pierden más derechos adquiridos (recuérdese el problema de la Ley de Jurisdicciones y la pena de muerte de Ferrer), con unos socialistas que por fin se han decidido a buscar alianzas para entrar en el sistema parlamentario, encuentra Galdós el momento del cambio. Sin embargo, en muchos casos las diferencias ideológicas, relacionadas con la barrera de clase existente entre burguesía y proletariado, no dejarían de evidenciarse en las distintas opiniones, posturas, etc., adoptadas por ambos[14]. Así, por ejemplo, en las elecciones del 8 de mayo de 1910, que llevaron el socialismo al Parlamento, lo que los socialistas interpretarían como una victoria obrera, para Galdós fue un triunfo de la democracia:

> la conjunción de las ideas avanzadas ha podido abrir, al fin, las puertas del Parlamento al Partido Socialista. Ya no se dirá, en desdoro nuestro, que en las cortes españolas está excluida sistemáticamente la representación del proletariado. Con Pablo Iglesias entrará en el Congreso el espíritu de solidaridad internacional que labora por la dignidad y el bienestar de los trabajadores (Fuentes 1982: 90).

O las campañas anticlericales del verano que invitaban a acabar con la hegemonía ideológica de la Iglesia pero no aludían al problema de base socioeconómico que detrás encerraba, problema que sí había trabajado en la *Casandra* estrenada en febrero de ese año (Fuentes 1982: 35). Esto entraba en conflicto con lo que estaba ocurriendo en la calle, donde las huelgas que durarían hasta septiembre encendían los ánimos y llevaban el enfrentamiento hacia los intereses proletarios. La Conjunción, que sí apoyaba estas huelgas, sin embargo, no se implica tanto ni alude a esos problemas de base. Víctor Fuentes señala cómo en el discurso de Galdós en Santander, "no hay una alusión al conflicto social y solo se ataca al 'martirio' del clericalismo" (1982: 36). Los métodos conjuncionistas eran otros: se centraban en la vía parlamentaria por la que estaban apoyando la política institucional anticlerical de Canalejas y su Ley del Candado. De alguna manera, en el republicanismo estaba ocurriendo lo mismo que durante el Sexenio: la unión por una causa común entre burgueses y obreros del comienzo pronto empezaría a evidenciar las divergencias y el conflicto de intereses.

14 Pablo Iglesias, por su parte, reconoció la importancia de esta alianza para la lucha obrera y sus objetivos, aunque en todo momento hizo constar que el verdadero escenario de confrontación se encontraba en la calle (Cánovas Sánchez 2019: 356).

Un mes después de estas elecciones, El Bachiller Corchuelo publicaba una larga entrevista en *Por esos mundos* (junio de 1910: 791-807), en la que reproduce unas palabras demoledoras de Galdós sobre los republicanos y el caciquismo, la corrupción, etc., dentro del partido. Como solución proponía lo siguiente:

> Ha habido día que pensé meterme en casa y no ocuparme de política. Pero lo he pensado mejor. Voy a irme con Pablo Iglesias. Él y su partido son lo único serio, disciplinado, admirable, que hay en la España política [...]. Ahora mismo estoy por renunciar a mi candidatura, publicar un manifiesto e irme con ellos... (806).

Por alguna razón estas declaraciones se han calificado de ingenuas (incluso por parte de sus contemporáneos), pero quizá no deberían resultar extrañas, puesto que toda la intelectualidad progresista y comprometida del momento apoya al socialismo. El mismo Ortega y Gasset declarará en esos años que "hoy ya quien no sea socialista se halla moralmente obligado a explicar por qué no lo es o por qué no lo es si no en parte" (citado por Gracia 2014: 115). Y de nuevo Galdós en otra entrevista de 1912 insistirá en el agotamiento del republicanismo como vía de cambio y verá en el socialismo el único lugar por el que resquebrajar el sistema:

> —Entonces, ¿qué predice usted para el porvenir?
>
> —¿Qué preveo? Que todo seguirá lo mismo. Que volverá Maura, y Canalejas, que los republicanos no podrán hacer lo que sinceramente desean, y que así seguiremos viviendo hasta...
>
> —¿Hasta cuándo, D. Benito?
>
> —Hasta que del campo socialista sobrevengan acontecimientos hondos, imprevistos, extraordinarios.
>
> —Entonces, ¿cree usted en el socialismo?
>
> —Sí, sobre todo en la idea. Me parece sincera, sincerísima. Es la última palabra en la cuestión social [...]
>
> ¡El socialismo! Por ahí es por donde llega la aurora (Del Olmet y Carraffa 1912: 111).

Un año después, ya con el Partido Reformista en funcionamiento, destacará en un comentario sobre el teatro y el cine la necesidad absoluta de pactar con el socialismo en cualquier nuevo proyecto político que se quiera emprender (Pérez Galdós 1913: 2).

Así pues, durante estos años Galdós aprende y admira tanto a la clase obrera como la fuerza con que trabaja. El novelista, que "ni sabía lo que era por dentro el movimiento obrero, ni había visto la Casa del Pueblo" —según cuenta el socialista Juan José Morato (1968: 145)—, no deja de maravillarse cuando descubre su funcionamiento[15]:

> Aquella actividad, aquella seriedad, aquellas secretarías llenas de hombres que dirigían y administraban colectividades, aquellas asambleas generales de tal o cual organismo en los salones, con discusiones bien ordenadas, aquella biblioteca en que trabajaba un puñado de obreros, le mostraban una sociedad mejor y, desde luego, la elevación de toda una clase consciente de su fuerza y de su responsabilidad.
>
> [...]
>
> Galdós no se cansaba de ver ni de preguntar; Galdós oía a Iglesias recogido, y alguna vez le habló de "hacerse socialista", de entrar en aquella admirable Casa del Pueblo, hogar de democracia, fábrica de voluntades y de hombres conscientes (*idem*).

Esto es lo que sorprendía a Galdós y echaba de menos del republicanismo burgués: la colectividad, la solidaridad y la seriedad en el trabajo[16]. En esos años estuvo tan cerca de los socialistas[17] —sobre todo de Pablo Iglesias—, que incluso llegó a escribir unas palabras para su órgano de prensa en el Primero de Mayo de 1911; sería su último artículo sobre el tema:

---

15 Morato que asistió junto a Pablo Iglesias al estreno de *La de San Quintín*, en 1894, donde, según nos relata, Galdós vio en Iglesias "un futuro socialista, aunque no militante" (1968: 145).

16 En un discurso del 10 de abril de 1910 escribe Galdós estas palabras sobre la unión con los socialistas: "buscamos, para provecho de todos, la fuerza moral, el ejemplo de organización y disciplina, la solidaridad internacional, factor importante hoy en la política española" (Fuentes 1982: 120).

17 En 1910 había sido portada de *Vida Socialista*.

1.º de mayo de 1911

La gran familia socialista española, en perfecta unidad de fines y sentimiento con el Socialismo mundial, celebra su Fiesta solemne el 1º de mayo, risueño día que en el esplendor de la primavera parece simbolizar la esperanza de un año feliz.

En la hermosa confraternidad de este día, los obreros se sienten aliviados de la pesadumbre de su malestar presente, y dilatan su pensamiento y su alma toda idea hacia el ideal de Justicia y de Reparación social, que se vislumbra en las nieblas de un porvenir cada día menos lejano.

A los socialistas debemos los republicanos la infusión de la más pura sangre política: la firmeza en las ideas y el tensión irreductible para sustentarlas en todo tiempo y ante todas las resistencias que oponen los Poderes, petrificados en la rutina; la pureza moral, la fidelidad en los compromisos y la derechura inflexible en los propósitos.

Aliados somos para un determinado fin. Séales dichosa, séales fecunda su activa y tenaz propaganda.

¡Adelante, amigos! —B. Pérez Galdós. (1911: 1).

El texto carece del lenguaje revolucionario socialista, pero si se compara con los anteriores, este muestra un Galdós mucho más cercano a las posturas obreras. Ahora ya ni condena, ni teme, ni recomienda; ahora el Primero de Mayo es un "risueño día que en el esplendor de la primavera parece simbolizar la esperanza de un sueño feliz". Destaca la solidaridad, la "confraternidad", si se siguen sus palabras, entre los obreros, quienes durante la jornada no solo se olvidan de su miseria, sino también se llenan de fuerza para trabajar en la idea de la "justicia y reparación social" de un futuro cada vez más cercano. Subraya, como había venido haciendo en ese tiempo, el rigor y la fidelidad que invierten en su trabajo. Es en el socialismo donde encuentra materializado uno de los preceptos fundamentales y constantes en su ideología para edificar un nuevo orden más justo: el trabajo[18]. Admi-

---

18 Sobre la importancia del trabajo en Galdós se encontrarán referencias en sus escritos desde la carta con que se iniciaba la revista *Electra* hasta *El caballero encantado* y posteriormente en 1913 en su despedida de la Conjunción Republicano-Socialista.

raba a Pablo Iglesias porque "no discute, edifica" (Dendle 1994-1995: 148). Es decir, los socialistas trabajan, superan con la acción las retóricas propias de los liberales y los republicanos. En esta línea ideológica se pueden leer las siguientes palabras de Tito Liviano en *La Primera República*, escrita y publicada, recordemos, en 1911:

> De pronto me encontré junto a una boca de alcantarilla, abierta, por la cual salía una ronda de poceros que terminaban su servicio en aquellas profundidades. Uno de ellos, calzado con altas y gruesas botas, estaba ya fuera; otro, al asomar la cabeza y hombros por el agujero, soltó estas palabras: "Vus lo digo otra vez. La República tiene que ser para los republicanos". Y en lo hondo del pozo, otra voz subterránea repitió: "Sí, sí; para los republicanos" (1968b: 1129).

Y en otra ocasión, en la misma obra, afirma el herrero-titán:

> Las divinidades que gobiernan el mundo han dispuesto que el Fuego plasmador se una en coyunda estrecha con la Feminidad graciosa y fecunda, para engendrar la felicidad de los pueblos futuros (1212).

Frente a esta nueva cosmogonía u orden del mundo Tito siente tal humillación de clase que no puede hacer otra cosa sino marcharse. Sin embargo, la solución para seguir participando en el cambio social propone:

> Al retirarme, vi en mi mente con absoluta claridad que mi papel en el mundo no era determinar los acontecimientos, sino observarlos y con vulgar manera describirlos para que de ellos pudieran sacar alguna enseñanza los venideros hombres (1213).

La república, por tanto, tendría que venir desde abajo, simultáneamente desde las raíces del pensamiento y desde las raíces de la sociedad, es decir, desde los trabajadores. Galdós configura una escena en que sitúa en el mismo plano a Tito, republicano y burgués, como Galdós, y a los poceros. En ella Tito observa, escucha y luego difunde; los trabajadores son los elementos verdaderamente activos de la escena, los que hablan y los que elaboran la idea, idea que Galdós proyectó para la Conjunción Republicano-Socialista y que en 1915 (ya fuera de esta formación) reiteraría en su artículo "Ciudades viejas. El Toboso", como se detallará unas líneas más abajo. Ese trabajo en conjunto y en solidaridad entre las dos clases sería el que trajera unos valores que acabaran con los "obstáculos tradicionales" e implantara un orden más justo; ambos grupos serían, una vez más los que formaran la nueva clase media que lo llevaría a cabo.

Poco después de terminar *La Primera República*, se le presenta la ocasión de materializar esa unión entre trabajadores y burgueses progresistas con los sucesos de Cullera. Los meses posteriores al invierno de ese 1911 concentraron una gran cantidad de huelgas obreras y de protestas por intervención española en Marruecos. En la zona de Levante se radicalizaron las denuncias por parte de republicanos y anarquistas hasta llegar a proclamar la república en algunos pueblos. El choque de fuerzas se saldó con fuertes represiones y la muerte de un juez y un alguacil en Cullera, por la que serían ajusticiados en ese otoño siete huelguistas (Tuñón de Lara 1972: 513). Las fuertes represiones y las posteriores condenas fueron denunciadas por Galdós en nombre de la Conjunción Republicano-Socialista abiertamente y al presidente Canalejas (Fuentes 1982: 99-100 y 129-130); incluso se llegó a pedir el indulto a Canalejas para los sentenciados a muerte (100-101). En todas las protestas y denuncias se defendía el derecho, así como las libertades de asociación y de manifestación, asumiéndolas como parte del sistema democrático. Se condenaron la falta de respeto, el arrinconamiento de los movimientos societarios y el intento de expulsión del sistema actual —intento que Galdós ya había calificado de fracaso—. Se exigía también la restitución de las Cortes, por ser la institución garante por antonomasia del funcionamiento del sistema democrático y el elemento garante de la paz. Para Galdós, cuantos más métodos antidemocráticos se adoptaran, mayor sería el conflicto; existiría más violencia y menos democracia (101).

La última protesta se llevó a cabo el 10 de enero de 1912 en que *El Liberal* inició una campaña pidiendo el indulto de los presos. Entre los firmantes se encontraba Galdós. La campaña dio su fruto, puesto que al final, como ya se refirió anteriormente, el 12 y el 14, Alfonso XIII conmutó las penas[19].

A pesar de esta unión y de estos acercamientos, Galdós nunca se declarará socialista; sin embargo, sí que dejó ver en sus escritos que por ellos sentía un profundo respeto y que sin sus aportaciones no sería posible ningún cambio. Siempre al final, entre él y el movimiento obrero, que abrazaba los preceptos del socialismo marxista, surgía una barrera de clase que dificultaba un consenso real. Ni siquiera en estos años de la Conjunción Republicano-Socialista, en que la relación fue tan estrecha (recuérdese que Galdós realizó una gira con Pablo Iglesias y Rodrigo Soriano), ya que hubo definitivos puntos de desunión entre unos y otros. Ejemplo de ello podría ser una carta de Azcárate a Galdós fechada el 15 de agosto de 1911 en que hace referencia a unas declaraciones de Pablo Iglesias donde los republicanos no se encuentran entre sus aliados:

> Leo en un periódico que nuestro simpático compañero Pablo Iglesias dijo anteanoche, en la Casa del Pueblo, que si la guerra viniera, era seguro que el proletariado entero, unido, libraría la batalla decisiva contra el capitalismo y la burguesía. ¿Y nosotros? (citado por Armas Ayala 1989: 284).

Estas palabras, de alguna manera dan cuenta de cómo el conflicto de clase finalmente florecía en la Conjunción Republicano-Socialista y de que más allá del interés común en contener el triunfo conservador no podrían conseguir más acuerdos. De este modo, la unión creada entre unos y otros al final duró poco y en un año las esperanzas de Galdós por la posibilidad de cambio hacia una nueva España se desvanecían a causa de la falta de entendimiento entre la propia Conjunción.

Mientras tanto, se iba fraguando el Partido Reformista de Melquíades Álvarez, al que poco a poco se irían adscribiendo todos los intelectuales progresistas (y amigos de Galdós) que habían estado apoyando la Conjunción Republicano-Socialista. Ellos estaban "dispues-

19 Para una cronología exacta y minuciosa de estos hechos, véanse Soldevilla (1911) y Dendle (1984).

tos a convertirse en el *think tank* o laboratorio ideológico de un reformismo radical, alternativo, ajeno al sistema" (Gracia 2014: 170) que se identificaba con "un liberalismo democrático moderno" (Cánovas Sánchez 2019: 363). Con ellos más que con el socialismo marxista del PSOE era con quienes ideológicamente parece más afín Galdós. Esto, unido a que los desencuentros entre las distintas facciones de la Conjunción se convirtieron en constante, llevó al novelista a separarse de la política republicana y a apoyar al Partido Reformista en 1913. En esos momentos, por tanto, la relación con las organizaciones obreras iba perdiendo intensidad. Las opiniones de este partido sobre posibles alianzas con ellas se contemplaban cada vez con más reservas. Así, el 7 de abril de 1912, día en que extraoficialmente se crearía ese partido (aunque luego no fue efectivo hasta enero del año siguiente), el mismo Azcárate pronunció un discurso posteriormente publicado por el *Heraldo de Madrid*, en el que afirma que en caso de que hubiera alianza con las ideologías obreras

> no sería más que con los socialistas, no con los sindicalistas y anarquistas y con ello atenderemos al primero y principal problema de nuestra época: las relaciones entre capital y trabajo, distinguiendo, como decía Salmerón, la revolución social de la política (1912: 2)[20].

Estas palabras de Azcárate desvelan y aclaran los matices con los que los reformistas utilizaban la palabra revolución, y su postura política con respecto a las organizaciones obreras. Se hacía evidente entonces una brecha que Ramiro de Maeztu ya había detectado en el citado discurso "La revolución y los intelectuales", en el que divide las alternativas al régimen según clases y modelos de trabajo:

---

20 A partir de los años 1910-1911 se registra un crecimiento en las organizaciones sindicales, empezando por la CNT, aunque será ilegal hasta 1914, y aparecen las Federaciones de Industria en la UGT (1911). Por otro lado, existe un cierto auge en estos años del sindicalismo católico y las patronales también empiezan a organizar sus propias asociaciones (Liga Vizcaína de Productores, Fomento Nacional del Trabajo o la Patronal Hullera), cuyos objetivos no eran sino presionar para conseguir los aranceles y luego fusionarse con otras más grandes y con más adeptos.

> Frente al problema de España, dividido en la emigración y el problema económico, hay dos movimientos, el reformista y el revolucionario. El reformista es el de los intelectuales que intentan llevar la cultura al pueblo para salir de la crisis; el revolucionario es el del pueblo mismo. La pregunta-dilema que la actualidad os brinda es la de si se operará antes la reforma o si se verá alcanzada por la revolución (1911: 43).

En esos momentos, la caída de la Conjunción Republicano-Socialista y el acercamiento de Galdós al Partido Reformista de Melquíades Álvarez, que acabó en una reconciliación con la monarquía, alejaron del novelista a un cada vez más poderoso y autónomo movimiento obrero (y viceversa)[21]. Tanto fue así que en 1914, ante la petición de adhesión a la Junta Nacional para el homenaje del novelista, rechazaron no solo la participación económica, sino también su apoyo ideológico por considerarlo prácticamente un acto político monárquico:

> Aunque lo quieran disfrazar de homenaje al maestro en literatura, y de homenaje nacional, este acto, en el fondo y en verdad no es más que el recibimiento oficial en la monarquía del hijo pródigo, y una repetición de la mentira de que la monarquía se ha democratizado.
>
> No se quiere salvar de la pobreza al literato: se le quiere pagar la abdicación (Sin firma 1914: 1).

Sobre el acto, también el anarquista Anselmo Lorenzo publica un artículo en *El Liberal* de Barcelona con el título "La voz de un obrero", en el que anima a Galdós para que incluya entre sus Episodios Nacionales uno sobre la clase obrera, que también y ya es parte de la Historia

21 En 1914, el movimiento obrero ya era parte de la realidad española y una amenaza para el orden establecido. Estas palabras de Pablo Iglesias en ese mismo año y sobre la guerra son absolutamente esclarecedoras: "Sí; aunque no lo confiesen, no tienen más remedio los hombres de la clase adinerada que sentirse sobrecogidos, al notar la importancia, cada vez mayor, de la fuerza obrera, y que pensar en lo que esta será capaz de hacer dentro de tres o cuatro lustros" ("La movilización obrera de 1914", *El Socialista*, núm. extr. 01/05/1914, citador por Tuñón de Lara 1972: 531).

de España (Botrel 1977: 72)[22]. Idea, que según sostiene, contará con mayor valor que las diez mil pesetas que Alfonso XIII aportó para el homenaje. No se sabe cómo encajaría Galdós estas opiniones de la clase obrera, pero sí que el homenaje fue un fracaso y que nunca materializó la idea que Anselmo Lorenzo le lanzó (64). Quizá porque Galdós, a pesar de sus visitas a los barrios bajos, gérmenes de *Misericordia* y *Celia en los infiernos*, en realidad se encontraba más lejos de la masa, de las clases bajas, de lo que él creía. Aceptar la propuesta de Anselmo Lorenzo habría sido reconocerles "la subjetividad plena de la nación" (Pinilla Cañadas 2014: 38). Galdós no fue un revolucionario, ni siquiera en los años de su revolución burguesa. Su condición y modos de vida le impedían aceptar una serie de luchas propias de la clase obrera. Sin embargo, hubo un claro interés por conocer y comprender el movimiento obrero, además de un profundo respeto por unos valores que él anhelaba profundamente en su clase social. Su activismo político le llevó a relacionarse muy estrechamente con el socialismo y la influencia que sobre él ejerció queda reflejada tanto en sus acciones, como en sus textos. Al igual que el resto de los intelectuales progresistas Galdós admiraba y veía en Pablo Iglesias un modelo ciudadano al que elogiar, incluso cuando el novelista ya estaba retirado de la política:

> El mayor absurdo de esta sociedad desquiciada es poner en duda la honorabilidad de Pablo Iglesias. El conductor del Socialismo español es hombre de tal rectitud y pureza, que contra él no valen pasquines ridículos ni agitaciones callejeras, que nacen y mueren sin dejar ningún rastro en la opinión.
>
> Esto pienso de Pablo Iglesias, a quien deseo mil años de vida, para ejemplo de varones íntegros y de ciudadanos incorruptibles (Pérez Galdós 1915: 10).

Más aún. La idea de una república desde abajo, impulsada por y con las clases trabajadoras no deja de aparecer en sus escritos, aun-

22 Las dimensiones que alcanza la conflictividad social, el hecho de que ella determine o condicione nuevas leyes laborales (1910, 1912, 1913) expresa claramente esa inserción en la historia total (Tuñón de Lara 1972: 528).

que se hubiera reconciliado con la monarquía. Así, en 1915 *La Esfera* publica "Ciudades viejas. El Toboso", un relato en el que se mezcla, siguiendo el análisis de Rodolfo Cardona, experiencia vivida y experiencia leída (1968: 224). La experiencia vivida contextualiza el relato de finales de 1909, según Cardona, cuando se estaba organizando la Conjunción Republicano-Socialista y Galdós viajó con un grupo de personas por España para hacer campaña en su reelección como candidato a Cortes (224-225). A partir de ello cuenta una narración en primera persona ubicada en El Toboso, "la metrópoli del ideal más hermoso que vieron los siglos" (231), en que combina un imaginado diálogo entre Don Quijote y Sancho Panza a su paso por el lugar. Allí se encuentra con Jesús del Campo, el único republicano del pueblo, que había formado un comité con sus propios hijos, los cuales "ganaban un jornal como carreteros o mozos de labranza"; también con su hija Marsellesa, "de condición humilde" y que "servía en la casa de un vecino acomodado del Toboso" —como Lucila Ansúrez— (234-235), y de quien destaca la pureza y la pulcritud —"Mi Marsellesa es limpia, como los chorros del oro..." (237)—, así como la voluntad y el valor, la fuerza para enfrentarse a cuanto sea necesario. Marsellesa, además, es el símbolo de la república y representa el porvenir de las clases humildes. Galdós en este texto recupera el discurso de sus años más activos en la política y vuelve a proyectar en ellos su intención de unir a las clases sociales, de que no haya un arriba y abajo, aunque al final se muestre escéptico sobre en qué estado se encuentra dicha unión en el presente de 1915. Entonces, con una I Guerra Mundial ya empezada y una crisis en España que, lejos de resolverse, se complicaba aún más (recuérdese que solo un año después se convocan las Juntas de Defensa y que en 1923 Primo de Rivera daría el golpe de Estado que establecería su dictadura), no se mostraba tan optimista en la configuración de la nueva clase media en el modo en que había creído en todos estos años.

No obstante, su relación positiva con los organismos obreros (y la de los organismos obreros con él) se va a seguir manteniendo hasta su muerte en 1920. Así, por ejemplo, en 1918, año en que se registraron donaciones por parte de ciertos intelectuales a la biblioteca de la Casa del Pueblo de Madrid, Galdós se sumó a la iniciativa (De Luis Martín y Arias González 1997: 144-145, nota 109), siendo además (y por otro lado) uno de los autores más solicitados junto a Blasco Ibáñez, Dicenta y Guimerà, entre los españoles, y junto a Zola, Tolstói, Victor Hugo, Balzac, Dickens o Ibsen entre los extranjeros (147). Ni siquiera cuando ya poco le quedaba de vida dejó de mostrar interés y de buscar la manera de entender a la clase obrera. Así, en 1919, su biógrafo Rafael de Mesa explicaba:

> Hoy mismo, a mediados de noviembre de 1919, D. Benito quiere trabajar, se molesta porque el doctor Marañón le dice que debe descansar algo más, y quiere ir a Huelva, a componer una novela sobre la vida de los mineros de Río Tinto, que le interesó mucho el año de 1892, cuando fue a la Rábida y a Puerto de Palos, con motivo del tercer centenario del descubrimiento de América (64).

De estas intenciones podría deducirse incluso que el novelista superaba su tradicional interés en la burguesía como materia novelable para comenzar a escribir sobre la clase obrera. De este modo habría podido llegar también a otros públicos y la conversación entre las diferentes clases a través de la literatura habría tomado otro punto de partida. El novelista estaba participando ya del fenómeno post Revolución rusa, que situaba a la clase obrera en el centro de los debates y le atribuía el papel mesiánico de la regeneración social mundial. Aunque nada de esto pudo llevarse a cabo a causa de su muerte en enero del año siguiente, la impronta que paralelamente Galdós dejó en la clase trabajadora no puede obviarse: el día de su entierro una multitud socialista convocada por la Casa del Pueblo de Madrid, la Federación Gráfica Española y las Juventudes Socialistas se interpuso entre el cortejo oficial y la carroza con su féretro, en un gesto de acercamiento y recuperación del novelista para el pueblo. Por supuesto, fueron reprimidos, pero aun así, consiguieron acompañarlo hasta el final de la ceremonia en el cementerio de La Almudena (Beltrán de Heredia 1970: 98-99). En el artículo de prensa que convocaba a los obreros a acudir al homenaje, hacían suyo a Galdós: "Nosotros amamos a D. Benito y seguiremos amando su memoria, porque fue un gran trabajador que puso siempre sus facultades al servicio de la elevación moral del pueblo".

De este modo, al final de su existencia, la colectividad obrera se reconciliaba con un novelista que, según recordaba el Comité de la Federación Gráfica Española, "con la pluma y con el sentimiento estuvo del lado de los humildes"[23].

La mayoría de la crítica ha asumido que Galdós nunca tuvo en cuenta el movimiento obrero y que nunca lo noveló como lo pudieron hacer otros narradores (ninguno de su generación, por cierto), como Baroja en *Aurora roja*, Blasco en *La horda*, Timoteo Orbe en *Redenta*, o Narcís Oller, por citar algunos. Sin embargo, algo de ello ha ido dejando en sus escritos tanto periodísticos como literarios. Y cuando lo ha hecho, ha recogido algunas de sus ideas más revolucionarias, como estas sobre el reparto de la tierra que se reproducen en *El caballero encantado*:

> BECERRO.- Propietario de la tierra y cultivador de ella no deben ser términos distintos.
> BÁLSAMO.- Tiene razón este chiflado... Yo no lo entiendo; pero mi sentido natural me dice que el fruto de la tierra debe ser para el que lo saca de los terrones (Pérez Galdós 1968c: 232-233).

La mayor o menor presencia de lo obrero en sus obras se encuentra vinculado a las distintas fases por las que, por un lado, se ha desarrollado el movimiento obrero como colectivo representativo de una clase y por otro, por las que Galdós pasó en su relación con ellos. En este sentido, hay que tener en cuenta que las organizaciones obreras no son relevantes para la burguesía hasta que no se convierten en la fuerza social que hace peligrar los derechos adquiridos por ella, es decir, hasta la década de los ochenta (momento en que Galdós está escribiendo

23 El comunista Clemente Cimorra cuenta en su biografía galdosiana que "el pueblo —los albañiles, las costureras, los catedráticos— sintió el dolor en el alma" a la muerte del novelista. Y que "el carnicero de la calle de La Cabeza que hizo llamar a una hija Casandra, cerró las puertas aquel día y se quedó hundido en la penumbra.
—¿Qué pasa?
—Luto nacional. Se nos ha muerto don Benito" (1947: 156).

sus novelas más famosas), y que será en el siglo XX cuando se consolide; hasta entonces Galdós no tendrá mayor interés que silenciarlo. A medida que las organizaciones obreras vayan desatando la lucha de clases, a la vez que crezca, empezarán a tener importancia para el escritor. En ese punto, el miedo a que se desaten los conflictos es ineludible y la manera de impedir una revolución que pudiera traer la guerra y el cambio de estructuras es la búsqueda de un consenso entre la ideología liberal más progresista, la republicana, y ellos. A esta razón habría que añadirle un interés por sumar fuerzas para hacer frente al verdadero poder hegemónico que aún seguía siendo el de la oligarquía del siglo pasado. Es en ese momento en que existe un mayor acercamiento y conocimiento del novelista con respecto a la clase obrera, un conocimiento siempre parcial y pasado por su filtro ideológico (sirva de ejemplo la situación de Tito en el cantón de Cartagena relatada en *La Primera República* y a la que se dedicarán posteriormente unas páginas).

En resumen, Galdós se encontró con que, a principios del siglo XX, había una nueva fuerza visible imposible de obviar como hasta entonces y se acercó a ella del modo en que una persona de su clase podía hacerlo: por una parte con miedo y por otra con reticencia. En el desarrollo de ese proceso descubrió, comprendió y compartió una serie de valores y prácticas que intentó aunar en el mismo espacio político e ideológico en que se encontraba con el fin de buscar una convivencia armónica social y política como solución a la situación crítica del país.

CAPÍTULO 5

Regeneracionismo radical y republicanismo

A partir de 1898 todos los regeneracionismos irán creando sus propios textos (*La moral de la derrota*, de Luis Morote; *Oligarquía y caciquismo*, de Joaquín Costa; *La tierra de campos*, de Macías Picavea, *Los males de la patria*, de Lucas Mallada...), medios de comunicación (como la conversión de *El País* en órgano de prensa republicano) e iconos intelectuales con el fin de dar mayor difusión a sus ideas y conseguir nuevos seguidores. Galdós intervendrá en ese contexto, que en los primeros años del XX irá descubriendo y acercándose cada vez más a los postulados tanto del costismo como del republicanismo, a la vez que se aleja del Partido Liberal. La muerte de Sagasta en 1903, la creación de la Unión Republicana por parte de Salmerón y la disgregación y los desórdenes del Partido Liberal fueron clave para romper el vínculo en 1906 (Dean-Thacker 1992: 27). No obstante, hasta entonces continuaría participando públicamente en algunos de sus iniciativas. Por ejemplo, tras el estreno de *Electra* aceptará el homenaje por parte de los liberales más sobresalientes, los que en marzo subirían al gobierno de Sagasta. Salmerón, Canalejas, Nicolás Estévanez, Romanones,

Azcárate, Moret, Labra, Prieto y Nakens —algunos posteriormente republicanos también—, entre otros, se sentarán junto a él el 12 de febrero de ese 1901 bajo la insignia del Partido Liberal (Fox 1988: 75). O recuérdese el artículo homenaje al liberal Ferreras en 1904 donde elogia precisamente su fidelidad a Sagasta y su disciplina de partido, frente al desorden del momento.

5.1. Galdós y el regeneracionismo radical

Los años 1903 a 1907, los del Galdós más conectado con el regeneracionismo radical de Costa, coinciden con los que se centra en difundir sus ideas a través de la literatura sin interesarse por el activismo político[1]. Se trata de un periodo crucial para entender su evolución, puesto que el escenario histórico que se va desarrollando entonces va a determinar la entrada definitiva de Galdós en la política del momento. Dicho periodo muestra cómo las libertades reconquistadas desde los años ochenta están comenzando a perderse (abusos de poder por parte de Alfonso XIII en el nombramiento de Azcárraga y de varios capitanes generales, la elección de Weyler como ministro de Montero Ríos, la situación en torno a la Ley de Jurisdicciones, etc.). Esto, a su vez, evidencia cómo la inestabilidad y la crisis del sistema de la Restauración impulsa la aparición de alternativas posibles para frenar al tiempo los "obstáculos tradicionales" y un movimiento obrero cada vez más fuerte. O, en otras palabras: se produce la contradicción de unas élites cuya política de limitación ante la amenaza de pérdida de poder deja al descubierto una debilidad que beneficia el fortalecimiento de sus antagonistas. Estos o bien quieren acceder al poder (Partido Republicano, Partido Socialista, etc.), o bien funcionan como grupos de presión (intelectuales)[2] en momentos de tensión y conflicto.

1 Brian J. Dendle, que escrutó la actuación pública de Galdós en los resúmenes de *El año político* de Soldevilla, no da noticias de actividad política galdosiana entre 1903 y 1907, año que se declara republicano (Dendle 1984).

2 Entiéndase élite como "grupo reducido de hombres que ejercen el poder o tienen influencia directa o indirecta sobre el Poder" y grupo de presión como "grupos

Durante este periodo se registra una mayor influencia de las doctrinas y métodos costistas en las obras galdosianas, así como una fluida correspondencia entre ambos[3]. Tanto en ella como en sus artículos quedaba reflejada su admiración por el aragonés. Sirvan como ejemplo estas palabras publicadas en *La Prensa* de Buenos Aires en 1901: "Su labor ardua, generosa, absolutamente desinteresada, nos abre horizontes de esperanza en medio de esta cerrazón que envuelve los desmayados caracteres de nuestra época" (Shoemaker 1973: 540). Joaquín Costa fue quien denunció públicamente con mayor vehemencia los problemas fundamentales del país. Para Galdós, como para un grupo importante de los intelectuales (Pérez de la Dehesa 1966), el aragonés daba voz a una parte de la clase media olvidada por las oligarquías y que ni formaban parte del llamado "bloque de poder" ni habían aceptado los valores procedentes del Antiguo Régimen que lo caracterizaban.

De ellos Galdós acepta su disconformidad con el sistema, la crítica de la Restauración, del exceso de retoricismo en las instituciones políticas, la denuncia y la lucha contra el caciquismo, la apuesta por la modernización del campo y, sobre todo, el proyecto educativo, que recogía la denuncia del abuso de poder por parte de la Iglesia como aparato de control ideológico propio del absolutismo, como se puede leer en los textos del periodo y especialmente en la cuarta serie de los Episodios Nacionales[4]. Se suma así a la denuncia de los "males de la

organizados que actúan sobre él para influenciarlo, pero sin aspirar al ejercicio directo del mismo" (Tuñón de Lara 1967: 15 y 16).

3 Estas han sido recogidas en Ortega (1964: 417-423); De la Nuez y Schraibman (1967: 275-282); Cheyne (1968); las conservadas en el archivo de la Casa Museo-Pérez Galdós han sido incluidas en Pérez Galdós (2016).

4 Aparte de en el teatro, el mismo tono directo y claro de los (bastantes, en comparación con lo que escribirá después) artículos que publica desde 1901 resultan muy sintomático. El prólogo a *La Regenta*, "La España de hoy", la carta enviada a *La Prensa* de Buenos Aires en octubre o "Rura", todos escritos en ese 1901, son un alegato contra el pesimismo del momento a partir de la ideología regeneracionista radical o costista. En todos ellos también apela a la colectividad para que asuma su parte de responsabilidad en la crisis del momento, a la voluntad y al trabajo por el cambio. En el prólogo a la revista *Electra* afirmará: "no hay

patria" desde la imagen del país enfermo que requiere cura adoptando, como los costistas, el uso de términos médicos para nombrar las distintas patologías que impiden la modernización. Esta elección lingüística será constante en la mayoría de sus escritos, como ha estudiado Isabel Román Román (2000). Así pues, la máxima costista de "escuela y despensa" aparece en muchos textos galdosianos de este siglo XX, desde su "Soñemos, alma, soñemos" hasta *El caballero encantado* o *La razón de la sinrazón*.

Varias revistas consideradas regeneracionistas como *La España Moderna*, en que se publicó el famoso "La vida es sueño: reflexiones sobre la regeneración de España", de Unamuno (noviembre de 1898), la ya aludida *Vida Nueva* de Soriano, en la que escriben Costa y de nuevo Unamuno ("Muera Don Quijote"), o la reformista y anteriormente citada *Electra*, cuentan con colaboraciones galdosianas[5]. Otras revistas no literarias reunían artículos de similar tendencia ideológica en números específicos, como el 226 de *El progreso agrícola y pecuario* (07/01/1901), una publicación dirigida a propietarios, dedicada a informar sobre los avances en materia agrícola y de diferentes ideas regeneracionistas relacionadas con el campo y la tierra (Varela Olea 2002: 248 y ss., y 264). Este número, especialmente regeneracionista por sus colaboradores, llevaba en primera página el artículo de Galdós "Rura", en el que, por un lado, abogaba por la conciliación de la vida agrícola y urbana, con el fin de solucionar el gran problema de absentismo de los campos por parte de los propietarios y, por otro, incluía su visión apocalíptica mediante la que advertía de las consecuencias sociales nefastas si descuidaban sus propiedades y denigraban a sus trabajadores. Galdós idealiza la vida en el campo e intenta unir naturaleza, modernización y progreso humano en su discurso, asociando la belleza con la explotación y el trabajo de los campos ("la tierra engalanada, cubierta toda de

dificultades ni distancias que resistan a estas dos poderosas fuerzas: paciencia y voluntad"; y en el artículo escrito para *La Prensa*, "la responsabilidad es, pues, colectiva, y nadie está libre de ella" (Shoemaker 1973: 536).

5 Más información en Varela Olea (2002: 82-115 y 126-139).

hermosura, más joven cuanto más arada, más linda cuanto menos virgen")[6].

Estas ideas del absentismo, del binomio campo-ciudad, de la dignificación del campesino para evitar el caos social, irán madurando y serán tratadas de manera más clara y directa en su "¿Más paciencia?" publicado en enero de 1904. Galdós entonces vuelve a denunciar las diferencias entre el campo y la ciudad basadas en el dualismo miseria-opulencia. Como solución a esta ley tenida por divina insiste en unir el progreso tecnológico creado en las ciudades con el espacio natural que ofrece el campo, es decir, la modernización mediante la maquinaria como medio para poner fin a esta situación miserable. Galdós atribuye al campo la miseria, la ignorancia, el dogma, la religión y el salvajismo; a la ciudad el progreso, la tecnologización y la modernización. El binomio que forman se ve complementado en su relación por las posiciones de arriba y abajo. Arriba sería ocupado por los *superhispanos* y abajo por los *infrahispanos*, o lo que es lo mismo, "las clases inferiores de la nación, las cuales por ser alma y sangre nuestra, tienen derecho, por lo menos a que las saquemos de ese estado anfibio, medianero entre animales y personas" (1968c: 1500). Este mismo planteamiento paternalista que responsabiliza a las clases portadoras de la modernización y de la instrucción de las otras, lo pone Galdós en boca de los *infrahispanos* para recalcar que no se trata solo de una propuesta individual sino una demanda colectiva por parte de ellos:

> No pongáis entre las ciudades y el campo distancia ideal tan grande que parezcan regiones de distintos planetas. Aproximad, por la recíproca simpatía y por la constante atención, lo que hoy está distante por causa de nuestra rudeza y de vuestro absentismo. Seamos nosotros un poco

6 Muy diferente será la visión de la naturaleza cuando esta no se utiliza para la agricultura. Véase la descripción de las canteras de Ágreda en *El caballero encantado*: "Desde lejos se veía la inmensa herida, y el espectador se condolía del desdichado monte, imaginándolo víctima de una bárbara labor quirúrgica, levantada en gran parte su hermosísima piel verde, deshecha por el hierro su carne, y todo en pedazos mil, y todo cayendo y rodando en piltrafas sanguinolentas como los despojos de un antiteatro..." (1968c: 260).

> civilizados y vosotros un poco campesinos. [...] Igualadnos a vosotros todo lo posible (*idem*).

Si esas demandas no se atienden, la clase trabajadora se levantará, algo que, como ya se vio anteriormente, teme Galdós. Esta preocupación demuestra una vez más la importancia de las clases bajas para Galdós y lo imprescindible de contar con ellas para la construcción de la nueva clase media y la regeneración del país, idea que lo aleja de las soluciones costistas basadas en el "todo para el pueblo pero sin el pueblo".

Otro tópico que une a Galdós con Costa es su denuncia del caciquismo, "enfermedad constitutiva, de esas que llegan a formar una normalidad que casi se confunde con la salud", "una de las más penosas dolencias que por acá padecemos" (Shoemaker 1973: 539). En el artículo escrito para *La Prensa* de Buenos Aires de octubre de 1901, al que pertenecen las anteriores afirmaciones, lo definía como

> la voluntad de algunos que, al amparo de una viciosa organización política, aplican los reyes en provecho propio, y estorban la acción legal de los más, produciendo un régimen caprichoso, en el cual viven a sus anchas cuadrillas organizadas por regiones, provincias y lugares, mientras viven en el desamparo de toda ley los ciudadanos que no han sabido o no han podido afiliarse a estas comunidades vividoras (*idem*).

El origen de esta idea y de este artículo en general se encuentra sin duda en el *Oligarquía y caciquismo* de Joaquín Costa, publicado durante ese año. Se sabe que Galdós conocía bien la obra gracias a la correspondencia conservada entre ambos. Así, en la primavera de 1901, Costa le ha mandado a Galdós las pruebas de la primera parte de su obra e incluso le ha pedido una nota para su publicación. Sobre ella se trata en varias cartas, pero parece que nunca fue escrita o, al menos, publicada (Cheyne 1968: 97). No obstante, lo que se puede asegurar es que leyó atentamente la obra profundizando especialmente en aquellos temas que le interesaban: "Leí con deleite las pruebas de su admirable estudio sobre el caciquismo y algunas ideas me han servido para este mi enfadoso estudio sobre el clericalismo" (carta del 28 de marzo, Pérez Galdós 2016: 515). El estudio citado es "La España de hoy" que escribió para la *Neue Freie Presse* de Viena y que publicaría *El Heraldo de Madrid* el 9 de abril. En este, Galdós justifica cómo en España, de nuevo país enfermo, la debilidad y corrupción producidas por el sistema caciquil han sido aprovechadas por el clericalismo para dominar todas las instituciones políticas, sociales y especialmente las educativas. Galdós pensaba entonces (y lo creería hasta el final de sus días) que el verdadero problema del país no respondía tanto a criterios económicos sino ideológicos, puesto que la ideología absolutista que subyacía en el sistema del reinado de Alfonso XIII era la responsable de que la modernización no fuera posible (de ahí que solo en algunas obras puntuales, como *Casandra*, se atreviera con una crítica desde el punto de vista económico).

Aunque las metáforas de la España enferma o las ideas sobre la educación como ámbito principal de cambio aparecen a lo largo de todas sus obras del periodo, es en una etapa que se abre con "Rura" y que se cierra con *El caballero encantado* en 1909 cuando aparecen con mayor claridad. De todos los textos regeneracionistas, es sin duda "Soñemos, alma, soñemos" (1903), el más cercano al costismo. En él se hace explícito el lema de escuela y despensa, como propuestas regeneracionistas, bajo la premisa "instrucción para nuestros entendimientos y agua para nuestros campos". De nuevo insiste Galdós en la explotación de la tierra como fuente de riqueza y como signo de progreso que se contrapone a la tierra yerma, sin cultivar y abandonada:

> Preciso es desencantar el viejo terruño, dándole con las aguas corrientes, la frescura, amenidad y alegría de la juventud: preciso es vivificar la tierra, dándole sangre y alma, y vistiéndola de las naturales galas de la agricultura (1968c: 1496).

Porque ello dará vida y movimiento a la nación; también proyección internacional: "Una nación europea no puede ofrecer a las miradas del mundo, en pleno siglo XX, el espectáculo de las estepas desnudas que dan idea de la ancianidad trémula, pecosa y cubierta de harapos" (*idem*), afirmará algo antes. El progreso y el avance tecnológico en los campos convertirán a España en una nación moderna y europea que acabará con el atraso y el conservadurismo preeminente. Así pues, el europeísmo, una más de las ideas latentes en el pensamiento progresista español, es otro de los hitos ideológicos a los que se suman los costistas y con ellos Galdós (Jover Zamora 2001: 409). Del mismo modo que es necesario actualizar la maquinaria y la vida en el campo para ser considerada nación moderna, urge la educación de las personas: "Procuremos grandes y chicos instruirnos y civilizarnos, persiguiendo las tinieblas que el que menos y el que más llevan dentro de su caletre" (Pérez Galdós 1968c: 1496).

Como método para llevar a cabo estas dos premisas, el novelista propone, en contraposición a esa responsabilidad colectiva a la que apelaba en los artículos de 1901, la acción individual; así, todos juntos conseguirán vivir en la armonía de que ahora carecen:

> Hagamos cada cual, dentro de la propia esfera, lo que sepamos y podamos: el que pueda mucho, mucho; poquito el que poquito pueda, y el que no pueda nada, o casi nada, estese callado y circunspecto viendo la labor de los demás. Acostumbrémonos a rematar cumplidamente, con plena conciencia, todo lo que emprendamos; no dejemos a medias lo que reclama el acabamiento de todas sus partes para ser un conjunto orgánico, lógico, eficaz, y conservémonos dentro de la esfera propia, aunque sea de las secundarias, sin intentar colarnos en las superiores, que ya tienen sus legítimos ocupantes. Cada cual en su puesto, cada cual en su obligación, con el propósito de cumplirla estrictamente, será la redención única y posible, poniendo sobre todo, el anhelo, la convicción firme de un vivir honrado y dichoso, en perfecta concordancia con el bienestar y la honradez de los demás (1497).

Finalmente, la conclusión de este artículo, que explica además el título, presenta un mensaje alentador y optimista que será recuperado de manera literal en *El caballero encantado*, la novela que mejor recoge todos estos tópicos regeneracionistas combinados con el republicanismo en el que ya militaba por entonces: el caciquismo, el conflicto de la tierra (absentismo y miseria del campo) y su actitud frente al campesino, que ya se veía en "Rura" y en *Alma y vida*, la hipocresía y el abuso de poder tanto de la Iglesia como de la oligarquía, la unión del pueblo y la burguesía progresista como una manera de renovar la sociedad española, el optimismo frente a la abulia que lo diferenciaba de generaciones como la del 98, la libertad de cultos y el amor libre más allá de las convenciones sociales y económicas, el anticlericalismo, el miedo a la sublevación de la masa, la apología de la libertad, la alabanza del trabajo, etc. El regeneracionismo radical le había proporcionado al novelista en estos años la necesidad y a la vez la pauta para plantear estos conflictos en una novela.

Muchos de estos temas (la cuestión agrícola, la cuestión social, el caciquismo, el anticlericalismo, la guerra de Marruecos, la educación...) fueron señalados por Julio Rodríguez Puértolas desde sus primeros estudios sobre la novela ("Galdós y *El caballero encantado*", 1972, ampliado e incluido en *Galdós, burguesía y revolución*, de 1975; en su edición del año 1977 y en la de Akal, 2006). El catedrático de la Universidad Autónoma de Madrid subraya especialmente *Los males de la patria*, de Mallada, y *Oligarquía y caciquismo*, de Costa, como los marcos teóricos en que se inspiró entonces Galdós. Sobre la influencia del primero, sostiene que "parece evidente tras una sencilla comparación" (1972: 123), y del segundo no puede extrañar si tenemos en cuenta en qué grado conocía la obra (1975: 135). Por el tratamiento y la denuncia de los problemas que presenta, se podría llegar a plantear esta novela, al menos en una considerable parte, como la materialización literaria de la ideología costista que expone en *Oligarquía y caciquismo*, puesto que son estos dos temas los que vertebran toda su trama (la novela del caciquismo, la llama Rodríguez Puértolas en 2006: 69)[7].

Anteriormente, en el citado artículo del otoño de 1901 enviado a *La Prensa* de Buenos Aires, Galdós definía así el sistema por el que se organizaba el caciquismo: "Estas tienen por cabeza un personaje de alta significación y poder en uno o en otro partido, y sobrenadan en todas las agitaciones, y continúan imperando a despecho de turnos gobernantes y de combinaciones" (Shoemaker 1973: 540). La figura

7 En esos años se publica un buen número de novelas anticaciquistas, como *Doña Mesalina*, de López Pinillos; *O César o nada*, de Baroja, ambas de 1910; y, ya en 1914, *Jarrapellejos* (de Felipe Trigo), *Villavieja* (de Ciges Aparicio) o *El paño pardo* (de Ortega y Munilla).

del oligarca cacique, que además se caracteriza por no atender sus campos y solo acudir a cobrar el jornal o, mejor dicho, a exigirlo, es la que encarna el personaje de Carlos de Tarsis al comienzo de *El caballero encantado* (léase su retrato en los capítulos I y III de la novela), y luego en el espacio ficticio en que se le introduce, las barrocamente deformadas y ridículas sagas de Gaytanes, Gaitines y Gaitones. Cada uno de ellos representará un tipo de cacique y jefe oligarca distinto[8]. Así, el grotesco don Cayetano o don Gaytán de Sepúlveda, arcaico en su nombre y en su persona, será el propietario de las tierras en que Tarsis trabaje como jornalero y posteriormente pastor. Del paso de unas tierras a otras, de la primera profesión a la segunda, hablará Galdós en términos de trato esclavista (capítulos VII y VIII).

Los acuerdos establecidos entre Gaytanes y Gaitines para aumentar tierras y riquezas permiten cambiar las condiciones según su deseo, que incluye el trasvase de tierras entre ambos cuando se requiera; lo mismo con las ovejas; lo mismo con sus pastores. De este modo, Gil pasa a ser propiedad de los Gaitines, dueños de (entre otras propiedades) una cantera próxima a Ágreda. Estos controlan no solo el trabajo de los obreros, sino también la administración, como destaca Pascuala-Cintia, al explicarle a Gil-Tarsis que está esperando a que don Feliciano Gaitín, "el mandón de estos lugares", le dé una plaza en una escuela de párvulos en cualquier pueblo de la zona (Pérez Galdós 1968c: 264). Los caciques, por tanto, lo controlaban todo, desde el trabajo más artesanal hasta el más intelectual, pasando incluso por los órganos destinados a mantener el orden, como la Guardia Civil. Así, cuando don Saturio, el tío de Pascuala, se entera de que Gil ha desaparecido de la cantera para ir a buscar a su sobrina a su nuevo destino, no avisa a la Guardia Civil directamente, sino que acude al Gaitín de Suellacabras para, entre los dos, gestionar esa denuncia y ordenar a la Guardia Civil qué debe hacer (271). Esta, entonces, responde a sus órdenes, como demuestra Bartolo Cívico en sus recomendaciones a Gil:

---

8 La Madre dice literalmente que las tierras de Tarsis (administradas por Bálsamo) en la realidad anterior al espejo pertenecen ahora a Gaytán de Sepúlveda y Bálsamo al 50%.

> Si eres despejado y no pierdes la sangre fría, podrás zafarte de la Guardia Civil. Hazte el valiente, aunque no lo seas, y si te cogen, di que te quejarás al señor Gaitín, o que pidan informes de ti a cualquier Gaitín, porque aquí no hay más ley que el capricho y el me da la gana de esa familia. Los alcaldes son suyos, suyos los secretarios de ayuntamiento, suyos el cura y el pindonguero juez, ya sea municipal, ya de primera instancia. Como te coja entre ojos un Gaitín, encomiéndate a Dios... [...] Los tiranos que aquí se llaman Gaitines, en otra tierra de España se llaman Gaytanes o Gaitones... Pero todos son lo mismo (272).

También en Calatañazor los Gaitines tienen representación. Según cuenta Bartolo Cívico, allí vive una Quiteria Gaitín, "que es la más rica del pueblo. Tiene muchas cabras, cuatro cerdos, y un hijo que es secretario del Ayuntamiento" (286), Galo Zurdo, "el más apestoso ganso de la localidad y de todo el territorio" (280), caracterizado, en realidad, como un cerdo. La pelea de Tarsis con este Galo Zurdo es lo que le lleva a huir y proseguir su viaje, que va a dar hasta nuevas tierras, esta vez propiedad de una tercera rama de caciques, los Gaitones. Entonces Galdós aprovecha para explicar la manera en que se relacionaban los distintos caciquismos: la competitividad entre unos y otros era tan grande que el pasar los fugitivos de una tierra a otra les sirve para ganarse la impunidad, pues los Gaitones bien se alegrarían de toda cosa contraria al orden de los enemigos Gaitines (308). Sin embargo, la Guardia Civil funciona como aparato de control del orden en todo el territorio y esa competitividad no libra a Tarsis de ser apresado en su huida. Al ser llevado con otros presos, conoce sus historias, que demuestran cómo detrás de todas ellas se encuentran los caprichos y manipulaciones de los caciques, ya sean Gaitines o Gaitones. Al que no le deben años de salario (los Gaitines a don Quiboro), le han expropiado las tierras utilizando leyes dispuestas para su beneficio, porque también la Justicia es administrada por ellos (Gaitones a Tiburcio de Santa Inés). Así, a lo largo de toda la obra, desde el comienzo hasta el final, Galdós muestra las diferentes variedades de poder y autoridad que dominan las tierras indistintamente desde las ciudades (capítulos I-V) o en los campos (capítulos VI-XXVI); cómo ejercen su soberanía, cómo controlan todas las instituciones, cómo el dinero les otorga un poder extremo que les permite ejercer la tiranía en cada rincón de sus propiedades es lo que se esconde tras la trama de la novela.

A presentar y denunciar la situación de otro tipo de caciques, los que no viven en los campos ni se ocupan de sus tierras, es decir, los de las ciudades, se dedican los cinco primeros capítulos a partir de la figura de Tarsis y de su círculo de amigos. Tarsis, aficionado a gastar su propio dinero caprichosamente, no presenta una actitud diferente al tratarse de sus propias tierras:

> No escuchaba Tarsis razones cuando en aprieto se veía. ¿Que las rentas no bastaban? Pues a subirlas. Ponían el grito en el cielo los pobres labrantes y elevaban al amo sus lamentos. Pero él no hacía caso: el tipo de renta era muy bajo. Los que chillan por pagar doce, que paguen veinte. El destripaterrones es un ser esencialmente quejón y marrullero: si se le diera gratis la tierra, pediría dinero encima (227).

La dejadez y la incompetencia a la hora de ocuparse de sus tierras forman parte de un modo de vida basado especialmente en un despilfarro que acaba por convertirse en ingentes pérdidas pecuniarias. Ello le obliga a buscar una solución económica entre las que no contemplaba trabajar:

> ¡Trabajar! ¿Para qué? [...] Todo nos llama al descanso, a la pasividad, a dejar correr los días sin intentar cosa alguna que parezca lucha con la inercia hispánica. Si me pusieran en el dilema de trabajar o perecer, yo escogería la muerte (233).

El final de esta trayectoria es la ruina total, lo que crea una desazón, aburrimiento, que unida a los fracasos amorosos, le llevan a caer en un pesimismo, melancolía, abulia y nihilismo que le dejarán abatido. Este estado de dejadez es el motivo principal del encantamiento y una de las denuncias principales de la novela (Varela Olea 2001: 309-312). Galdós, con esta narración, entonces, trata de provocar y animar mediante un discurso moral a quienes se encuentran en una situación privilegiada para fomentar un cambio.

Si se compara ese Tarsis desencantado con el posterior al encantamiento el cambio de actitud es evidente: "Salgamos, sí, del árido pensar que nos vulgariza. Tu tía nos ha enseñado la ciencia compendiosa del vivir patrio. Hagamos honor a sus lecciones. Seamos hombres, no muñecos de resortes gastados" (Pérez Galdós 1968c: 341). Esto lo afirma un regenerado Tarsis que al final de la novela, junto con su amante Cintia, se convertirán en base y modelo para la regeneración de España a través de uno de los temas más recurrentes en la obra galdosiana, la educación. Ambos se dedicarán a la enseñanza y construirán "veinte mil escuelas aquí y allá, y en toda la redondez de los estados de la Madre" (343) y su sucesor, su hijo Héspero, educado para "maestro de maestros" (*idem*), seguirá sus pasos; será el primer eslabón de esa confianza en los niños para poder cambiar la situación de la nación.

Los niños, los maestros y la educación son capitales para entender el mensaje de *El caballero encantado*. En el capítulo XVI, en que Gil-Tarsis va en busca de Cintia-Pascuala para huir con ella, es precisamente su alumnado quien le impide la huida:

> Oíase la cantinela infantil más cercana, como traída por un ventarrón que venía del pueblo. Y de súbito aparecieron, corriendo y brincando, niñas y niños... La primera tanda era de diez o doce..., siguieron como unos veinte..., luego fueron cientos, que a los ojos aterrados de Gil eran miles. Unos traspasaban el portillo, otros saltaban entre los huecos del muro despedazado. El enjambre no tenía fin; el griterío era como un inmenso piar de pájaros o zumbar de insectos. La turba rodeó a Cintia; innumerables manecitas se agarraron a la falda de la maestra, y mientras unos repetían el *che, i, ene, chin*, otros chillaban: "*Pascua*, nuestra *miga*, no te vas... *Pascua*, no dejar tus nenes..., *miga*, ven con niños tuyos" (290).

Cintia no puede resistirse a la oleada de niños que la acometen y le pide a Gil que se marche sin ella por ser "esclava de esta menudencia" (*idem*). Son los niños quienes han retenido a Cintia-Pascuala y no la han dejado escapar. Ellos han tenido la fuerza suficiente para poder cambiar una situación que parecía irrevocable a la vez que piden a gritos que se les tenga en cuenta. El significado del poder de los niños lo explica claramente la Madre en posterior conversación con Gil: "En los tiempos que corremos, Gil, los niños mandan. Son la generación que ha de venir; son mi salud futura; son mi fuerza de mañana" (293). Esos niños serán parte en un futuro de esa clase media ahora en formación; ellos serán quienes hereden todos los valores e ideas que Tarsis y Cintia han aprendido en su periplo a lo largo de la novela.

En el capítulo que se desarrolla en la aldea de Boñices aparece uno de los personajes secundarios más importantes de la novela, don Alquiborontifosio de las Quintanas Rubias, un viejo maestro de escuela que utiliza las enseñanzas populares, los refranes para paliar el hambre de los niños. Don Quiboro —así lo conocen todos— cumple las características de otros personajes galdosianos de la misma índole (Ido del Sagrario, Pío Coronado o Patricio Sarmiento) como es la debilidad o la aversión que sienten hacia los burgueses ambiciosos y corruptos. Don Quiboro se entiende como metonimia de la situación de los maestros de la Restauración, cuya carencia de recursos corroboraba el modismo "tener más hambre que un maestro de escuela"[9]. Galdós denuncia a través de su figura la ingratitud y el abandono de un gremio que ha sido olvidado por el poder, en este caso, por unos Gaitines, "que han favorecido más la fábrica de aguardiente que la fábrica de ilustración" (317). Su figura acabará siendo homenajeada al final de la novela con un proyecto de estatua en la plaza de Boñices (343).

La propuesta educativa de Galdós en la novela, si se compara con el tema del caciquismo tratado anteriormente, se desarrolla desde una perspectiva totalmente opuesta. Frente a la denuncia constante del problema, opción elegida para lo segundo, con el tema de la educación presenta directamente una alternativa, sin pararse siquiera a criticar el monopolio de la Iglesia, como tantas otras veces ha hecho. Tampoco en otros momentos de la novela la perspectiva anticlerical cobra relevante interés en la historia, a excepción de opiniones y situaciones puntuales, como el caso de la ardilla de Bartolomé Cívico. Así, Galdós consigue destruir ese "obstáculo tradicional" de manera implícita al presentar una alternativa con la que automáticamente se invalida todo

9 Para un análisis en profundidad sobre este personaje, véase Alfred Rodríguez (1979).

papel de la Iglesia en la educación. Por otro lado, también se deshace (y esta vez de manera explícita) del siguiente "obstáculo tradicional", la monarquía. No será en la España caduca de Alfonso XIII donde Tarsis y Cintia comiencen su labor, sino en "los reinos descoronados" de España y América (343), en una república moderna donde desarrollarán su proyecto educacional. La elección de dicha forma de Estado como espacio idóneo en el que materializar estas ideas inspiradas en Costa se relaciona con el republicanismo que entonces apoyaba. A ellas hay que sumarle otras procedentes de las ideologías surgidas con el movimiento obrero, como ya se explicó anteriormente, y también del republicanismo en el que ya militaba en 1909.

5.2. Galdós y los republicanos

5.2.1. El compromiso político

Hacia 1906 para Galdós es definitivamente imposible pertenecer a un Partido Liberal que se comportaba como su antagonista conservador y acaba por abandonarlo. Esta decisión, según Verónica Dean-Thacker, se debió a la división que establecían los enfrentamientos entre Moret y Canalejas así como a la imposibilidad de crear una legislación anticlerical, es decir, por funcionar de manera moderada (1992: 27)[10]. A este hecho hay que sumarle que es durante un gobierno liberal cuando surge la polémica en torno a la Ley de Jurisdicciones y

10 Esta idea tiene total sentido si tenemos en cuenta el radicalismo galdosiano frente al poder de la Iglesia y de los facciosos. Ya en "La España de hoy" (1901) afirmaba cómo el carlismo era una lacra que el país llevaba arrastrando desde el siglo anterior precisamente por la moderación a la hora de atacarlo: "...el carlismo no ha sido nunca destruido de un modo eficaz y este es el error del país liberal en todo el siglo precedente, pues siempre puso a las campañas facciosas por medio de esfuerzos parciales y por convenios, arreglos y componendas" (Pérez Galdós 1999: 260). Por otro lado, Varela Olea justifica la salida total del Partido Liberal con la muerte de Ferreras, quien en 1986 había convencido a Sagasta para presentar a Galdós diputado por Puerto Rico (2002: 326).

que los intelectuales llevan demostrando su poder y posición como gremio desde 1901.

Algo había cambiado, por tanto, en esos 1905-1906 para que al año siguiente se adhiriera públicamente al republicanismo, al que, por cierto, Costa se había unido en 1903, y de cuyos simpatizantes se llevaba rodeando ya hacía tiempo.

Si en los tres primeros años de 1900 encontramos a un Galdós más cercano al regeneracionismo radical, que muestra una actitud voluntariosa y positiva, optimista, en estos años siguientes se percibe un cambio en su actitud y en sus escritos. A finales de 1905 consigue publicar *Casandra* dos meses después de haberla terminado, puesto que, según aclara *El País* en una reseña del 13 de noviembre, había sido retenida por el gobierno liberal en el poder. A esto hay que añadirle el ambiente creado a causa de la protesta contra Montero Ríos y el asunto del *Cu-Cut!* de Barcelona con la inminente Ley de Jurisdicciones. En 1906 todavía coleaba el impacto de *Electra*, convertida en motivo recurrente para los republicanos, en un clásico con el que Galdós levantaba el espíritu progresista que más incomodaba a los conservadores:

> La otra tarde oía yo al Sr. Maura hablar con tono despectivo de la obra dramática de Pérez Galdós que más adentro ha penetrado con el alma del pueblo español. Combatía Maura al Gobierno, al anticlericalismo, a la ley de asociaciones, a la libertad de cultos, con su grandilocuencia acostumbrada, y al buscar causa y origen de toda esa sacudida en el campo liberal, atribuía la culpa, yo diría la gloria de tan magna resurrección, a *Electra*, esa comedia que fue en triunfo por todos los ámbitos de la Península, como bandera de batalla da los ejércitos progresivos de la sociedad española (Morote 1906: 1).

El efecto *Electra* seguía vigente y a él se sumaba la buena acogida que entre los republicanos y los sectores progresistas tuvieron *Casandra* y, sobre todo, *Prim*. Así, el 13 de noviembre de 1906, sale a la venta este Episodio Nacional, el noveno de la cuarta serie, y al cual los periódicos más importantes del momento le dedican, cuando menos, una columna. Los conservadores, como *ABC*, elogian la obra de Galdós, pero en ningún momento entienden la novela como un eco del presente; es más, apuestan por una visión nostálgica y melancólica de un episodio de la Historia de España que ya fue enterrado hace tiempo (Palomero 1906). La mayor parte de la prensa progresista ve en esta novela un intento por recuperar los ideales y las motivaciones que llevaron a los liberales a la Revolución del 68. *El País* incluso publica una reseña de Luis Morote con la intención de convertir la novela en un acto político, aunque guardándose de levantar a las masas como en *Electra*. La prensa obrera, por su parte, ni dio noticia del suceso.

El impacto de la obra se tradujo en un intento por parte de Rodrigo Soriano, Julio Burell y el propio Morote, de que el Gobierno organizara un homenaje nacional al novelista. Querían emular el realizado en 1893 para Clarín, en los que Echegaray, Cánovas y Castelar pronunciaron discursos; así lo anunciaron en el Congreso y en los diferentes órganos de prensa. En este sentido, es de reseñar cómo en 1906 ya no era un intelectual quien pedía un homenaje, sino los políticos y periodistas, lo que demuestra en qué lugar se encontraba Galdós en este principio de siglo y qué importancia tenían los intelectuales en el panorama socio-político español en ese momento. Los diferentes periódicos progresistas se hicieron eco y se adhirieron a la propuesta de estos, pero la iniciativa no prosperó, algo que no debe extrañar si se tiene en cuenta el poder de una monarquía que estaba acercándose cada vez más al absolutismo y se alejaba del sistema democrático.

Aparte de la manera en que se desarrolló el éxito de *Prim*, que lo diferencia de la *Electra* de 1901, también la actitud del propio Galdós se muestra ya otra. Prueba de ello son las palabras que de su puño y letras adornaron la portada del ejemplar que le regaló a Morote: "¡VIVA PRIM! ¡VIVA LA LIBERTAD! ¡ABAJO EL CLERICALISMO! ¡VIVA CARLOS III! ¡ARRIBA, ESPAÑA LIBERAL!" (Morote 1906: 1). La dedicatoria parece demostrar un interés por parte de Galdós en que su novela impactara e influyera en los lectores o, más aún, en que despertara las conciencias y motivara para organizarse contra la situación crítica del país.

Las ideas que se manejan en el Episodio coinciden con las de los liberales en la Revolución del 68. Estas quedan recogidas en la muletilla que se repite a lo largo de la obra, "Prim, Libertad", una asociación de nombres que caló profundamente en el sentir popular de la década de los sesenta (Troncoso 2016: 51), y que el narrador desglosa de esta manera:

> En las cabezas grandes y chicas ardían hogueras. Las llamaradas capitales, Prim, Libertad, se subdividían en ilusiones y esperanzas de variados matices: Prim y Libertad serían muy pronto Paz, Ilustración, Progreso, Riqueza, Bienestar... (Pérez Galdós 1968b: 617).

O en palabras del Marqués de Beramendi, "tendremos amnistía, libertad de imprenta, reformas electorales, y no sé qué otros anzuelos con que se quiere enganchar a los desmandados peces de la Libertad" (602). Prim y sus ideas progresistas representarán el "espíritu del siglo" y liberarán a España de los llamados "obstáculos tradicionales", es decir, el Altar y el Trono. Estos obstáculos no solo se muestran en el tiempo de la novela, sino que son también los del tiempo de su escritura. Para Galdós el progreso de la nación se ve frenado por los mismos obstáculos, tanto en 1860 como en 1906. Toda la obra está basada en cómo, cuándo y de qué manera se irían abriendo las brechas que harían caer al Trono y, con él, a la Iglesia, en 1867, un planteamiento que bien podría ser aplicado a 1906.

Los capítulos en los que se trata sobre el tema de México ponen en evidencia la incapacidad gestora de la reina y de su camarilla, hacen patente la inestabilidad de su mandato y demuestran cómo la actitud de Prim suponía una amenaza para el poder. El "asunto Prim" se mostraba como un problema de política interna que cada vez resultaba más difícil de resolver de manera favorable para el gobierno de O'Donnell. La amenaza de las ideas del general progresista y el fortalecimiento del bando liberal obligaban entonces a las clases hegemónicas a repensar su táctica para seguir manteniendo el poder. La solución que posteriormente la Historia demostró la expone Galdós por medio de la oportunista Eufrasia, que en una conversación con Pepe Beramendi alude a la interpenetración como única alternativa (577-578). En esa misma conversación afirma sobre la reina:

> Pero el mayor temor de doña Isabel, ¿sabes cuál es? La Democracia... esos hombres que te hablan de república como de la cosa más natural del

> mundo, y se atreven a poner en sus programas nada menos que la libertad del pensamiento; ese Rivero, ese Figueras, ese García Ruiz, ese Becerra, y otros que dicen con toda la poca vergüenza del mundo: "Soy demagogo". Pues yo, qué quieres, en esto le doy la razón a la Reina y participo de su temor. ¿Quién te dice que, llamado Prim al poder, no vendrá, tras de la turba progresista, la ola democrática que arramblará por todo? (577).

Democracia y república aparecen unidas en el pensamiento liberal de 1868, al igual que en el de los republicanos de 1906. Tanto una como otra son temidas por la reina y su círculo de poder: "... la democracia es una perturbación, y no está el país para esas novedades", dirá Gregorio García Fajardo, el hermano usurero de Beramendi, la Noche de San Daniel. Este suceso, relatado con todo detalle durante dos capítulos de la novela, presenta especial relevancia ideológica. Recuérdese que la represión de aquella noche contra los estudiantes fue generada por la serenata convocada en la Puerta del Sol. Protestaban por la destitución del rector de la Universidad Central, Juan Manuel Montalbán, al haberse negado a expulsar a Emilio Castelar de su cátedra de Historia por dos artículos antimonárquicos publicados en *La Democracia* en los meses anteriores. El origen de todo ello, por tanto, se encontraba en la censura y en las políticas que atentaban contra la libertad de expresión por parte del gobierno (el segundo artículo de Castelar, además, se censuró), ambiente que recuerda no poco a esos años 1905-1906, al suceso del *Cu-Cut!* y a la Ley de Jurisdicciones.

De este relato, al igual que de la opinión anterior de Eufrasia, se percibe el temor de las clases hegemónicas tanto a los progresistas como a la masa compuesta entonces de estudiantes y obreros. Galdós presenta en la novela unas clases altas y una ideología conservadora hegemónica que se siente amenazada por el liberalismo y la influencia que están ejerciendo en las clases populares, frente a unos liberales y a unas clases medias entusiasmadas y optimistas al ver cada vez más cerca la victoria de sus ideas. Las protestas que dieron pie a la Noche de San Daniel fueron apoyadas por los partidos de Castelar y de Prim; así, la España más progresista se unía entonces a una protesta que en principio habían empezado estudiantes y obreros.

Teniendo en cuenta el ambiente en que se está escribiendo la novela, parece que en 1906 Galdós estuviera buscando el mismo llamamiento de unión para hacer frente al nuevo atentado contra la libertad de expresión que suponía la Ley de Jurisdicciones[11]. Pero lo hará recordando al pueblo cómo responde el poder cuando se ve amenazado:

> Llegó don Laureano Figuerola con la habitual placidez de su rostro y su expresión austera y benigna. Acompañábale Gabriel Rodríguez, alto, barbudo, bien encarado y con antiparras de oro. [...] En la Puerta del Sol, el tumulto y vocerío eran espantosos. Los dos esclarecidos economistas oyeron contar que una cuadrilla de obreros, que bajaba a la calle del Carmen por la de los Negros, apedreó a los soldados de Caballería, y que el Gobernador militar mandó hacer fuego... [...]
>
> Algunos ateneístas de los que se arremolinaban en el pasillo pensaron salir y aproximarse a la Puerta del Sol para ver de cerca la jarana; pero en esto llegó casi sin aliento un precoz filósofo, González Serrano, y dijo: "No salgan ahora; no salga nadie... Por poco me gano un sablazo... El dolor que tengo aquí, ¡ay! es de un golpe ¡ay!... Se me vino encima la cabeza de un caballo... Ya cargan, ya vienen cargando por la calle de la Montera...". Acudió a los balcones del Senado y de la Biblioteca gran tropel de curiosos. Calle arriba iban hombres, mujeres y muchachos huyendo despavoridos. Centauros que no jinetes, parecían los guardias; esgrimían el sable con rabiosa gallardía, hartos ya de los insultos con que les había escarnecido la multitud. No contentos con hacer retroceder a la gente, metían los caballos en las aceras, y al desgraciado que se descuidaba le sacudían de plano tremendos estacazos. Chiquillos audaces plantábanse frente a los corceles, y con los dedos en la boca soltaban atroces silbidos. Al golpe de las herraduras, echaban chispas las cuñas de pedernal de que estaba empedrada la calle costanera. Un individuo a quien persiguieron los guarias hasta un portal de los pocos que no estaban cerrados, cayó gritando:"¡asesinos!", y el mismo grito y otros semejantes salieron de los balcones del Ateneo. En la puerta de la sacristía de San Luis había dos muchachos que, después de pasar los últimos jinetes hacia la Red de San Luis, gritaban: "¡Pillos! ¡Viva Castelar... viva Prim!". Hacia la esquina de la calle de la Aduana, dos sujetos de buen porte retiraban a una mujer

11 Si se acepta esta interpretación, la elección de relatar este suceso superaría las interpretaciones que lo han relacionado con el aspecto meramente autobiográfico.

descalabrada. La noticia, traída por un ordenanza, de que en la Puerta del Sol y Carrera de San Jerónimo había muertos, hizo exclamar a Beramendi: "¡Sangre!... Esto va bien" (585-586).

En cierto momento del relato de los hechos de esa noche, el periodista Francisco María Tubino describe la Puerta del Sol como un "volcán", una imagen que aparecerá repetidas varias veces en otros textos galdosianos para referirse al ambiente creado en momentos de revolución o revuelta en que se ven implicados especialmente colectivos no burgueses. El clima de pánico y la censura sutil a este tipo de protestas contrasta con la descripción heroica y épica en los preparativos de la sublevación de Prim, tanto en el presente Episodio como en el siguiente. En este sentido, expulsar a Isabel II y comenzar la revolución será considerado por el propio protagonista de la novela como un acto justo: "Pero por lo que me dicta mi razón natural, entiendo que el General hará lo que llaman una revolución; y decir aquí Revolución, será lo mismo que decir Justicia" (629). La revolución o el levantamiento de los progresistas poco tendrán que ver con los modos de operar por parte de los estudiantes y de los obreros. El papel de las clases bajas en ella no será el de protagonista ni tampoco tan activo como en el caso de la Noche de San Daniel. Incluso en ocasiones ni siquiera participan, como se demuestra del acercamiento de las tropas a la capital para dar el golpe de Estado:

> Reaparecían las masas de monte bajo y alto. Luego se vieron fogatas de carboneros... Hacia ellos iba el ciempiés ondulante de la Caballería, traqueteando con infinita cadencia de los herrados cascos sobre un suelo desigual, torcido, pedregoso... Pasó junto a los carboneros la tropa sublevada con su General a la cabeza, y aquellos infelices, que en faena tan ruda se pasaban la vida, el pecho al fuego y espaldas al frío glacial, miraban a los húsares como un ejército fantástico. Atónitos y con la boca abierta permanecían viéndolos pasar, sin saber de dónde salían tales hombres, ni qué buscaban por aquellos riscosos vericuetos. No podía ser de otro modo; sus ideas políticas eran muy vagas, su conocimiento del mundo harto borroso. Conocían a Prim de nombre; algunos le vieron cazar en el coto de Urda... ¡Pobre gente! Para ellos no había más obstáculos tradicionales que la nieve y ventisca, la miseria y el bajo precio del carbón (623).

Así pues, ¿hasta qué punto contaban los progresistas con el pueblo para llevar a cabo su revolución? La separación entre los obreros y la burguesía fue una de las razones que volvió débiles los logros de la Revolución del 68 y posteriormente a la I República[12]. Galdós, en 1906, va complementando la intención principal de la novela (ensalzar la figura de Prim y los valores que representa) con estas ideas aledañas mediante pequeños detalles como la descripción anterior.

El mito de Prim supone recuperar de nuevo los valores del 68, difundirlos para que resurjan en las conciencias y, finalmente, para llevarlos a cabo de nuevo. El general progresista es la materialización del objetivo político que reside tras la ideología galdosiana, que suma una nueva lucha política, el derribo del Trono, a la lucha anticlerical propuesta primero en *Electra* y posteriormente en *Casandra*. El entorno en que Galdós podrá materializar este objeto político será entre las filas del republicanismo y su organismo institucional, el Partido Republicano. Existe una urgencia y una necesidad de seguir el camino empezado por el general progresista en cuanto a difusión de ideas. Es más, a partir de esta novela empezará a poblar sus discursos de referencias a él y a la Revolución del 68. Prim se convirtió tanto en vida como en muerte (algo así se repetiría años después con Fermín Galán y la II República) en el abanderado de la libertad. Los elogios y la concepción de su figura como modelo del liberalismo se pondrían en auge gracias también al posterior aniversario de la Gloriosa, lo que le posibilitaría aplicar al tiempo de la escritura consignas típicas de la Revolución, como la ya citada "¡Radicales, a defenderse!" con la que cerraría el mitin "Todos contra Maura o el resurgimiento del liberalismo español" de 1908[13].

---

12 Tras la Comuna de París en 1871 la brecha entre ambas clases sociales se abrió tanto que ya nunca volvió a recuperarse la cercanía con que había comenzado la Revolución del 68 (véase Hennesy 1967: 88 y ss.).

13 En *España trágica*, primer Episodio de la quinta serie, volveremos a escuchar esta máxima en la voz del propio Prim, al que se le alude no pocas veces como modelo de libertad en el país. Resulta sintomático que el personaje del general se forje a través de los testimonios de otros personajes no solo en este Episodio sino incluso en el que lleva su nombre. Galdós se distancia del texto sin incluir

El impacto de la novela fue de tal grado que elevó a Galdós como guía ideológico de los republicanos. Las felicitaciones y el entusiasmo de quienes le rodeaban lo animaban convirtiéndolo en la nueva esperanza republicana:

> Reciba Vd. mi más entusiasta felicitación por haber levantado de su tumba al invicto Prim, para que batalle de nuevo contra los enemigos de la libertad y los venza. Sí, don Benito: usted contribuye más que nadie al triunfo de la democracia con sus inmortales obras. No es adulación sino justicia seca (carta de Estrañi a Galdós el 19/11/1906. Reproducida por Dean-Thacker 1992: 106).

Galdós transforma la energía rejuvenecedora de este Episodio en un mayor compromiso político, en un interés creciente por contribuir al cambio[14]. Ello desemboca en su declaración definitiva como republicano en abril del año siguiente con el fin de pasar "del recogimiento del taller, al libre ambiente de la plaza pública" por una cuestión patriótica de "concordia pública" (Fuentes 1982: 52), porque tiene ese deber con el pueblo. Galdós siente la necesidad de compaginar la escritura con el activismo político, de pasar del pensamiento a la acción total, y ello mediante unos cauces que le permitieran llevar a cabo sus principios y su ideología.

La crítica hasta hace no tantos años obvió la importancia de este ingreso en el republicanismo para interpretar esta etapa como un capricho de la vejez (Schraibman 1966), como un momento de oportunismo o, en su defecto, como un efecto del ambiente que lo rodeaba, como si de un pelele se tratara (Berkowitz 1948). Sin embargo, la carta de adhesión que envía a Alfredo Vicenti, director de *El País*, el 6

---

su propia opinión para mostrar en general una visión positiva de Prim sorteando los asuntos más dudosos de su trayectoria política (Troncoso 2016: 41).

14 En este sentido opinaba su biógrafo Ortiz Armengol: "La redacción de Prim, su trabajo hasta bien entrado el otoño, da la impresión de que le devolvía la rabia para vivir, al vibrar con los entusiasmos juveniles de los que deseaban la revolución en los años de Isabel II y hacían del nombre del de Reus sinónimo de Libertad" (1996: 643).

de abril de 1907, prueba todo lo contrario[15]. En esta carta especifica las razones de su nueva decisión:

> ...tiempo hacía que mis sentimientos monárquicos estaban amortiguados; se extinguieron absolutamente cuando la ley de Asociaciones planteó en pobres términos el capital problema español; cuando vimos claramente que el régimen se obstinaba en fundamentar su existencia en la petrificación teocrática. [...] El término de aquella controversia sobre la ley Dávila fue condenarnos a vivir adormecidos en el regazo frailuno... [...] No había más remedio que echarse fuera en busca de aire libre, del derecho moderno, de la absoluta libertad de conciencia con sus naturales derivaciones, principio vital de los pueblos civilizados. Es ya una vergüenza no ser europeos más que por la geografía, por la ópera italiana y por el uso desenfrenado de los automóviles (Fuentes 1982: 52).

Estas declaraciones presentan total coherencia si se tiene en cuenta el ya descrito ambiente en que se sitúa Galdós por entonces, siendo de especial relevancia el hecho de que Maura acababa de subir al poder como líder de los conservadores en ese mes de enero. Es decir, Galdós lleva tiempo observando cómo la ideología del Antiguo Régimen va avanzando, cómo el país, lejos de modernizarse, se atrasa, y lo más importante, cómo con un gobierno precisamente liberal se habían empezado a perder las libertades adquiridas recientemente. En respuesta, el novelista se ofrece para contribuir a la mejora del país desde un republicanismo entendido como plataforma de acción, como espacio en el que llevar a la práctica sus ideas, no como dogma ni como secta: "ingreso en la falange republicana, reservándome la independencia en todo lo que no sea incompatible con las ideas esenciales de la forma de Gobierno que defendemos" (Fuentes 1982: 53).

15 Esta fue publicada el mismo día en *El Liberal* y, posteriormente, en la biografía de Del Olmet y Carraffa en 1912 (144-118). Berkowitz en 1948 solo la citaba e interpretaba, y hasta Madariaga de la Campa (1979) y Fuentes (1982) no sería de nuevo reproducida.

En esta declaración explicita también cuáles van a ser los principios ideológicos básicos que va a defender a través de ella:

> Sin tregua combatiremos la barbarie clerical hasta desarmarla de sus viejas argucias; no descansaremos hasta desbravar y allanar el terreno en que debe cimentarse la enseñanza luminosa, con base científica, indispensable para la crianza de generaciones fecundas; haremos frente a los desafueros del ya desvergonzado caciquismo, a los desmanes de la arbitrariedad enmascarada de justicia, a las burlas que diariamente se hacen a nuestros derechos y franquicias a costa de tanta sangre arrebatadas al absolutismo (*idem*).

Contra la "barbarie clerical" y contra el absolutismo en general que parece estar resurgiendo es contra lo que irán sus fuerzas políticas, contra esos "obstáculos tradicionales", personificados en Fernando VII y Carlos María Isidro, en el matrimonio del Trono y el Altar que se mostraban inseparables (55)[16]. Esta adhesión, como afirma Víctor Fuentes, "vino a dar, sin duda, un fuerte impulso a tal republicanismo que con tantas perspectivas halagüeñas se presentaba en aquella primera década del siglo XX y primeros años de la segunda, dada la crisis de disolución que iba minando al régimen de la Restauración" (2016: 381). El mismo fuerte impulso que el republicanismo le dio a él como político y como intelectual comprometido.

Entonces, y cada vez en mayor grado, apelaría al espíritu de Prim para que la España progresista volviera a levantarse y defendiera todas las libertades que poco a poco estaban empezando a perderse. Así, durante el año siguiente, la Ley de Administraciones Locales y el proyecto de Ley de terrorismo que los liberales y su prensa entendían claramente como un asalto a las libertades de expresión e imprenta (Fuentes 1982: 24-25), arrinconaban al republicanismo, que respondía no solo mediante la acción parlamentaria, sino con un trabajo de concienciación pública en el que

16 En otro texto posterior, de 20 de junio de 1908, no dudará en calificar esta unión de enfermedad que, como los virus, va mutando y descubriendo las debilidades del organismo en el que quiere acomodarse (Fuente 1982: 68).

Galdós reseñaba el resurgir del espíritu liberal en el siguiente tono batallador:

> Ya vuelven el alma y la vida a nuestros cuerpos desmayados; ya tenemos fe, ya tenemos coraje, ya reluce ante nuestros ojos el ideal, que, más que luz extinguida era estrella eclipsada.
>
> [...]
>
> Ninguno de los aquí presentes dejará de sentir en sus almas una secreta voz que reproduzca, sin ninguna variante, un concepto del primer estadista español del siglo XIX, del glorioso, del inmortal Prim: "¡Radicales, a defenderse!" (Fuentes 1982: 64)[17].

En ese mismo ambiente en el que se invocaba a Prim y rebrotaban las ideas de 1868, llegaron el 40 aniversario de la Gloriosa (27 de septiembre) y sus consiguientes homenajes. Galdós se sumó con un texto por encargo del que la prensa publicó varias versiones. La primera respondería a la que Galdós envió a Estrañi para que fuera leída en la manifestación conmemorativa de Santander y posteriormente publicada en *El Liberal*.[18] Una segunda versión más literaria y de tono más nostálgico se publica como artículo en *El País* el mismo día 28. Esta presenta algunos cambios propios de formato (pasa de discurso para ser escuchado a artículo para ser leído), ciertas supresiones (en la versión impresa desaparecen los "obstáculos tradicionales" como el

---

17 Estas palabras pertenecen a la carta que Galdós envía a Miguel Moya para ser leída en el mitin "Todos contra Maura o el resurgimiento del liberalismo español", de mayo de 1908. Sobre el suceso explica Suárez Cortina: "El plan, que Maura —a instancias de Osorio y Gallardo— intentaba imponer, implicaba la posibilidad de aplicar la suspensión de garantías constitucionales en casos de atentados, lo que representaba la posibilidad por parte del líder conservador de utilizar la ley discrecionalmente" (1986: 19). La campaña, llevada a cabo en mayo y junio de 1908, unió a toda la oposición en contra del proyecto que finalmente fue retirado. El mitin en que se leyó la carta de Galdós cerraba la campaña y pasó a considerarse uno de los más importantes porque había unido por primera vez a todas las fuerzas, incluyendo la socialista.

18 Víctor Fuentes (1982), que reproduce esta versión, fecha la publicación de *El Liberal* el 29 de septiembre. Sin embargo, es en el número del día anterior cuando aparece.

mayor problema de la nación) y sustituciones (por ejemplo, la falta de voluntad para el cambio social, "el pesimismo que nos canta el 'Dies irae' de extinción de nacionalidad, impotente al parecer, de señoritismo burgués" pasa de ser un sistema a un síntoma en una y otra versión). No obstante, la conclusión se mantiene idéntica en ambos textos. En ella reside el mensaje que Galdós quiere transmitir, el de recordar la Gloriosa, inspirarse en ella como la posibilidad que fue, pero apartar su fracaso, dejar de lamentarla con nostalgia y empezar a trabajar a partir de su huella. Retomar su impulso y su fuerza; desechar su resultado.

Esta idea de algún modo se materializaría con la formación del Bloque de las Izquierdas a finales de noviembre, en que se había conseguido unir (como en el 68) a todo el liberalismo del momento: demócratas, liberales y republicanos. La subida de los conservadores al Gobierno consiguió que el progresismo español obviara sus diferencias y se uniera exclusivamente para apartarlos del poder (Suárez Cortina 1986: 18-21) con iniciativas como la campaña contra la Ley del Terrorismo de Maura anteriormente referida. En la presentación de esta alianza, celebrada en Santander el 29 de noviembre, también Galdós mandó unas cuartillas con el fin de que fueran leídas. En ellas alude al aspecto circunstancial y preciso de esta unión que no es ya "defender" la democracia, sino "salvarla" del absolutismo y de la manipulación de la Iglesia. Contra la labor de esta última centra su discurso reivindicando la libertad de conciencia y denunciando la teocracia política por la que la Iglesia se ha apoderado de la enseñanza pública.

El Bloque supuso la reactivación definitiva de las fuerzas no conservadoras y ayudó al posicionamiento de los diferentes grupos[19]. A

19 Para Suárez Cortina, este bloque supuso el hecho político que llevó a Melquíades Álvarez a considerar secundaria la forma de gobierno, estableciendo como su prioridad la democracia y las libertades (1986: 21). En este sentido, hemos de tener en cuenta que "la soberanía de las Cortes con el Rey encubría, en realidad, el protagonismo de este y del Gobierno de su confianza, tanto más cuanto que le correspondía la iniciativa legislativa y tenía derecho de veto sobre las leyes aprobadas por el parlamento" (Beltrán Villalva 2010: 209). La monarquía, por tanto, contaba con un poder relativo, por lo que el republicanismo empezaba a

pesar de sus diferencias, el Bloque se expandió en una campaña de difusión que abarcó el invierno y la primavera de 1908-1909. De su paso por Almería a finales de diciembre *El País* publicó una intervención de Galdós en que insiste en la lucha por el progreso, por la libertad, por la educación y la creación de un pueblo moderno acorde con el tiempo presente ("escojamos entre ser un pueblo europeo, ilustrado y libre, o un rebaño de idiotas", Fuentes 1982: 73), e insiste, una vez, más en la necesidad y la urgencia de esta unión entre diferentes ideologías liberales.

El Bloque, que nacía con cierta desconfianza y sin aclarar, ni resolver, ni llegar a un acuerdo para subsanar sus diferencias, fue rechazado por los socialistas y visto con desconfianza por algunos republicanos al considerarlo como una estrategia liberal e intuir cierto liderazgo por parte de Moret (Fuentes 1982: 28). Así, en marzo de 1909, la protesta iniciada por Sol y Ortega sobre los intereses privados de los conservadores en torno a los debates sobre el Canal de Isabel II no fue secundada por los liberales, lo que evidenciaba las insalvables diferencias entre las distintas facciones del Bloque. Para los republicanos, sin embargo, esta acción resultó todo un éxito pues habían alzado su voz en el parlamento y en la calle habían conseguido reunir a unas ciento cincuenta mil personas que se manifestaron en contra de la política maurista el 28 de marzo (Fuentes 1982: 29). Galdós, que lidera la manifestación junto con Sol y Ortega y Azcárate (Sánchez Cánovas 2019: 345), hace pública una carta al gobernador civil de Madrid el 6 de abril de 1909 en la que solicita un permiso para llevar a cabo la "romería cívica nacional", una jornada reivindicativa que intentaba imitar a la del día anterior. En ella se recoge su decálogo ideológico de esos años que incluía protestas por la libertad de expresión, en contra de la Ley de Jurisdicciones, del privilegio de la Iglesia y de los poderes empresariales individuales frente a los bienes comunes como el agua. De su éxito sabemos por

priorizar la elaboración de un proyecto que superaba la supresión de la figura del rey. Esta línea de pensamiento se materializó en 1913 con el Partido Reformista al que Galdós se adhirió, en su primer momento.

otro de sus discursos publicado en la prensa al mes siguiente (véase en Fuentes 1982: 76-77).

Durante la primavera y el verano el ambiente se fue enardeciendo hasta llegar a la Semana Trágica. El impacto del suceso en los republicanos no alcanzó menor grado que en otros colectivos y Galdós, que se encontraba en Santander escribiendo *El caballero encantado*, no se quedó tampoco impasible. Su carta "Al pueblo español", ya comentada anteriormente, se entiende como el mayor síntoma del cambio de actitud que en estos años está mostrando el novelista. Es la prueba más clara de cómo Galdós exige al pueblo que pase del estatismo a la acción para poder detener las injusticias y los abusos de poder; o lo que es lo mismo, que no se siga malogrando el término democracia y que el pueblo recupere su soberanía. A partir de entonces lucharía por llevar todos los preceptos ideológicos reactivados o reformulados en estos años al plano político. Algo después explicará en estos términos esa obligación de mostrar y llevar a cabo su compromiso:

> Es muy cómodo decir: "la política, ¡qué asco!", como pretexto para no intervenir en ella. Es como si una inundación invadiese los sótanos de una casa, y los inquilinos del piso principal se subieran al tejado diciendo: "¡uf! ¡Qué agua tan sucia! Yo no quiero mancharme sacándola". Y entre tanto el agua fuera reblandeciendo el solar y los cimientos... Pues yo no he tenido inconveniente en bajar al barro sin miedo a que me manche... El absentismo político es la muerte de los pueblos... El que por asco se aleje de la política, no merece ser hombre ni libre (El Bachiller Corchuelo 1910: 806).

En este sentido se involucra hasta encabezar la nueva alianza republicana, esta vez no con los liberales, sino con los socialistas. La Conjunción Republicano-Socialista, creada a finales de ese 1909, se le presentará a Galdós como una nueva vía en la que proyectar sus intereses políticos. La coalición, por tanto, fue el resultado de las protestas y críticas a la gestión del gobierno surgidas a raíz de la Semana Trágica, que crearon un escenario propicio para armar una estrategia política por parte de los partidos marginales, conseguir la derrota de

Maura y acceder a las instituciones[20]. Su creación fue un pacto de conveniencia para entrar en el parlamento entre unos republicanos necesitados de un aliado que enfrentara de manera radical al discurso conservador, y un Partido Socialista, que, tras haberse negado en sus comienzos a buscar nuevas alianzas fuera de la clase obrera, vio como única solución para el éxito la unión con grupos más afines al sistema institucional vigente (Gómez Molleda 1980: 16).

Esta unión sería para Galdós la coalición "del progreso fecundo, de la divina libertad y civilización" (Fuentes 1982: 86), "la clave del porvenir y la mayor fuerza política de estos tiempos" (87), cuyos objetivos claros se centrarían en "defender la Libertad, la Ciudadanía, y la Cultura patria contra el brutal absolutismo, que, lanzado del poder, aún relincha y patalea" (85). "La conjunción de las ideas avanzadas" (90), que nació (dirá un año después) "como protesta contra la tiranía, y como esperanza de dotar a España de una fuerza eficaz que nos llevará al único medio de salvación posible en esta grave crisis de la historia patria" (119). Incluso en 1913, poco antes de redactar su última alocución, Galdós va a insistir en que "la Conjunción existe para no tolerar el despotismo ni la insolente arbitrariedad en el Poder ejecutivo; para establecer sólidamente la probidad política, social y jurídica, garantía de la paz duradera en los países civilizados" (111)[21].

---

20 No se puede negar el componente de antipatía hacia la persona de Ferrer como razón de una respuesta dispersa ante su ejecución, pero el caso daba suficientes razones para convertirlo en la causa por la que abrir el debate sobre el derecho humano más básico, el derecho a la vida, y cuestionar el papel de la justica en el sistema democrático.

21 Insistimos en la necesidad de tener presente el interés de Galdós por la política para entender su labor en estos años. Durante ese verano de 1909 en Santander se mostrará en contacto constantemente con los republicanos de Madrid e informado de la actualidad política. Véase, por ejemplo, esta carta de Tomás Romero fechada el 10 de agosto, ocho días después de que acabaran los disturbios: "No hay tal pacificación interior. En Cataluña se masca la sedición y en gran parte de España se siente viva ansiedad por que salte el incendio, es decir, la revolución.

El gobierno sigue y seguirá. El idiota que lo protege solo cree eficaz el amparo de Maura, y luego que el otro partido de turno ni da señales de vida" (Dean-Thacker 1992: 180). O esta otra, del propio Galdós, a Teodosia Gandarias (11 de

Así pues, la gestión absolutista de los sucesos de la Semana Trágica provocó una mayor unión entre estos grupos fortaleciendo la oposición al poder con más confianza y entusiasmo que nunca (véase la "Alocución de Galdós" del 08/12/1909, Fuentes 1982: 86). A partir de entonces, en sus discursos se verán incrementados los tecnicismos bélicos, referentes al campo semántico de la guerra, que muestran la superación del tan aprovechado léxico regeneracionista de la España enferma. La república entonces se asociará a un estado de paz frente a la monarquía, que mantiene al pueblo en estado de guerra (Fuentes 1982: 93). Ahora, en este tiempo de acción, Galdós parece sentir que libra literalmente una batalla contra el absolutismo y la monopolización del poder: "Lucharemos por la dignidad humana, por la paz de las conciencias, por la educación y el pan de vuestros hijos" (89)[22].

En toda esta época incrementa también el llamamiento a la unidad como arma de los republicanos contra el poder establecido: "Unidos somos invencibles, y a la unión nos incita el carácter de lucha en las próximas Cortes, lucha de vida o muerte para España, duelo implacable con el régimen vigente" (88)[23]. Y también a la fraternidad entre compañeros de distintos lugares (véase el discurso en solidaridad con los huelguistas de Santander y Bilbao de agosto de 1910 reproducido

---

octubre): "Estoy bastante preocupado con las cosas políticas; pero al propio tiempo no dudo que iremos pronto a algo mejor que lo existente, que es malísimo. Pensando en estas cosas, aquí no he dormido tan bien como esperaba, y he sido muy parco en el comer, por falta de apetito" (Pérez Galdós 2016: 730).

22 Recuérdese que 1910 es el año de las campañas anticlericales por parte de la Conjunción, que empiezan con el estreno de *Casandra* el 2 de febrero.

23 Años antes, en 1904, en su artículo homenaje a Ferreras, es precisamente este aspecto de unidad lo que destaca del periodista. El elogio de la fidelidad a Sagasta le sirve para hacer una crítica al Partido Liberal y al desorden en que se ha sumido tras la muerte del político en 1903: "La adhesión inquebrantable de Ferreras a Sagasta, no interrumpida ni turbada en ningún tiempo, desde la fundación del partido constitucional, hasta los últimos días de aquel estadista inolvidable, es realmente una gran virtud política, ejemplo admirable de constancia y consecuencia, aquí donde la indisciplina y la disgregación han entorpecido la obra de los jefes de partido, obligados a poner mayor atención en el gobierno de las personas que en el gobierno del país" (1968c: 1464).

en Fuentes 1982: 92). Galdós ya sabe del poder de la unidad y hasta dónde puede llegar la colectividad. En otro mitin celebrado en Alicante el 20 de noviembre de ese 1910, escribirá que "ante el enemigo, formado en batalla como ahora estamos, debe reinar entre todos los republicanos la más entrañable fraternidad, sin perjuicio de las naturales significaciones y tendencias" (94). Y en 1912, cuando la Conjunción se encontraba patentemente fragmentada, Galdós no dejaba de recordar a sus lectores y oyentes: "uníos como hermanos y triunfaréis indefectiblemente" (107).

Esta insistencia en la unidad de las fuerzas tiene total sentido si se tiene en cuenta la fragilidad de las relaciones entre los diferentes grupos republicanos, que en acciones como la proclamación de la República de Portugal muestran posiciones enfrentadas[24]. En este caso, por ejemplo, la negación de los lerrouxistas anunciaba ya la separación que se consumaría en diciembre de ese 1910. Galdós, en unos meses de vida de la Conjunción, y en los años que llevaba apoyando la causa republicana, ya se había dado cuenta del individualismo, de los intereses personales que movían a los integrantes del partido, así como de las luchas de poder que entre ellos había:

> —Este partido está —continuó— pudriéndose por la inmensa gusanera de caciques y caciquillos. Tiene más que los monárquicos. En cada capital hay cincuenta que quieren imponer los caprichos de su vanidad o de su ambición a todos sus correligionarios... Y si nada más hubiera esos cincuenta, menos mal. Luego vienen los caciques de distrito y los de barrio. [...] En este partido son muy pocos los directores que trabajan desinteresadamente por el ideal; la desorganización es indescriptible, no se puede imaginar; no hay espíritu de disciplina, ni siquiera instinto de conservación... (El Bachiller Corchuelo 1910: 805).

24 El 5 de octubre de 1910 cae Manuel II de Portugal y se proclama la república, tras un golpe militar acompañado de una revolución social. Galdós apoyó esta proclamación en el comentario a la obra de los portugueses Augusto Vivero y Antonio Villa *Cómo cae un trono (la revolución en Portugal)*, del mismo año, prologado por Rodrigo Soriano.

En este sentido le confesaba a Enrique González Fiol, El Bachiller Corchuelo, en una entrevista anterior a las elecciones de mayo: "En este partido se tropieza por excepción con hombres sinceramente republicanos, con hombres que deseen el advenimiento de la República" (806).

En un año la Conjunción Republicano-Socialista había conseguido ganar escaños en el Parlamento, llevar el socialismo a la institución, frenar el avance de los conservadores, emprender varias campañas anticlericales con algo de éxito (recuérdense los debates en torno a la Ley del candado de Canalejas)[25], entre otras acciones; por ello no es de extrañar que Galdós afirme en uno de sus discursos de 1911 que su objetivo es el cambio a través de las instituciones (Fuentes 1982: 95). Con las campañas antibelicistas contra la guerra de Marruecos no podría ser de otra manera. La condena a toda acción violenta como método de cambio por un lado les servía como protesta por la guerra, que traía ecos del 98 (99); y por otro, conseguían frenar a todo un movimiento anarquista que tanto se le vinculaba a los métodos violentos desde la Mano Negra, y que el año anterior había fundado su propio sindicato, la CNT. De este modo, con los socialistas dentro del sistema y los anarquistas asociados al terrorismo, se bloqueaba el éxito de las propuestas procedentes de una clase social que no fuera la burguesa.

En los discursos galdosianos de este 1911 desaparecen los frecuentes términos bélicos de 1910 y, por el contrario, se insiste en el pacifismo y en la no violencia. Galdós se dirige al pueblo en sus discursos y lo apela a que ejerza la soberanía y el poder que la democracia le otorga, exigiendo a los dirigentes no solo que lo escuchen, sino que ejecuten su voluntad a través de la Conjunción:

> A los de abajo toca refrenar con arranque de entereza las imprudencias temerarias de los de arriba. Por eso los de abajo deben decir con

25 La ola de anticlericalismo se reprodujo también en el número de obras sobre el tema que se escribieron durante esos años: *A.M.D.G.*, de Pérez de Ayala (1910); *Doña Mesalina* (1910), de López Pinillos; *El vicario*, de Ciges Aparicio, la versión teatral de *Casandra*... Posteriores serán *Nuestro padre San Daniel*, de Gabriel Miró, o el *Nocturno del hermano Beltrán*, de Baroja.

> nosotros que no quieren dejar morir a los humildes en ese campo de batalla, mientras los poderosos cultivan sus refinados egoísmos que debilitan, desangran y acabarán por matar a la vieja y gloriosa España (*idem*).

Busca, de este modo, esa unión entre las distintas clases sociales con el fin de crear una clase media nueva y sana con la que hacer frente a la situación crítica del país.

Los movimientos en contra de la guerra de Marruecos fueron la mayor motivación de este partido republicano-socialista y sobre su base se sostendrán todos sus objetivos. Así, en la convocatoria de una manifestación contra la guerra el 7 de mayo, se pedían las siguientes reivindicaciones mediante un manifiesto firmado en primer lugar por el propio Galdós:

> Supresión del impuesto de consumos; apartamiento de toda política de aventuras belicosas en Marruecos; instauración del servicio militar obligatorio; creación de Milicias coloniales voluntarias; abolición de la ley de Jurisdicciones; reforma del Código de Justicia militar, borrando los absurdos de la parte penal y de la de enjuiciamiento; revisión de los procesos de Baró, Malet, Clemente García, Ferrer y Hoyos; ley de Asociaciones que someta al derecho común a las Congregaciones religiosas, negándoles todo linaje de privilegios; inhabilitación política de la fracción reaccionaria que trocó el Poder público en instrumento de atávicos procederes; desarrollo de la Enseñanza conforme á la Ciencia moderna; fomento intensivo de la Agricultura, la Industria y el Comercio; leyes sociales que, atendiendo las justas demandas del proletariado, eleven su condición moral y material; transformación de la Hacienda nacional, procurando la equitativa aplicación de los impuestos y vertiendo el caudal de los gastos sobre las necesidades más apremiantes del país (Soldevilla 1911: 190).

Aunque la guerra de Marruecos se imponía como la causa más inmediata del conflicto, todas estas demandas evidenciaban el dudoso liberalismo del partido de Canalejas, entonces en el poder, razón por la cual en este 1911 otro de los trabajos de la Conjunción se ocuparía especialmente de ejercer presión sobre él (Dendle 1984: 100-102). La Conjunción, que había conseguido entrar con fuerza en el Parlamento el año anterior, se estaba centrando, por tanto, en las instituciones y se estaba alejando de lo que ocurría en las calles, de las demandas obreras. Las campañas, aunque insistían en el problema económico de base como propio del capitalismo y las desigualdades sobre las que se sustentaba como sistema, no lo hacían mediante la vía revolucionaria, muy a pesar de que el gobierno les acusara de ello[26].

Así, cuando Galdós le pide el indulto a Canalejas por la sentencia de muerte a los obreros de Cullera, lo hace bajo el argumento de que es una cuestión de justicia real el no castigar con pena de muerte los delitos colectivos por el alto margen de error demostrado a lo largo de la historia. Pero además, le sugiere inteligentemente que no agite a las masas obreras porque estas responderán con nuevas violencias. El miedo al levantamiento sigue siendo entonces muy claro: "...los Poderes públicos deben dar ejemplo de benignidad en la aplicación de las leyes, para que, desterrada la violencia de nuestra vida social, los partidos suavicen y atemperen sus procedimientos de lucha" (Fuentes 1982: 101). Esta advertencia de Galdós debió contribuir de alguna manera a la resolución del conflicto, puesto que a principios de 1912, Alfonso XIII, ejerciendo su potestad como monarca, absolvió a los condenados. Este quizá fuera uno de los motivos que llevó a los conjuncionistas situados más a la derecha a pensar en la forma de Estado como algo coyuntural. Los logros del Partido Liberal y el apoyo de la monarquía, mermaban el escaso impulso revolucionario de la Conjunción. Por ello, no parece extraño que Galdós se sintiera más cerca de posturas moderadas como las de Azcárate o Melquíades Álvarez, a los que le unía larga amistad, que de la izquierda republicana de Lerroux, por ejemplo. Más aún si tenemos en cuenta que estos recogían las ideas con las que Costa había triunfado en la primera década del siglo:

---

26 El gobierno de Canalejas temía la extensión de un conflicto semejante al que había provocado la Semana Trágica, y por ello acusó a socialistas y republicanos de llevar a cabo un plan revolucionario, del que en modo alguno existía fundamento en relación con estos grupos que apoyaban las instituciones del sistema. Distinto era el papel que competía a los anarcosindicalistas que en septiembre organizaban el I Congreso Nacional de la CNT y declaraban su abierta oposición a todo sistema político (Suárez Cortina 1986: 64).

> En 1912, un año después de la muerte de Joaquín Costa, nace el Partido Republicano Reformista que hace suyas las ideas de cambio, regeneración, del panorama español. Las ideas clave del oscense, que de inmediato adoptan los reformistas, son: república fundamentada en las masas neutras formadas sobre todo por la pequeña burguesía urbana y rural, escuela como vía hacia el progreso, mejora de las infraestructuras, sobre todo las dedicadas a la agricultura y al transporte, y la desarticulación del sistema político de la Restauración (Pflüger Samper 2001: 188).

Galdós apoyará este nuevo partido, aunque sin dejar de pensar y recordar la importancia de la aún vigente alianza con los socialistas como una unión indispensable para alcanzar el ideal republicano (Fuentes 1982: 105). El novelista, a pesar de su ceguera, de ser rechazado para el Premio Nobel, de la muerte de su hermana, etc., sigue siendo optimista y busca la unidad de las fuerzas para insistir en que sus rivales no se encuentran dentro de las filas republicanas ni socialistas sino fuera de la Conjunción. Sus discursos durante 1912 y 1913 harán hincapié, al igual que en los años anteriores, en que la única vía de cambio es la unión entre los republicanos y los socialistas (105-109).

En el otoño de ese 1913, Galdós se despide de la política y vuelve al mismo estado en que empezó con *Electra* en 1901, al del hombre de letras que observa pero no interviene. Entonces, va a delegar políticamente en estos miembros del Partido Reformista en los que ve encarnada la ideología que él mismo dice ha intentado difundir y dignificar desde hace cuarenta años, la de "los fueros de la Conciencia y los Derechos del Hombre" (113), a lo que se podría añadir y la de los valores que llevaron en 1789 a tomar la Bastilla: igualdad, libertad y fraternidad. Esa es la esencia ideológica de un Benito Pérez Galdós que solo ha encontrado victorias parciales en su intento por hacer política activa entre 1910 y 1913. Entonces asume que los partidos en los que verdaderamente podrían ser aceptadas sus teorías habían vuelto a separarse y a enfrentarse. Lo que le había alejado del Partido Liberal en 1906-1907 le alejaba también ahora en 1913-1914 de la Conjunción Republicano-Socialista. La falta de unidad y la búsqueda de intereses personales en lugar de servir a una causa común acababan con el deseo por parte del novelista de proyectar políticamente sus ideas. El origen de esta frustración no habría que buscarlo en la falta de fe en la clase media, sino en las alternativas políticas que esta había construido. Si Galdós hubiera dejado de creer en la burguesía para llevar a cabo su proyecto ideológico y su programa político liberal, habría ido a buscar verdaderamente a otras clases sociales, pero este programa solo podía ser llevado a cabo desde los espacios y las instituciones que el sistema burgués había ofrecido y/o renovado: Estado, parlamento, escuela pública, etc.

Estos discursos analizados recogen todas las ideas republicanas y los motivos por los que Galdós se adscribió a ellos, al verlos como fuerza de cambio, como plataforma que recogía las ideas que anteriormente habían defendido los liberales y que habían destruido al llegar al poder.

El novelista encontró esos preceptos reunidos especialmente en la palabra república y en ella los seguiría defendiendo hasta al menos 1915, muy a pesar de su simpatía por el Partido Reformista de Melquíades Álvarez y de su "relación" con Alfonso XIII en esos años, como demuestra en su artículo "Ciudades viejas. El Toboso". De acuerdo con Benito Madariaga de la Campa, que en su *Biografía santanderina* de 1979 estudió el seguimiento del rey a Galdós hasta su encuentro en ese mismo año, "a pesar de todas estas muestras de simpatía regia, su ideario continuó siendo en un principio de matiz reformista y más tarde republicano, sin transacciones ni ambigüedades" (212-213).

5.2.2. La cultura republicana de Galdós

Durante estos primeros años del siglo, el republicanismo se moderniza y remodela su doctrina hasta entonces compartida en círculos muy reducidos, buscando una renovación estructural que convirtiera al republicanismo en una ideología de masas, acorde con las exigencias de la política moderna (Suárez Cortina 1994: 142). Estos intentos, como se ha podido comprobar, fracasaron, pero dejaron importantes avances, puesto que el movimiento alcanzó un "impacto social considerable" (10).

Los republicanos, a pesar de sus marcadas diferencias y enfrentamientos, contaron con una serie de hitos ideológicos comunes gracias a los cuales consiguieron convertirse en una formación política más potente. Su heterogeneidad resultó al mismo tiempo su debilidad y su fuerza para plantear una alternativa al sistema vigente. Todos ellos "compartieron el ideal de la democratización de España, la reforma de la sociedad y el establecimiento de un Estado que liquidase de forma definitiva los vestigios del 'Antiguo Régimen' aún vigentes —pensaban— en la España de la monarquía restauracionista" (Suárez Cortina 1994: 160). Así pues, el concepto de democracia, al igual que el de unidad, aparece constantemente en toda la obra del Galdós del siglo XX y especialmente en estos años republicanos; durante la Restauración, decir república era decir democracia (Gimbernat 2016: 276).

La unión de estos dos conceptos configuran una imagen del republicanismo como un bloque que "luchaba en común por imponer un régimen liberal, de signo democrático y con el objetivo de reformar el Estado y la sociedad" (Suárez Cortina 1994: 139). De hecho, este surge como otro de los motivos ideológicos que llevan a Galdós a unirse al republicanismo. Su alcance fue aumentando a lo largo del siglo hasta convertirse en la mayor fuerza política en oposición al canovismo, proceso que se desarrolla en paralelo con la cada vez mayor implicación de Galdós en la política republicana. Si, para los republicanos, república y democracia eran prácticamente sinónimos, para Galdós, democracia debía ir siempre acompañada de soberanía nacional (recuérdense los discursos de 1911 citados anteriormente). A partir de esta idea Galdós criticaría y denunciaría la falsa democracia subyacente bajo el sistema de la Restauración, en la que la soberanía nacional se había convertido en monopolio de las instituciones, gestionadas por una oligarquía concreta. Galdós entonces apelará en más de una ocasión a su recuperación, como símbolo de la democracia usurpada y distorsionada por el sistema regente: "Restaurad la historia de España, restableciendo el augusto, el santo principio de la Soberanía Nacional", afirmará en un discurso del 16 de mayo (Fuentes 1982: 77). O algo después, en 1910 y 1911, ya formada la Conjunción Republicano-Socialista, insistirá en esta idea del robo de la soberanía nacional como base de una política antidemocrática y prácticamente imperialista (Soldevilla 1901-1920: 416 y Fuentes 1982: 87-88).

Entre las características comunes del progresismo y del republicanismo se encuentra también la asociación de la soberanía nacional con el Parlamento como el órgano o institución adecuada para que se ejerza. De ahí que en el tiempo que nos ocupa se produzca un cambio en los escenarios novelescos de los Episodios Nacionales y se centre la atención en lo que ocurre en el Congreso como fuente de información política. Así, en los Episodios de principios de siglo, se registran opiniones como esta del Marqués de Beramendi (*Narváez*, 1902):

> Voy al Congreso, que es donde más solo puedo sentirme, y huyendo de los amigos que en el Salón de conferencias y pasillos me agobian con su enfadosa charla, busco un refugio en mi asiento de los escaños rojos, y me sumerjo en las narcóticas aguas de la discusión de Aranceles. Me creo dentro de una redoma, y mi atención es como la del pececillo colorado que nada en redondo mirando el cristal que lo aprisiona. Veo al cetrino Nicolás Rivero, al fornido Pidal, a Cantero chiquitín, a Moreno López elegante, a Negrete proceroso, y oyendo el run-run de un orador, para mí desconocido, cierro los párpados; el sueño me rinde... Al volver en mí me siento demagogo, me descubro anárquico; no encuentro palabras bastante expresivas para calificar el horripilante desenfreno y audacia de las ideas que se congestionan en mi mente (1968a: 1585).

Ahora, sin embargo, en los años en que escribe sus últimos Episodios, el Congreso sí se configura como un lugar atractivo para el protagonista y será a partir de sus debates y del ambiente que allí se vive el modo en que Galdós hará referencia a la política española. El parlamentarismo se muestra, por tanto, como la forma política más adecuada para recuperar la soberanía nacional y la democracia, sistema sobre el que se formará la nueva clase media. Con respecto a esta forma de gobierno afirmará en 1901:

> Los que conocieron las tropelías del feudalismo y vieron desmerecer el monstruo bajo la mano férrea de los Reyes Católicos no sospechaban que corriendo los años habrían de revivir en el seno de instituciones absolutamente contrarias a las que entonces regían. Y cuando en los principios del siglo que ha pasado fue saludada la democracia como definitiva redención de los pueblos y triunfo induda-

ble de la igualdad y el derecho, ¡quién había de decir que esta ideal matrona, gallarda y bella, fecunda y al propio tiempo virgen, había de criar en su limpio cuerpo las alimañas que llenaban de picazones al viejo y descuidado cuerpo social!... Pero, dígase lo que se quiera, es muy dudosa la virginidad de la señora Democracia en las turbulentas décadas que acabamos de pasar, pues la hemos visto en secretos tratos y contubernios con seres llenos de vicios, y de su limpieza, fuera del terreno teórico, bien podríamos dudar, viéndola revolver montones y hacinamientos de la edad pasada, donde todo es podredumbre (Shoemaker 1973: 541).

En este texto, anterior a su republicanismo declarado, Galdós va a unir democracia e igualdad, en oposición al sistema desigual que era el feudalismo; en otros se afirmará esta democracia como solución general a la situación crítica del país. Véase, por ejemplo, este fragmento incluido en el Episodio Nacional *O'Donnell* en el que Centurión diserta en la puerta de una sillería en Lavapiés sobre la recién sofocada revolución de El Arahal:

¿Qué pedían los valientes revolucionarios del Arahal? ¿Pedían Libertad? No. ¿Pedían la Constitución del 12 o del 37? No. ¿Pedían acaso la Desamortización? No. Pedían pan... pan... quizás en forma y condimento de gazpacho... Y este pan lo pedían llamando al pan Democracia, y a su hambre Reacción... quiere decirse que para matar el hambre, o sea la Reacción, necesitaban Democracia, o llámese pan para mayor claridad... No creáis que aquella revolución era política, ni que reclamaba un cambio de Gobierno... era el movimiento y la voz de la primera necesidad humana, el comer. Bueno: ¿pues qué hace el Gobierno con estos pobres hambrientos? ¿Mandarles algunos carros cargados de hogazas? No. ¿Mandarles harina para que amasen el pan? No. ¿Mandarles cuartos para que compren harina? No. Les manda dos batallones con las cartucheras surtidas de pólvora y balas (1968b: 182).

La palabra democracia, en el pensamiento galdosiano, por tanto, responde, en consonancia con la época, a un concepto bastante amplio. Entonces, en general, tampoco existía un pensamiento unánime y consensuado sobre el significado del término, aunque se asociaba claramente con el parlamentarismo. En cierto modo, al igual que le ocurriría al concepto de república en los años del Sexenio, esta vaguedad y flexibilidad conceptual eran precisamente lo que atraía a seguidores de diversos orígenes ideológicos, aunque finalmente acabaran por demandar una mayor precisión en su definición con el fin de sentirse identificados con ella[27].

El republicanismo se basaba en la "defensa de la democracia, la idea de progreso frente a la reacción y la defensa de la educación y la cultura como claves emancipatorias del hombre" (Suárez Cortina 1986: 141). En estos tiempos de conservadurismo, Galdós ya no solo intenta defender o salvar las libertades sociales y políticas de la ciudadanía, sino que busca la manera de contribuir a que la burguesía progresista se haga con la institución garante por antonomasia de la democracia, el Estado[28].

Estos preceptos de democracia, república, igualdad, justicia, unión, relevantes en la ideología galdosiana, encajan con el republicanismo de entonces y aparecen la mayoría de las veces concretados en diferentes campos y contextos. De acuerdo con Álvarez Junco,

> más que un programa político, el republicanismo era toda una visión del mundo, un conjunto de creencias sobre los avatares humanos, su pasado y su futuro. La República era solo la forma política adecuada a un plan general de racionalización de las relaciones humanas cuyas principales promesas eran la igualdad entre los ciudadanos y la supresión de la crueldad y el temor, de la ignorancia y la superstición, del dolor y la miseria... Era la plasmación política del optimismo armonista que había caracterizado el proyecto social ilustrado y que el liberalismo español había di-

27 Así lo explicaba C. A. M. Hennesy, en *La república federal en España*: "Los conceptos básicos eran sencillos: consistían en la creencia de que la 'república' era una antítesis de la monarquía, de que era inseparable de la descentralización y de que era totalmente secular" (1967: 79).

28 Véase Clavero (1979: 23) que nos recuerda hasta qué punto es necesario el Estado para que los preceptos ideológicos y políticos burgueses sigan funcionando, no solo para consolidar su hegemonía, sino para mantener su poder y su soberanía intactos, para sostener y perpetuar el sistema capitalista (en tanto en cuanto el Estado se concibe como el elemento que otorga dimensión política e institucional al sistema capitalista).

fundido sin descanso, desde las abortadas revoluciones de los tiempos de Fernando VII (1994: 268).

Sobre esta idea, el historiador establece cuatro conceptos a partir de los cuales girará toda la cultura republicana del momento, conceptos que coinciden con las nociones vertebradoras de la ideología galdosiana: razón (frente a fe y en relación con progreso), educación, pueblo y nación-sentimiento patriótico (268 y ss.).

Fe-razón y anticlericalismo

La vuelta a los antiguos valores y a la hegemonía de la Iglesia que la Restauración había impuesto al país frenó todo avance racionalista; tanto fue así que la oposición a la fe de la Iglesia se convirtió en una constante que definiría el periodo. Sirvan de ejemplo el caso de los krausistas y la Institución Libre de Enseñanza que, expulsados de sus cátedras al comienzo de la Restauración, se esfuerzan en proponer una alternativa a la crisis basada en una educación laica; el anticlericalismo surgido dentro o fuera de la propia Iglesia y que atacaba a las carencias y gestiones internas de la institución[29]; o hechos concretos como la dimisión de Canalejas, siendo ministro de Fomento, el 10 de mayo de 1902, por la manera en que la Iglesia se inmiscuía en los asuntos españoles, que desemboca en la caída del gobierno de Sagasta ese mismo verano[30].

Mientras tanto, los países europeos que mayor desarrollo del Estado liberal burgués habían llevado a cabo, como Francia, reforzaban

29 Estas manifestaciones, que tuvieron su mayor desarrollo en la prensa, surgían sobre todo por parte de los jesuitas y del carlismo. Tras la guerra con Cuba muchos religiosos volvieron a España y ejercieron una influencia todavía mayor que en tiempos anteriores. En este contexto es en el que se desarrolla el estreno de *Electra* (Fox 1988: 65-93).

30 Incluso revistas que se ocupan de la cuestión social, como *Germinal* (1898), asocian el origen de esta no solo a la causa política, sino también religiosa (véase el programa que publicó la revista en el número 1. Lo recoge Pérez de la Dehesa 1970a: 102-103).

su hegemonía de clase mediante fuertes políticas laicas (Waldeck-Rousseau y de Combes) que llegaron incluso hasta momentos de ruptura con el Vaticano, y los que habían implantado un Estado fruto de alianzas entre conservadores y burgueses (caso de Inglaterra) ya se preocupaban por quienes podrían convertirse en una amenaza para su orden legítimo, la clase obrera[31].

En el caso de Galdós, este conflicto, muy presente en los textos del siglo XIX, se potencia en el XX, como se demuestra especialmente en *Electra* o *Casandra*. En *España sin rey*, por ejemplo, se hace eco muy irónicamente a través de la figura del bailío Romarate, que en cierto momento dramatiza sobre cómo la revolución, la pugna entre la fe y la razón, no había traído sino la desgracia para ellos: "¡oh, corrompida sociedad! ¡Oh, fruto venenoso de las doctrinas de la maldita Enciclopedia!" (Pérez Galdós 1968b: 800). Y algo después: "de aquel innoble desaguisado tenían la culpa la Enciclopedia, Voltaire, D'Alembert, Diderot, y toda la taifa precursora y actora de la infernal Revolución Francesa" (801). Los republicanos de entonces defendían la idea de los ilustrados como pioneros en la quiebra del poder hegemónico del Antiguo Régimen, y con ellos Galdós, que, "como la casi totalidad de sus contemporáneos liberales, era heredero de la Ilustración, y, por lo tanto, identificaba siempre el progreso hacia una mayor libertad política con la extensión de la cultura y la racionalidad" (Rodgers 1993: 279).

El anticlericalismo del novelista se define como uno de los temas más abordados por la crítica[32], de modo que no me detendré más que para destacar algunas ideas. La denuncia del dominio y del abuso de poder por parte de la Iglesia convierte a Galdós en un abanderado e icono anticlerical, sobre todo a raíz del estreno de *Electra*. Su postura

31 En ese contexto promulga León XIII en 1890 la Encíclica *Rerum Novarum*, como respuesta al Primero de Mayo mundial que se iba a celebrar ese año, con el fin de condenar toda asociación obrera que intentara subvertir la "armonía" presente.

32 Uno de los últimos estudios sobre el tema se encuentra en Fuentes (2019: 139-166), donde se recopila la bibliografía más reciente al tiempo que realiza un recorrido por las Novelas Españolas Contemporáneas galdosianas atendiendo a la cuestión religiosa como uno de los conflictos más notables de los siglos XIX y XX en el Estado español.

en este aspecto es la propia de las ideologías burguesas, que adscribían la religión al ámbito privado y la rechazaban en la vida pública.

Aunque repetidamente se ha insistido en ello, resulta necesario matizar de forma breve cómo Galdós diferenciaba entre el clericalismo y su sentimiento religioso y espiritualidad católica. Una reflexión sobre el tema se puede leer en esta carta a Teodosia Gandarias en 1913:

> Respecto a la *cuestión religiosa*, distinguimos entre el aspecto espiritual y el aspecto positivista que en dicha frase se encierran. Lo concerniente al puro ideal religioso es digno del mayor respeto; lo que atañe al clericalismo, que es un partido político inspirado en brutales egoísmos y en el ansia de dominación sobre las conciencias y aún más sobre los estómagos, no podemos menos de manifestar todos nuestros odios con tan ruin secta (Pérez Galdós 2016: 877).

Por otro lado, el clericalismo para Galdós aparece casi siempre relacionado con el carlismo y con los valores premodernos; a ellos les responsabiliza del atraso de España y de una gran parte de los problemas del país. En "La España de hoy" (1901) explicaba cómo el "morbo clerical" (aparte del caciquismo) y su mayor exponente, el carlismo, son la causa de la España enferma y una lacra que se lleva arrastrando desde el siglo pasado, con la que aún no se ha terminado: "...el carlismo no ha sido nunca destruido de un modo eficaz y este es el error del país liberal en todo el siglo precedente, pues siempre puso a las campañas facciosas por medio de esfuerzos parciales y por convenios, arreglos y componendas" (Pérez Galdós 1999: 260). Y acusa a los liberales violentamente de no haber seguido la lucha contra el clericalismo en lo legislativo hasta desarmarlos.

La Historia, que en todos los casos le sirve a Galdós para narrar su presente, le administra material para tratar el tema sin necesidad de provocar constantemente un escándalo como el de *Electra*. Así, en *Los duendes de la camarilla* visibiliza el exacerbado poder de la Iglesia en relación con las decisiones del Estado; un poder desinflado durante el Sexenio (Jover Zamora 2001: 395), que en 1903 parecía recuperarse dado el giro conservador de Alfonso XIII. Galdós denuncia con vehemencia el empeño de la Iglesia en ocupar todas las instituciones como estrategia para difundir su doctrina libremente. La diferencia con respecto a otras épocas de nuevo reside en la acción y la manera de bloquear su expansión. Véase esta situación que se le plantea en 1908, siendo ya republicano, y que le describe en una carta a Teodosia Gandarias:

> Sabrás que para el próximo invierno me ha caído una lata oficial, y es que el señor Rodríguez San Pedro, nuestro Ministro de Instrucción Pública, a quien llamamos el Megaterio me ha nombrado Presidente del Tribunal de Oposiciones a la cátedra de Lengua y Literatura Castellana de los Institutos de Reus, Huesca y Teruel. Mi primera idea al recibir el oficio fue renunciar a ese honor. Luego he pensado que debemos cerrar el paso a la caterva de neos que quieren apoderarse de la enseñanza. Renunciar es entregar una fortaleza al enemigo (Pérez Galdós 2016: 680).

Y en otra de unos días después: "Me parece que aceptaré la Presidencia del Tribunal de oposiciones. Hay que evitar el paso a la caterva de neos, que quieren entrar en la enseñanza" (127-128). Galdós se esfuerza vehementemente para frenar un mayor avance de las ideas premodernas en las instituciones. Un año después de esta situación ocurre la Semana Trágica de Barcelona, cuya esencia queda reflejada en *El caballero encantado* a través del conflicto entre Bartolo Cívico, las monjas que secuestran a su ardilla y la solución de la quema de conventos (véase el capítulo anterior), así como en la campaña anticlerical de 1910 citada anteriormente. Cuando se trata de este tema, las palabras de Galdós se radicalizan hasta el punto de que ese pacifismo con el que se le ha caracterizado llega a ponerse en duda.

Educación y ciencia

Muy en relación con el anticlericalismo —e igualmente estudiado[33]—, se encuentra el tema de la educación, que junto con la ciencia se había

---

33 Basta remitir a los recientes estudios de Salvadora Luján Ramón: en su tesis doctoral de 2017 desarrolló con profundidad el pensamiento pedagógico de Galdós en relación con las corrientes de su tiempo, y en su trabajo presentado en el XI

convertido en uno de los espacios de acción central del republicanismo. Herencia de los ilustrados y vinculado al concepto de libertad reivindicado por la ideología burguesa (Suárez Cortina 1994: 140), ambos asuntos llegaron al pensamiento progresista especialmente a través de la Institución Libre de Enseñanza.

En el caso de Galdós, aunque la preocupación por la educación es constante en toda su obra, aparece de manera significativa en la literatura galdosiana del siglo XX, tanto en las novelas como en las obras de teatro (Luján 2017: 381). La base de su propuesta educacional también procede del krausismo y de la Institución Libre de Enseñanza. Galdós conoce a sus militantes y sus militantes lo conocen a él, comparte con ellos muchos propósitos (lo demuestra en novelas como *La familia de León Roch* o *El doctor Centeno...*)[34], así como parte de su esencia y su método de transmisión:

> La formación del hombre interior, edificación ética y estética de la personalidad, que es función noble y augusta de la educación, constituía para el maestro el único camino —difícil, sin duda, y lleno de raras y maravillosas sorpresas, y de precipicios que han de salvarse con serenidad— que puede en definitiva acercarnos al reinado de la virtud y de la justicia, o sea, a la sociedad de hombres libres, sueño aristotélico (Posada 1981: 29-30).

Pero, a pesar de compartir con ellos preceptos, finalidad, incluso idea de literatura, no se le puede considerar krausista, puesto que la Institución Libre de Enseñanza profesaba entonces una educación elitista en la que se alejaba a las clases más bajas de la actividad pedagógica[35]. Esta

---

Congreso Internacional de Estudios Galdosianos de ese mismo año repasa los principales estudios galdosianos sobre el tema (2018: 67-70).

34 Incluso Giner de los Ríos escribe algunos artículos de crítica sobre algunas de sus novelas (véase Shoemaker 1966: 213-223). No es casual, por tanto, que la novela galdosiana preferida por Giner sea *La familia de León Roch*, la de mayor influencia krausista.

35 Dicho elitismo desemboca en la creación de la Residencia de Estudiantes en 1910, entre otras instituciones.

> responderá a una necesidad histórica ineludible: preparar los hombres de dirección —y también los expertos— para realizar la transformación de la sociedad española, que suponía, en la coyuntura de fines del xix y comienzos del xx, el acceso a los puestos decisorios del Poder de una burguesía que —a diferencia del estrato superior de la alta burguesía— no se había integrado en el sistema social, económico y político de la Restauración. [...] El institucionismo... trata de integrar a una élite de la pequeña burguesía y de las modernas clases medias de profesión intelectual —los hijos del catedrático, del periodista, del médico, etc.— con los cuales había que formar nuevos equipos.
>
> Es obvio que la Institución corresponde culturalmente a la proyección política de la democracia liberal y parlamentaria de la época (Tuñón de Lara 1973: 45).

No obstante, los institucionistas se interesarán en formar a los hijos de los nuevos ricos ya acomodados, de los burgueses retratados en *Fortunata y Jacinta* o *La de Bringas*, para que posteriormente atiendan los problemas de la nación o, mejor dicho, los problemas que afectan a su clase. Sin embargo, Galdós supera tales intereses. En su proyecto la educación no se limita a las oligarquías, sino que defiende la necesidad de llegar a unas clases bajas necesarias también para la regeneración de España. El conocimiento y la unión, el compartir los saberes de unos y otros resulta fundamental para entender el mensaje galdosiano (por ello cobran total sentido sus constantes apelaciones a la unidad). Así como las clases populares deben ser instruidas en materias técnicas y en las modernidades del pensamiento, el burgués debe conocer la realidad de las clases populares. Por eso, Galdós le muestra al Tarsis de *El caballero encantado* el gran valor y la potencialidad de esa realidad antagónica española, con el fin de que reflexione, aprenda y se implique en el cambio conjunto que se diseñará al final de la novela:

> Por medio, precisamente, de una auténtica campaña educativa, unida de modo íntimo a un plan general de transformación radical de la sociedad, es como Galdós imagina en *El caballero encantado* —y en otros muchos textos— la posibilidad de una nueva España, superando así las limitaciones idealistas y burguesas de los reformadores de la Institución

> Libre de Enseñanza y las veleidades populistas y autoritarias de los regeneracionistas (Rodríguez Puértolas 2006: 79).

Esta idea surge en paralelo con su interés desde finales del XIX por otras clases sociales —además de la suya— que no ostentan el poder y que él define como portadoras de una España nueva. Estas clases sociales son las que tradicionalmente se han englobado bajo el sustantivo de "pueblo", pero ¿a qué nos referimos con el término "pueblo" a principios de siglo? ¿Qué significado cobra para Galdós este significante?

Pueblo

Existe acuerdo entre la crítica (tanto filológica como historicista) en que Galdós introduce al pueblo como sujeto histórico en su novela especialmente a partir de *Misericordia* (1897) y de la cuarta serie de los Episodios Nacionales (Jover Zamora 2001: 416). Dicho interés por el pueblo se encuentra relacionado con el desengaño y un consecuente distanciamiento de la burguesía decimonónica por parte del novelista. Así, se puede entender que "el pueblo, la masa de los trabajadores y de los campesinos, y de todos los desheredados, deviene la fuerza motriz —y el alma— de la historia" (Fuentes 1972: 237-238); el papel mesiánico que antes se le había atribuido a la burguesía ahora se establecía al pueblo[36]. En él ve Galdós "no al depositario de un poder, sino a la fuerza de receptividad de la idea de libertad como poder de crear una brecha" (Pinilla Cañadas 2014: 46). Galdós atribuye al pueblo el papel de actante en su proyecto de cambio para España y en él deposita los valores con

36 A ello habrían ayudado el estado de crisis social del momento y las corrientes espiritualistas de fin de siglo, que reconocían en el pueblo el modelo moral social al que la burguesía debe atender; también la recuperación del elemento cristiano y de lo religioso, en general, que perciben en lo más bajo de la sociedad lo moralmente más alto y más puro, son factores que se deben tener en cuenta.

los que desea reconstruir la nación, pero sin salirse de su posición de clase, la de burgués progresista[37]. Se aparta del desencanto, la abulia, la falta de voluntad y la aparente pérdida de los ideales y busca a esas otras clases sociales para que hagan recuperar las energías a esa burguesía progresista en la que nunca dejó de creer y a la que nunca desestimó. Es a esta a la que reclama constantemente, a la que se dirige para llamarla a formar una clase sana, no corrupta, portadora de los valores de democracia, libertad de cultos y asociación, igualdad ante la ley, etc. Teniendo en cuenta que una parte de esa clase burguesa liberal ha sido absorbida por un régimen de valores premodernos, Galdós busca nuevas fuerzas desde las que regenerar a su clase, por eso el discurso *interclassis* se puede encontrar ya desde los años noventa y por eso en "La sociedad presente como materia novelable" (1897), si se confronta con otros textos anteriores como la descripción de Benigno Cordero en *Los apostólicos*, de 1879 (1968a: 115), los términos en que define a la clase media superan lo burgués para referirse a la fusión de diferentes clases:

> La llamada clase media, que no tiene aún existencia positiva, es tan solo informe aglomeración de individuos procedentes de las categorías superior e inferior, el producto, digámoslo así, de la descomposición de varias familias: de la plebeya, que sube; de la aristocracia, que baja, estableciéndose los desertores de ambas en esa zona media de la ilustración, de las carreras oficiales, de los negocios, que viene a ser la codicia ilustrada, de la vida política y municipal (Pérez Galdós 1999: 222).

De este modo, la definición de clase media queda mucho más abierta y da cabida a diferentes tipos sociales. Ello le posibilitará generar nuevas alianzas con las que hacer frente al poder de la Iglesia y a la ideología del Antiguo Régimen (Álvarez Junco 2001: 143-144)

---

37 Conviene recordar que en todo momento Galdós se posiciona desde la burguesía contra una burguesía específica, la que pacta con la aristocracia durante la Restauración (Tuñón de Lara 1973: 23), no contra la burguesía progresista, con la que él se identifica.

y, consecuentemente, frenar el avance por el que las organizaciones obreras otorgan autonomía a las clases más bajas y plantean una alternativa al sistema democrático burgués[38].

No se puede olvidar que Galdós sigue escribiendo en el siglo XX principalmente para la clase media (recuérdense sus artículos en "El progreso agrícola y pecuario", el final de *El caballero encantado*, en que un Tarsis redimido es devuelto a su realidad palaciega de la alta sociedad, donde emprenderá su nueva empresa educativa, o más tarde, la situación planteada en *Celia en los infiernos*...). Por ello, cuando Galdós se dirige al pueblo, no lo hace exclusivamente a las clases bajas, sino también a esa parte de las clases medias de ideología liberal[39].

Si se acepta esta idea, no serían criterios económicos los que definirían el concepto de pueblo, sino más bien políticos, basados en las relaciones de poder, o en todo caso se podría entender como un concepto "filosófico, ético, incluso escatológico", siguiendo a Álvarez Junco (1994: 282), que en su reflexión sobre el tema advierte del fracaso de buscar la definición del concepto en la sociología y sugiere definirlo en otros términos:

> El manoseado término puede hacer referencia a los estratos medios y bajos del conjunto social, una amplia gama en la que entran desde el propietario pudiente, especialmente si no es ocioso, hasta el último mendigo; o puede orientarse más bien hacia las "clases medias" o "neutras" políticamente, como se hizo en la época de Costa o Paraíso; y, pese a su anti-intelectualismo de principio, puede incluir a los intelectuales, siempre que se identifiquen con la causa democrática (*idem*).

---

38 Galdós adopta conscientemente una posición de clase cuando ataca los puntos ideológicos del Antiguo Régimen, cuando se opone a la aristocracia y especialmente a la Iglesia (véase "La España de hoy", donde traza un recorrido sociológico clase por clase del que se concluye cómo los jesuitas han ido absorbiéndolas una por una). Pero cuando se trata de situarse contra las clases obreras, intenta que dichos términos de clase desaparezcan. De este modo las diferencias ideológicas desaparecen.

39 Sobre la dificultad y la complejidad del concepto de pueblo, ya Carlos Blanco Aguinaga apuntaba en *De Restauración a Restauración* (2007) que en Galdós no se sabía muy bien a qué respondía "pueblo", aparte de que no era la aristocracia (90).

En 1901, en el "Prólogo" a *La Regenta*, al describir cómo trata Clarín la ciudad de Vetusta, afirma Galdós: "Más que ciudad, es para él Vetusta una casa con calles, y el vecindario de la capital asturiana una grande y pintoresca familia de clases diferentes, de variados tipos sociales compuesta. ¡Si conocerá bien el pueblo!" (Pérez Galdós 1999: 250). Si se tiene en cuenta qué tipo de personajes protagonizan la novela, se concluye que no es precisamente a los trabajadores del Campo del Sol, el barrio obrero de Vetusta, a quienes se dedica esta obra. O el mismo Galdós en *La revolución de Julio* de 1904 define al pueblo así a través del Marqués de Beramendi: "no es solamente la clase inferior de la sociedad, sino el conjunto de todos los seres que se llaman españoles, la gran masa nacional" (1968b: 35). O en su explicación publicada en *El Liberal* a la obra *Mariucha* en 1903, donde hace referencia a cómo el teatro y la literatura pueden entrar en conversación con el pueblo. Sin embargo, como ya sabemos por el estudio de Schnepff, son precisamente las referencias que ponían en conflicto a la clase trabajadora con la media las que fueron suprimidas. Por tanto, el novelista sigue una dirección clara por la que apela a la unidad y el equilibrio de los diferentes grupos sociales que se alojan bajo el concepto de pueblo.

En los Episodios Nacionales de la cuarta serie, sobre todo, se puede encontrar una amplia gama de personajes que ilustrarían esta idea si se atiende a cómo se relacionan entre ellos. De este modo, Galdós es capaz de retratar en el pueblo el dinamismo y la complejidad de una sociedad constantemente en movimiento, "libre", que posibilita el intercambio y la unión entre las diferentes clases sociales. Así, introduce personajes que deciden renunciar a su clase social y a sus convenciones basadas en unas rígidas reglas de comportamiento para sustituirlas por un medio de vida mucho más sencillo e idealizado, como el del obrero, casos de Mita-Ley e Ibero-Teresa Villaescusa. O al contrario, Galdós incluye personajes como Lucila Ansúrez que precisamente pasa de la vida campesina y nómada a entrar en la clase media-alta casándose con el rico Vicente Halconero. En otro grado pero en la misma dirección resuelve Galdós la situación de su padre Jerónimo Ansúrez, que va pasando por distintos trabajos siempre situados cerca de la corte y de palacio.

Más allá de estas narraciones, tales relaciones y maneras de intercambiar las clases sociales para conformar el pueblo se pueden ver en las parejas formadas por Mariucha y León, Juan Pablo Cienfuegos y Laura de la Cerda, Tarsis-Gil y Cintia-Pascuala, por citar algunos ejemplos, que siempre combinan a un miembro de una clase superior con otro de clase inferior, cuya relación lleva un mensaje de armonía, de aprendizaje y comprensión entre las diferentes clases. El pueblo para Galdós, por tanto, se define como un conjunto muy amplio de tipos sociales que no ostentan el poder unidos por una esencia común nacional, o lo que es lo mismo, el pueblo es un sujeto político colectivo compuesto por "los muchos", es decir, "todos los que no son otra cosa que la masa de indiferenciados que no tienen ningún título positivo" (Pinilla Cañadas 2014: 47). El concepto se encuentra más relacionado con el de raza que con el de clase social[40], con los imaginarios de nación y con el auge de los nacionalismos iniciado a finales del siglo XIX. Esta idea a su vez se encuentra originada en la creencia de que en los tipos sociales humildes, las clases más puras e incorruptas de la sociedad, que no se han visto corrompidas por el poder, es donde se encuentra el progreso, el impulso de cambio, la fuerza motriz que en épocas anteriores había visto en la burguesía (Blanquat 1966)[41]. Un pensamiento que no es exclusivo ni original de Galdós. Se trata de un aspecto propio del pensamiento republicano y un hito común entre los intelectuales del momento. El republicanismo, de

40 En ocasiones se usan incluso como sinónimos: "Las posadas y la clase tercera del ferrocarril son excelente posición para hablar directamente con la raza" (Prólogo a *España vieja* de José M.ª Salaverría, recogido en Shoemaker 1962: 84); "Todos los que hemos peregrinado en las diferentes comarcas peninsulares buscando el contacto directo con el pueblo, conocemos cuán viva subsiste en la raza castellana la nativa penetración, el sentido claro de las cosas, y la sagacidad y agudeza que han dado extensión infinita a los archivos de nuestro lenguaje" (98).

41 En la entrevista de Luis Morote para *El Heraldo de Madrid* en 1903: "De ahí, del fondo del alma nacional, nos tiene que venir la cura. Médico de sí mismo, el pueblo español sanará. Las fuerzas, las energías de redención que atesora, bajo una capa de aparente indiferencia, serían bastantes a revolucionar otro país más desgraciado y perdido que el nuestro". En esa alma nacional se encuentra el consenso de las clases sociales que la componen.

hecho, resurge desde mediados del xix como un intento de unión entre las clases medias y la burguesía liberal con las populares, mediante la atracción de estas últimas hacia los postulados burgueses (Suárez Cortina 1994: 161)[42]. Esta idea, como tantas otras en el republicanismo, encuentra su origen en el regeneracionismo costista, desde donde llega a los intelectuales, que también ven en la alianza con el pueblo la única solución (Serrano 2000: 267)[43].

El compromiso del intelectual y su participación en la cuestión social se sitúa en torno a este pensamiento, que reconoce la urgencia social de alianza con las clases bajas, dada su potencia subyacente y su integridad. Dicha idea resulta fundamental también para entender el cuarto precepto ideológico que destaca Álvarez Junco, el sentimiento patriótico y la obsesión de construir comunidad y nación, objetivos que de ningún modo podrían conseguirse a espaldas de las clases populares (Álvarez Junco 1994: 288).

Nación y nacionalismo

Al final del siglo xix, en España ya se había creado una conciencia nacional que la pérdida de las últimas colonias estaba poniendo en tela de juicio o vaciando de contenido (a diferencia del contexto de la batalla de Ayacucho en 1824). Se llegaba entonces a la configuración de nuevos imaginarios tras una reflexión sobre la identidad nacional, protagonizada por conceptos como raza, espíritu nacional o alma del

42 El pueblo, entonces, sería visto como el portador de la renovación social: "El pueblo participa de todas las características del Mesías, puro y sufriente hoy pero omnipotente mañana, cuando aparezca en todo su esplendor dispuesto a librar la última y definitiva batalla contra el Mal" (Álvarez Junco 1994: 282).

43 Sirva como ejemplo el manifiesto contra Montero Ríos de 1905, donde los intelectuales se alzaron responsables de la voz de un pueblo que, aunque en desacuerdo con el gobierno, aún no contaba con fuerza para levantarla: "Nosotros, alejados y desdeñosos de la política y sus medros, ante el silencio guardado por aquellos en quienes era mayor deber hablar, nos alzamos jueces de este linaje de ambición, que concita el rencor torvo y airado de todo un pueblo" (citado por Alonso 1985: 31).

pueblo (Ortiz García 1999: 20-21). En ellas habían cobrado notable importancia los binomios centro-periferia y campo-ciudad consecuencia de los múltiples grados y modos de desarrollo de las diferentes zonas geográficas del país (Vilar 1982: 267). Su disposición y enfrentamiento dan cuenta de la dificultad a la hora de buscar un discurso unitario válido para todo el país o que pudiera ser legitimado por una mayoría como discurso identitario único (véase, por ejemplo, el choque entre las intenciones de regeneración nacional de tipos como Costa o Unamuno con los modernismos periféricos de Cataluña). Entre ellos habrá relación (como demuestra la correspondencia entre Maragall y Unamuno, por ejemplo), pero no acuerdo en esos problemas de base (Serrano y Salaün 1991: 98-99). De ahí la imposibilidad de crear un proyecto nacional común cuando es la propia identidad nacional la que se está cuestionando y más bien fragmentando[44].

La razón principal por la que existe este interés en construir un nuevo imaginario nacional responde a motivos ideológicos también. Se trata de elaborar una respuesta a un fenómeno que había ocurrido en este tiempo por el que los conservadores habían conseguido apropiarse del concepto de nacionalismo, para asociar el patriotismo con la defensa de los valores tradicionales y hacer del nacionalismo un concepto contrarrevolucionario; el Desastre despertaba un nuevo choque de fuerzas entre los nacionalismos y el patriotismo exacerbado por parte de los conservadores (culpaban del fracaso español a la falta de unidad del país). Este se presentaba como el momento idóneo para que los progresistas, cuya revolución liberal lo había creado, lo recuperaran. El concepto de nación se había convertido en una cuestión ideológica importantísima a la hora de alcanzar el poder tanto para las ideologías más conservadoras como para las más progresistas. Ambas habían detectado que a través de la conciencia nacional podrían

44 "En la España del siglo xx, la herencia de las 'naciones románticas' del siglo anterior, con su carga sentimental, con su fuerza movilizadora, ha recaído menos sobre el Estado-nación históricamente constituido, que sobre algunos de sus componentes etno-lingüísticos de la periferia, no solamente reacios a la centralización asimiladora, sino capaces de volver a reivindicar, y a reconstituir con fuertes ingredientes historicistas, su propia identidad" (Vilar 1982: 258).

obtener el apoyo de las masas y que quien se ganara ese favor habría triunfado sobre la ideología opuesta. Intentaban de este modo apartarse de las etiquetas ideológicas de clase mediante un concepto que no alcanzaba a toda una colectividad heterogénea:

> El patriotismo era la nueva legitimación, el cimiento ideológico sobre el que construir el nuevo edificio de una polis que había dejado de ser propiedad de una familia o de un grupo social reducido para basarse en el sentimiento compartido de pertenencia a una colectividad humana (Álvarez Junco 1994: 287).

Los conservadores veían en esta idea una buena manera de acercarse al pueblo, pero se habían olvidado de que el pueblo no se sentía representado ni por oligarcas ni por caciques; mucho menos les perdonaba haber llevado a sus hijos a una guerra indeseada. La barrera infranqueable que se establecía entre pueblo y conservadores fue aprovechada por las ideologías progresistas y por los intelectuales especialmente, que se habían opuesto a la guerra de Cuba y a la ley de quintas (Vilar 1982: 274 y Rodríguez Puértolas 1999: 17-18). La manera de tratar este aspecto se materializará en posturas opuestas por parte de unos y otros: los conservadores apelarán a la unidad de España mientras que los más progresistas buscarán la apertura hacia Europa en consonancia con el regeneracionismo de Costa[45]. Estos últimos harían de la cultura y la actividad editorial (ediciones y colecciones de autores extranjeros) su vía predilecta de difusión, por lo que su tarea más inmediata debería ser acabar con el alto índice de analfabetismo del país mediante la educación del pueblo.

Por tanto, se establece una relación dialéctica entre las circunstancias críticas socioeconómicas y políticas con las ideológicas, de modo que simultáneamente todos comienzan a repensarse España y a buscar una solución para su crisis[46]. El país se convierte por primera vez en

45 De hecho, los conservadores acusaban a los republicanos de antipatriotas (Fuentes 2016: 383).

46 Este entramado hay que valorarlo en consonancia con el auge de los nacionalismos y el proceso de colonización europeos, por lo que no se puede entender

todo el periodo de la Restauración en la preocupación principal de todos los intelectuales, que enseguida

> aspiran a formular un programa nacional-popular, alrededor del cual pueda agruparse una nación entera para llegar, mediante un supremo esfuerzo, a la modernidad y de este modo superar la desgracia de su derrota (Serrano y Salaün 1991: 95).

Entre los intelectuales que criticaron al sistema y que se sumaron a la reflexión sobre la identidad nacional se encontrarían principalmente dos tipos: aquellos para los que el tema de España se convierte en una cuestión puntual y efímera en su obra, como Unamuno, Maeztu, Ciges Aparicio, los modernistas y los bohemios, o las revistas que surgen en torno al Desastre y que cuentan escasa duración (Celma Valero 1989); y aquellos para quienes la coyuntura y la realidad española posterior al Desastre van a vertebrar la ideología de sus escritos. Para ellos el tema de España pasa de ser una prioridad a principios del siglo a ser una constante en sus obras. Este sería el caso de personas como Costa o Galdós, en los que la construcción o reconstrucción de un imaginario nacional, donde la unidad de los españoles es fundamental, va a determinar su producción escrita y pensamiento durante el siglo XX. El interés por llenar el vacío en la conciencia nacional que ha dejado el Desastre, la creación de una nueva y moderna España será la finalidad última de la producción galdosiana hasta el final de sus días, como ya señaló Azorín en 1912:

> [Galdós] ha contribuido en suma a crear una conciencia nacional: ha hecho vivir a España con sus ciudades, sus pueblos, sus monumentos,

---

como una peculiaridad de España: en estos momentos, cada nación trabaja para buscar y crear una identidad propia que la diferencie de las demás (Serrano y Salaün 1991: 17); aunque cierto es que existe un "desfase coyuntural" (Vilar 1982) entre lo que está ocurriendo en España y en Europa: mientras Alemania e Italia se unificaban, España se va desintegrando; y en tanto que el resto de naciones se están repartiendo el mundo, el país pierde sus últimas colonias (268-275).

> sus paisajes. [...] La nueva generación de escritores debe a Galdós todo lo más íntimo y profundo de su ser: ha nacido y se ha desenvuelto en un medio intelectual creado por el novelista (Rogers 1979: 83).

La obsesión que ha despertado la crisis posterior al Desastre por reformular la identidad de España en Galdós impulsaría el cambio de actitud que diferenciaría esos años de toda su obra anterior y de sus compañeros de generación: pasar de la teoría y del papel a la práctica política.

Parte II

Búsqueda y creación de una nueva novela

CAPÍTULO 6

La novela en tiempos de transición

La producción literaria en España evoluciona y aumenta en términos cuantitativos a partir de los años del Desastre. Dentro de la literatura, será la novela la que continúe como género de mayor consumo, incrementando incluso sus tiradas. Según Juan Ignacio Ferreras, entre 1900 y 1936 se publicaron unos 8.000 títulos de novelas (más reediciones), de las cuales se registran unas tiradas de unos 2.000 ejemplares de novelas largas y de entre 50.000 y 100.000 de las novelas cortas, en ediciones más o menos cuidadas (2012: 31-32).

La Barraca de Blasco Ibáñez (1899), por ejemplo, pasó de una primera edición de 500 ejemplares a unos 100.000 hacia 1920 (Serrano y Salaün 1991: 178). En el caso de Galdós, y según las ediciones documentadas por Manuel Hernández Suárez (1972), la mayoría de sus obras en el siglo xx se publicaron en tiradas extensas y muchas de ellas fueron reimpresas, sobre todo los Episodios Nacionales. *Los duendes de la camarilla*, de 1903, se reimprimió en 1908 con dos tiradas, una de 13 y otra de 16.000 ejemplares; *Casandra* con una de 9.000 y otra de 11.000 en 1906; de *Aita Tettauen* se publicaron cuatro reimpresiones en 1904 de 3, 11, 13 y 14.000 ejemplares; de *Prim*, 19.000 ejemplares en 1910 y *La de los tristes destinos* tuvo tres reimpresiones de 8, 19 y 20.000 ejemplares, por citar algunas obras[1].

El interés de los editores por publicar novelas no decae, por tanto, en estos años; más bien, al contrario, aumenta, como se deduce de la aparición de importantes colecciones como El Cuento Semanal, La Novela Semanal, Los Contemporáneos o, ya en los años veinte, La Novela de Hoy, inaugurada, por cierto, con una tirada de 200.000 ejemplares de la *Sor Simona* galdosiana (Martínez Martín 2018: 73). La aparición masiva de novelas cortas "de veinte a cuarenta páginas, de precio ínfimo y de tiradas que pueden llegar a los doscientos mil y aún más, ejemplares" (Ferreras 2016: 158), por tanto, también contribuye a la pervivencia y éxito del género.

La novela también continúa siendo literatura de gran alcance en cuanto a difusión y repercusión social. Ello lleva a preguntarse directamente qué tipo de lectores consumían este tipo de libros y si eran los mismos que en el anterior siglo. En este aspecto la nueva clase media en construcción resulta fundamental, puesto que será quien herede de la burguesía decimonónica el estatus de nuevos lectores de novelas[2].

Galdós, como cualquier escritor en el circuito mercantil, tenía muy presente el gusto de sus lectores a la hora de crear sus textos, como le confiesa a Teodosia Gandarias en una carta del 18 de agosto de 1912: "Los que tenemos el oficio de escribir para el público somos unos colectores o receptores de cuanto alienta en el alma de los seres

1 De sus obras anteriores las tiradas que se cuentan alcanzan un número aún más significativo. Madariaga de la Campa recuerda los 40.0000 ejemplares que en 1910 se habían publicado ya de *Gloria* y *Doña Perfecta* (Pérez Galdós 2013: 23).

2 Aunque, por otro lado, a medida que las estéticas se van negando a aceptar el campo cultural basado en las reglas de mercado, las relaciones entre los productores, los editores, las estéticas y el público irán cambiando. El fracaso por parte de los modernistas de una búsqueda de nuevos públicos con el fin de entrar en el mercado y llevar esta corriente más allá de la élite intelectual (Mainer 2004: 181-211) desemboca en su negación por parte de las vanguardias, que rompen la supremacía y el poder que el público ejerce sobre los productos artísticos. Estas, al dejar de estar al servicio del consumo, prescinden de los posibles consumidores para su creación.

que íntimamente nos interesan" (Pérez Galdós 2016: 816). Efectivamente, pero esa recepción y recolección es recíproca, de modo que su ideología y sus intereses como autor quedan también impregnadas en sus obras. Así, cuando Galdós está escribiendo *El caballero encantado*, le revela a Teodosia Gandarias que reproduce

> algunos cuadros de la vida española en aspectos muy poco conocidos, la vida de los labradores más humildes, la de los pastores, la de los que trabajan en las canterías en obras de carretera y en otras faenas duras. Son cuadros de verdadera esclavitud, que en la vida hay en estos tiempos, aunque no lo parezca (De la Nuez Caballero 1993: 174).

Ahora bien, ¿qué tipo de lectores desconocían esta realidad? No parece que fuera la mayor parte de la población española, esos dos tercios que vivían de la agricultura (Tortella 1981: 26), sino más bien la minoría burguesa de las ciudades. Galdós muestra un claro interés por ilustrar a estos lectores (los suyos del siglo anterior[3]) con el fin no solo de denunciar la realidad miserable de la mayor parte de la España del momento, sino de intentar acercar posiciones entre ambas. Los intelectuales, como ya sabemos, también eran ávidos lectores galdosianos, lo que contribuía vivamente a la difusión de su obra y a su estatus de escritor consagrado.

En todo este proceso de producción de la novela como objeto de consumo que, además, condiciona su naturaleza, no se puede olvidar el soporte y el medio de difusión por excelencia del momento, la prensa[4]. Recuérdense la cantidad de revistas que se publicaron en los

3 Ya en los años setenta Peter B. Goldman probaba (frente a otros autores que reivindicaban un público de clase obrera) que la única clase que poseía las condiciones sociales (tiempo libre) y materiales (un espacio físico y psicológico adecuado) para leer novelas en el xix era la burguesía (Goldman 1974: 190).

4 A la hora de pensar en la configuración de una estética (en este caso de la novelística) de un momento, asumimos que ninguna producción es individual y que existen una serie de factores y elementos que determinan su composición. De acuerdo con José Luis Ángeles, "del mismo modo que en el plano del texto es imposible hablar sin adoptar un punto de vista modal, tampoco es posible la producción de un texto neutro, que no dé indicios del marco general que lo ha producido y en el que se ha producido" (2000: 38).

primeros años del siglo y que no solo habían heredado del siglo anterior su importancia como uno de los soportes preferidos de los novelistas, sino también su función como plataformas de lanzamiento. Los folletines y folletones seguirían en auge y de su éxito podría depender que un editor aceptara la publicación. Cuando *Casandra* sale a la venta en diciembre de 1905, *El País* del día 11 de ese mes redacta una columna sobre la obra y reproduce a continuación (nada casualmente) el acto de la muerte de doña Juana, punto climático de la novela dialogada; la misma operación será repetida con la publicación de *Prim*, que incluyen el último capítulo junto a una breve explicación de la obra (Sin firma 1906: 3 y 4). Que *El caballero encantado* se publicara como folletón de *El Liberal* en enero y febrero de 1910, recién formada la Conjunción Republicano-Socialista, tampoco es circunstancial. Los órganos de prensa "a partir de la mitad del siglo XIX ponen en evidencia la casi obligada presencia del folletín en todo periódico que se preciara, hasta bien entrado el siglo XX" (Magnien 1995: 8-9), con lo cual publicar mediante folletín era una manera de ampliar la difusión de un texto. Por tanto, no se puede dejar de tener en cuenta también a la hora de analizar las obras de Galdós la importancia ni de los críticos, ni de la prensa, ni de sus lectores en general, porque sus demandas también influyen en la escritura de las novelas. Peticiones documentadas, como cartas anónimas en que le instan a seguir con los Episodios Nacionales o le sugieren temas, así como las reseñas en que lo alaban por su frescura y por su novedad, ayudan a explicar su impulso narrativo hasta bien entrado 1914 que está esbozando (la nunca escrita finalmente) *Sagasta*[5].

---

5 En varias cartas a Teodosia Gandarias, fechadas en agosto de 1912, menciona la novela *Sagasta*, informándole de que comenzará a escribirla cuando llegue a Madrid y de que abarcará desde la subida de Sagasta al poder (1881) hasta el nacimiento de Alfonso XIII en 1886 (De la Nuez Caballero 1993: 281); a principios de septiembre vuelve a afirmar que está "trabajando en los preparativos" de esta novela en una carta a Gerardo Peñarrubia (Shoemaker 1984: 156); en el estreno de *Celia en los infiernos* el 9 de diciembre de 1913, en la entrevista que mantiene con Alfonso XIII, se declara inmerso en la escritura de *Sagasta* (Alonso 1994: 206-207); en enero de 1914 le recordará al Caballero Audaz en su

Después de más de cien años de estudios en torno a las dos primeras décadas del siglo xx, parece que ha quedado superado el interés reduccionista del binomio modernismo-Generación del 98 (teniendo en cuenta incluso la fragilidad de los límites conceptuales de cada uno de los términos) y se ha asumido que las características que mejor definen la época son precisamente el vacío de canon y la heterogeneidad monolítica (Zavala 1991: 26).

La sensación por parte de las nuevas generaciones de pobreza ideológica y literaria en España (Celma Valero 1989: 98-99) se convierte en una búsqueda incasable para encontrar de nuevo la vía de expresión que reprodujera lo que la modernidad pedía. Sin embargo, la multiplicidad de posibilidades y el no triunfo de ninguna de ellas era en sí mismo síntoma de la modernidad que reproducía las características del momento, como reconocía el propio Galdós en su artículo inaugural de la revista *La República de las Letras* en 1905:

> La cofradía de tantos espíritus, con una sola tribuna en que hablar a las muchedumbres, ha de dar más campo a la variedad que a la unidad. Hemos de ver criterios diferentes y contradicciones palmarias. Pero ¿quién puede asustarse de la contradicción a estas alturas tempestuosas en que nos hallamos? ¿Quién será el guapo que nos traiga una dogmática, inmutable unidad de formas estéticas, y que al traerla nos la robustezca con el ejemplo, dándonos un magno símbolo de belleza, ante el cual ningún artista contemporáneo deje de prosternarse con admiración y catamiento? ¿Quién atajará las disputas, quién hallará el remedio de las contradicciones y la clave de la unidad cuando nos hallamos en la mayor ebullición de ideas y principios que han visto los tiempos? (1968c: 1502).

Si se tiene en cuenta el consumo, el uso, el espacio de resolución de las producciones literarias del momento, se llega a la conclusión de

---

entrevista para *La Esfera* que aún le quedan tres Episodios por escribir: *Sagasta*, *Cuba* y *Alfonso XIII*; y en julio de ese año hará referencia mediante carta al poeta Manuel Serafín Pichardo a la creación del episodio *Las colonias perdidas* (véase una explicación detallada en la nota 24). Posteriormente, Berkowitz (1948), cita un Episodio más, *La reina regente*; con él quedaría completa la quinta serie con el número habitual de diez volúmenes.

que no existe una estética nueva dominante que expulse a la realista anterior, sino que, por un lado, las posibilidades de esta se multiplican, y por otro, aparecen nuevas que se confrontarán y convivirán con las anteriores. Ello surge de la necesidad de responder a la nueva sociedad naciente e ilustra el proceso de transición al que se refería Luis París en 1888 y que se verá resuelto tras la I Guerra Mundial con la llegada de las vanguardias:

> Vivimos en una época de completa transición y en la cual los elementos componentes de nuestro organismo social, en su forma y en su esencia, están revueltos en una confusión aparente, que no real, producida por los bamboleos de la política y por el tardo paso que la evolución iniciada en Cádiz el año 1812 ha seguido hasta nuestros días, haciéndonos creer que efectivamente vivíamos dentro de una democracia solidificada ya a la manera inglesa, cuando en realidad no estamos sino al principio del camino... (1888: 15).

Por otro lado, si hay algo que comparten las tendencias estéticas de este momento es que todas se hacen eco y responden (con mayor o menor evidencia) a las crisis del momento[6], una respuesta que no surge particularmente en España sino que viene influenciada por Europa. Los intelectuales progresistas (piénsese en el citado *affaire* Dreyfus) mantuvieron un diálogo con esa Europa moderna que traspasó sus propias literaturas nacionales:

> Por parte de España, se aprecia un tenaz esfuerzo de europeización, de adopción de formas europeas, tanto filosóficas como estéticas. Por parte de Europa, una actitud receptiva, propicia a lo español, que por lo demás les será presentado en formas "europeas" gracias al esfuerzo asimilador que queda consignado y a la talla universal de algunos españoles de la época: Cajal, Ortega, Falla, Picasso... (Jover Zamora 2001: 579).

6 Esta idea y esta manera de buscar los puntos en común son las que se desprenden de nuevas visiones sobre la literatura de la época. Véanse los trabajos de Fuentes (1999), Calvo Carilla (1998), Serrano y Salaün (1991) y Mainer (2004), que destacan por sus enfoques novedosos a través del cual rescatan algunas literaturas olvidadas.

Esto, que en términos de nación y Estado hizo chocar el proteccionismo conservador con sus ideas aperturistas, se traslada al ámbito de la cultura. El europeísmo cultural, sumado al caos posterior al Desastre, va a potenciar la aparición de múltiples estéticas en la España de las primeras décadas de 1900.

La necesidad común de responder a unos mismos problemas sociales por parte de todos los intelectuales será una de las razones por las que se desharán las categorías de viejos y nuevos, como ya se vio anteriormente, lo que añadirá una nueva dificultad a la hora de intentar cualquier clasificación en esos años. En el ámbito de la novela, esto se traduce en la convivencia entre una amplia variedad de publicaciones y autores: los escritores que intentan romper con el realismo como Azorín; los que proceden del modernismo, como Valle-Inclán o la Pardo Bazán de *La quimera*; los bohemios como Carrère; los novelistas sociales (Blasco Ibáñez), los llamados novelistas intelectuales (Miró o Pérez de Ayala) o los vanguardistas como Gómez de la Serna... La dificultad de establecer una clasificación por autores, de acuerdo con Juan Ignacio Ferreras, se clarifica en cierto modo si se intenta desde las novelas mismas. El propio Alcalá Galiano, en su estudio de 1914 *La novela moderna en España* da cuenta de cómo se ha multiplicado la tipología de las novelas en el contexto europeo desde que literalmente "murió el naturalismo" (33). Y cita la novela psicológica de Bouget, la novela policiaca de Conan Doyle, las novelas de Felipe Trigo, la influencia de Maurice Barrès, las traducciones de Anatole France, D'Annunzio, Maeterlinck... y la entrada del modernismo en España, mencionando especialmente a Valle-Inclán, a quien califica de máximo exponente (36).

En los años noventa del XIX las corrientes espiritualistas resurgían como contrapuntos del positivismo, cuestionando la ciencia y reivindicando lo metafísico, y recuperando los elementos idealista e irracionales, surge del propio realismo la corriente impresionista, viéndose obligada a convivir con ella de manera dialéctica hasta que lo absorbe y suma los elementos que le interesa: "añaden al realismo la momentaneidad, la congelación del presente sorprendido en su fuga, lo que permite además un refinado cultivo de la sensación en sus más tenues aspectos" (Risco 1980: 33-34).

Mientras esta absorción ocurre, la tendencia espiritualista de fin de siglo se rompe definitivamente con el Desastre del 98, que vuelve a traer a primer plano la materia, aunque esta vez con otra forma distinta a la de los años ochenta. A partir de entonces, las estéticas recién surgidas rechazarían la novela anterior y buscarían formas de expresión alternativas que representaran un nuevo mundo (sociedad renovada incluida):

> En torno a 1900, los novelistas que entre 1880 y 1890 han cultivado, por necesidad ética y estética, la novela realista (enriquecida con ciertas orientaciones naturalistas) parecen movidos por la obligación de dar un nuevo sentido (una nueva dirección) a la realidad social y humana: el de su propia convicción. Solo así la sociedad de la época, cuyos valores están en crisis, puede seguir siendo materia novelable (Serrano y Salaün 1991: 179).

Para principios del XX la novela realista-naturalista o novela tradicional llevaba ya una década de crisis tras haber detectado sus propios límites estructurales (López Morillas 1972: 41) que evidenciaban especialmente la imposibilidad de la objetividad en la captación de lo real. Esta novedad surgió de la convivencia con otras formas estéticas innovadoras que anteponían el elemento artístico al estudio de lo real. La nueva concepción de la realidad motiva que lo ficticio, lo maravilloso, lo imaginado, lo inverosímil surja en la novela para ponerse en relación con el modo tradicional de abordar y contar la realidad, obligándola a explorar sus propios límites. Este hecho, iniciado en el XIX, se convierte durante el siglo XX en un hito fundamental y sobresaliente, especialmente para la narrativa galdosiana. En su caso surge como el reflejo estético de la experiencia ideológica y de clase que desglosábamos en la primera parte de este trabajo, pues a través de su propia ideología se muestran las tensiones y las limitaciones de clase que surgían con la irrupción del movimiento obrero en la sociedad burguesa. La novela, como género propio de la modernidad, del capitalismo y de la burguesía decimonónica, conlleva las mismas contradicciones que estas tres categorías, puesto que en su intento por reflejar la realidad surge el problema de cómo combinarlo con la ficción, del mismo modo que el capitalismo conlleva su respuesta anticapitalista, y en cuanto que la burguesía sube al poder, el proletariado se organiza y se enfrenta a ella. Galdós busca paralelamente al consenso entre las clases sociales, un consenso en la novela, intentando crear una nueva modalidad en que tengan cabida las nuevas estéticas, pero siempre sobre una base realista, es decir, decimonónica.

En relación con el despertar de esas clases trabajadoras, con la búsqueda de una autonomía y de un proyecto propio, se desarrolla lo que Jover Zamora ha denominado una "nueva sensibilidad", que trataría de incorporar a la nueva clase trabajadora al imaginario de los intelectuales y novelistas (2001: 412-413)[7], de modo que esta se convertirá a partir de entonces en materia de novela, como demostró Blanco Aguinaga en *Juventud del 98* o se puede leer en las publicaciones de las revistas literarias del momento.

Las élites culturales viven el 98 como una crisis de valores (Jover Zamora 2001: 580) que queda reflejada en una estética propia, la cual incluye la de la novela, y cuestiona y rompe con los moldes ya tradicionales del realismo decimonónico. La armonía narrativa a la que acostumbraban las novelas realistas y naturalistas aparece quebrada en consonancia con la época de inestabilidad y crisis. Sus estructuras ya asentadas y dominantes se van a ver desbordadas por novedades que van a someter a la novela a un proceso de renovación que en su extremo dé paso a las vanguardias.

Por tanto, si se establece un puente comparativo entre las novelas de ambos siglos y atendemos al tratamiento de la realidad, nos encontraremos con una variedad de novelas que van desde las continuadoras de los moldes anteriores hasta las que rompen definitivamente con esa manera de novelar.

Las continuadoras se considerarían las novelas de tesis de temática regeneracionista que surgen después del Desastre como parte de la producción estética de los regeneracionistas de la corriente

7 Este hecho, cada vez más evidente a medida que avance el siglo, ha sido analizado por Víctor Fuentes en *La marcha al pueblo en las letras españolas, 1917-1936* (1980) desde una perspectiva literaria general y en lo concerniente a Galdós, en la introducción a *Misericordia* (2003: 13 y ss.).

regeneracionista de Joaquín Costa y que tratan sobre los males de España[8]. No consideradas regeneracionistas pero sí fueron continuadoras del canon anterior, se pueden clasificar las novelas de Mauricio López-Roberts, Alfonso Danvila, José M.ª Salaverría, Carmen de Burgos, Ricardo León, Pedro de Répide, Luis Antón del Olmet, Gregorio Martínez Sierra o Emilio Carrère, por citar algunos autores (véase Ferreras 2012: 47-63) con los que Galdós mantuvo correspondencia y se relacionó más o menos frecuentemente. A José M.ª Salaverría, por ejemplo, le escribió el prólogo de *España vieja* en 1907, con Carmen de Burgos se ha conservado una larga correspondencia, mientras que Mauricio López-Roberts, aparte de colaborar con Galdós en la dramatización de *Gerona* (1893), inspira en él sus propias novelas: *El porvenir de Paco Tudela* (1903), *La novela de Lino Arnáiz* (1905), *Doña Martirio* (1907), similar a *Doña Perfecta*... Entre los novelistas más cercanos al realismo se encuentran las novelas de más éxito y las más leídas, lo que sin duda ayuda a que también en el siglo XX (al menos hasta mediados) sea la estética dominante (De Vicente Hernando 2013: 56) y ninguna corriente rupturista consiga hacerle perder esa hegemonía. Para el caso que aquí nos ocupa, estos hechos deben ser también tenidos en cuenta a la hora de pensar en Galdós como novelador de la sociedad del momento y las herramientas de que se sirve para ello.

En cuanto a las que rompen verdaderamente, se ha hecho referencia principalmente a dos tipos, la novela formalista (que surge contra el costumbrismo y como parte de la revolución estética y la

8 Como las inéditas *Justo de Valdediós y las Novelas nacionales*, de Joaquín Costa, *La tierra de campos*, de Macías Picavea (1898), *La ley del embudo*, Queral y Formigales (1897), *Blancos y negros*, de Arturo Campión (1898), *Pío Cid*, de Ganivet (1898), *Doña Mesalina* (1910) o *Jarrapellejos*, de Felipe Trigo (1914), que muestra visos, según Romero Tobar (2003), de renovación por su lirismo, pero siguen sin superar esa novela realista anterior. *El caballero encantado*, de Galdós, aunque comparte termas con estas novelas, responde a un proyecto literario más elaborado como se demuestra de su estética y del distanciamiento de los procedimientos literarios realistas aquí predominantes.

nueva manera de plasmar la realidad por parte del modernismo o modernista)[9] y la novela intelectual[10] (viene fundamentada por el irracionalismo y la búsqueda de lo absoluto, de lo esencial, obviando lo explicativo) (Ferreras 2012). Ellas incorporan, frente a los elementos sociales impuesto por el realismo crítico del XIX, nuevos temas como la conciencia, la transformación individual, la ontología del ser humano.

Un caso relevante de novelista intelectual lo constituye Pérez de Ayala, que, como ya se mencionó anteriormente, sintió gran admiración y mantuvo una estrecha amistad con Galdós. Pérez de Ayala, al contrario que Valle-Inclán, se va alejando de la novela realista al tiempo que se adentra en la novela intelectual. El punto de partida realista de Pérez de Ayala no es, sin embargo, el de estos continuadores del realismo explicado anteriormente. La novelística de los primeros años de este autor, la que va entre 1907 y 1913 (de *Tinieblas en las cumbres* a *Troteras y danzaderas*) es ejemplo claro de una tercera manera de escribir novela que ni consigue romper con la tradicional ni es continuadora de la anterior. Ello demuestra que existe una relación entre las formas más extremas de novelar, puesto que estas no solo conviven, sino que se fusionan muchas veces o toman elementos unas de otras. En ocasiones, como en el caso de Pérez de Ayala se consiguen generar nuevas combinaciones, que Ferreras caracteriza de este modo:

---

9 La primera novela considerada formalista sería *Del jardín del amor*, de Llanas Aguilanedo (1902), pero el máximo exponente lo encontraríamos en el Valle-Inclán de *Flor de Santidad* y de las *Sonatas*, e incluso en el de *La guerra carlista* (1908-1909), llamadas por Ferreras "novelas modernistas historizadas". Gabriel Miró, famoso por ganar el concurso de El Cuento Semanal con su novela *Nómada* en 1908, construye sus novelas a base de imágenes y de sensaciones. Gómez de la Serna, por su parte, será quien haga sobrevivir a este tipo de novela, con obras como *El doctor inverosímil*, abra el camino a las vanguardias y, desde luego, quien de manera más experimental se esforzó en renovar la novela del XX.

10 La novela intelectual sale a la luz por primera vez también en 1902 con *Amor y pedagogía* y se consolida con *Niebla* (1914), ambas de Unamuno. Y por otro lado hay que sumarle la literatura de Azorín. A estos dos novelistas (los más destacables) habría que unir las novelas de Eugenio D'Ors, Ramón M.ª Tenreiro y, posteriormente, *El jardín de los frailes*, de Azaña, entre otros.

> encontraremos un realismo agudizado, muy cargado de mensajes y observaciones intelectuales que, aunque tiene en cuenta el universo novelesco, se sobrepone al mismo. [...] El autor no trata de explicarnos el personajes sino de mostrarnos su creciente complejidad cultural y psicológica, de tal manera que nadie, ni el mismo autor, podrá llegar a delimitarlo (2012: 116-117).

Hasta el momento he seguido la clasificación que Juan Ignacio Ferreras incluía en *La novela en el siglo XX (hasta el 36...)*, que distingue entre novelas continuadoras y rupturistas con respecto al XIX. Las primeras, a su vez, son divididas en continuadoras, renovadoras o liquidadoras de lo heredado. No obstante, creo necesario diferenciar entre novelistas continuadores del realismo y los que lo llevaron a nuevos lugares adaptándolo al siglo XX; aunque partan de una base que los une a la novela anterior, también hacen aportaciones al género. La novela erótica o la novela social no se pueden situar en lo heredado por su carga novedosa, pero tampoco en lo novedoso, por su carga tradicional. Se establecen en un nivel intermedio, de modo que en la tipología se crean tres grupos que van desde lo más cercano a lo más alejado de la novela del siglo anterior.

Cierto es que hasta los años veinte no se podría hablar propiamente de novela social, pero sí es necesario dar cuenta de ciertas obras que funcionan como punto de origen. La trilogía de *La lucha por la vida* (*La busca*, 1904; *Mala hierba*, 1904; y *Aurora roja*, 1905), de Baroja o la tetralogía de Blasco Ibáñez (*La catedral*, 1903; *El intruso*, 1904; *La bodega*, 1904-1905 y *La horda*, 1906) recogen el despertar de la nueva clase trabajadora emergente, frente a la novela burguesa decimonónica e introducen al obrero por fin dentro de la literatura. Tomarán lo que les interesa del realismo anterior y lo llevarán hacia nuevos terrenos sociales. Algo así encontraremos en Ciges Aparicio, que prescinde de las descripciones e introduce la técnica del reportaje dándole dinamismo y rapidez a las narraciones.

Desde otra raíz, esta vez puramente naturalista, aparecerá otro híbrido de gran éxito, la novela erótica o galante. Eduardo Zamacois, Felipe Trigo (*Las ingenuas*, 1901; *La altísima*, 1903; *La bruta*, 1904; *Sor Demonnio*, 1905; *En la carrera*, 1906; *El médico rural*, 1912; *Ja-*

rrapellejos, 1914...) serían los considerados herederos del camino que abrieron López Bago, Zahonero o Blasco Ibáñez. Alberto Insúa, Rafael López de Haro y Antonio de Hoyos Vinent fueron de los más populares y de los más productivos escritores del naturalismo erótico. Sus novelas se reeditaron varias veces. Existe una nómina muy amplia de novelistas de esta época, pero quizá estos son los más representativos de cada tendencia. Lo que interesa resaltar de ellos es que la mayoría tiene relación con Galdós (muy estrecha en casos como el de Pérez de Ayala, Valle-Inclán, Mauricio López-Roberts, Alberto Insúa...). Con casi todos los citados se establece una correspondencia, se intercambian obras (algunas aún se conservan en su biblioteca), etc.; la relación con los Azorín, Baroja, Unamuno y Valle-Inclán ha sido muy estudiada y es muy abundante la bibliografía. Sin duda a principios de siglo, Galdós fue considerado su maestro por ellos mismos (recuérdese el artículo que abría la revista *Electra*), como ya se señaló al tratar sobre los intelectuales y el campo cultural de esos años. Con Blasco Ibáñez emprende campañas, etc., muchos de ellos son reseñistas en esos años de Galdós, como Pedro de Répide, Ramón M.ª Tenreiro o el propio Valle-Inclán. De quien más cerca estuvo y con quien más relaciones tuvo fue sin duda con quienes intentaron una renovación total de la novela y con quienes exploraron nuevas maneras de resolver los problemas que el XIX había dejado abiertos en términos novelísticos:

> la lectura de la obra última de Pérez Galdós depara la evidencia de que el autor compartía con los nuevos escritores la preocupación acerca de los problemas del país, así como la de que mostraba un interés vigilante y sostenido ante los cambios estéticos, que iban transformando el panorama literario de aquellos tiempos (Escobar Bonilla 2000: 287).

Parte de esa relación se refleja en los diecisiete prólogos que escribió para otras obras[11]. Sus textos ayudaban entonces a nuevos escrito-

11 Hay que destacar que de aquellos, solo tres pertenecen a obras de autores de su generación: Fernández Flórez, Sojo y Clarín; el resto se trata de escritores de generaciones más jóvenes (Shoemaker 1962: 13).

res a ganar fama y a abrirse paso en el panorama del momento. Esto mantiene a Galdós conectado con las tendencias de entonces, a las que se acerca a veces con más timidez y a veces con menos. Por ejemplo, Galdós nunca escribió novela erótica, pero sí debió de conocerla, como demuestra en el prólogo, a *Lisonjas y lamentaciones* (1913), de Joaquín Dicenta (hijo), en el que destaca la sección de la obra dedicada precisamente a la poesía erótica (Shoemaker 1962: 115-116). Otro comentario, esta vez en forma de "pórtico", lo introduce Arturo Mori en su *De horca y cuchillo* (1915), novela sobre el caciquismo de la que Galdós opinará:

> Nobilísima es esa orientación de la novela, cultivada últimamente por escritores de tanto mérito como Ciges Aparicio y Trigo, sobre todo porque huye de anexiones exóticas, asentándose sobre la realidad española, tan rica en asuntos, tan pródiga en motivos de inspiración.
>
> Nuestra juventud literaria, siguiendo los derroteros que ha seguido Arturo Mori en su novela *De horca y cuchillo*, se sacude muchos cargos de encima, muchas acusaciones de decadentismo, de vaciedad, que sobre ella cayeran a comienzos de este siglo (Shoemaker 1962: 123).

Galdós junto con Clarín (hasta su muerte en 1901) y, puntualmente, con Emilia Pardo Bazán, fueron los únicos de su generación que se despojaron de lo que eran antes de los años noventa e intentan entender cómo resolver los conflictos estéticos del final de siglo (Serrano y Salaün 1991: 167-179). El novelista en el siglo XX se deshace de la estética que había configurado en la década anterior para crear una novela nueva que refleje y a la vez sea una propuesta para la construcción de una nueva sociedad en que el consenso y la unidad de las clases sociales sea el paradigma. Este proceso va a abarcar desde el punto de vista novelístico aproximadamente los quince primeros años del siglo, fecha a partir de la que parece no haber más noticias de impulso o interés narrativo (considerando *La razón de la sinrazón*, por tanto, una obra de teatro). Entre todas sus obras, la más relevante por ser en conjunto la más alejada del realismo decimonónico, destaca *El caballero encantado*, a la que se le dedicará especial atención en el capítulo siguiente.

Así pues, Galdós se situará junto a esos escritores que tomaron base realista e intentaron resolver los conflictos estéticos y dar una respuesta social mediante una literatura eco de las novedades del siglo, pero no sin antes probar con novedades procedentes de las estéticas más rupturistas, como la modernista. El resultado final de todo esto será la búsqueda de una novela nueva que recoja tanto las novedades estéticas como las necesidades sociales del momento.

CAPÍTULO 7

Configuración y búsqueda de una nueva novela

En la primera parte de este estudio se ha intentado demostrar cómo la ideología galdosiana en el siglo XX es la de una burguesía progresista que encuentra su realización en el republicanismo y que, al verse interrumpida por diferentes ideas procedentes de las ideologías obreras, deja al descubierto sus límites y contradicciones, especialmente cuando intenta asumirlos en mayor grado. Un proceso parecido se reflejará también en su estética. Galdós va a buscar desde el principio del siglo la manera de continuar haciendo de la sociedad presente materia novelable, es decir, va a ensayar la novela de dicha sociedad, especialmente la de la nueva clase media en formación.

El interés del novelista por llegar a un público amplio, por reproducir y fomentar el diálogo entre las distintas clases sociales a través de la novela, le impedirá romper con la novela anterior al modo de Azorín o Valle-Inclán, y le exigirá partir al menos de la misma base realista como hasta el momento para poder incidir en la sociedad con eficacia.

En este sentido, hemos de tener en cuenta que una estética rupturista busca un cambio con que demostrar el abandono del punto de partida para crear algo nuevo; se trata de una acción radical, centrada en el resultado y no en el proceso, con el fin de mostrar una distancia tal entre punto de partida y llegada que impide una vuelta atrás. La novela, por tanto, tomaría como punto de partida la novela realista-naturalista o novela tradicional. Un intento de romper con lo anterior en la posición de Galdós implicaba un riesgo grande tanto económica como pragmáticamente. Traspasar los límites de la novela tradicional y desecharla supondría arriesgarse a no llegar a la sociedad e incluso prescindir de ella para trasladarse a otros espacios introspectivos e individuales, alejados del compromiso social, como lo harían *La voluntad* o las *Sonatas*. Renunciar a la novela tradicional significaba renunciar al realismo y a la proyección social efectiva de la novela, algo que a medida que va transcurriendo el siglo no se puede permitir, como se deduce de su actividad y su compromiso político.

El proyecto ideológico de Galdós se encuentra asociado a la estética realista. Más aún si además se tiene en cuenta que los problemas que se planteaban en los años ochenta continuaban no solo vigentes, sino incluso acrecentados en estas primeras décadas del XX, como él mismo expresa al recomendar *La Regenta* en 1901:

> Los que leyeron *La Regenta* cuando se publicó léanla de nuevo ahora; los que la desconocen hagan con ella conocimiento, y unos y otros verán que nunca ha tenido este libro atmósfera de oportunidad como la que al presente le da nuestro estado social, repetición de las luchas de antaño, traídas del campo de las creencias vigorosas al de las conciencias desmayadas y de las intenciones escondidas (Pérez Galdós 1999: 252).

Pero no es solo la base realista lo que va a conservar en sus novelas del XX, sino también su método de trabajo, la observación y el análisis que ya venía aplicando desde las Novelas Españolas Contemporáneas. Rehúsa la construcción de un sistema tanto en lo artístico como en lo político más allá de esa observación de la realidad. Así, varios son los testimonios del propio novelista defendiendo este método del realismo crítico: en la carta a la revista *Electra* (1901) niega conocer un sistema creador más allá de acudir a la "multitud" a recoger lo que muestra, afirma que su proceso consiste en "vivir con el oído atento al murmullo social, distrayéndose poco de este trabajo de vigía o de escucha" y atribuye la innovación a las abstracciones de los jóvenes, de los que él recibirá las ideas mientras que él les aportará "noticias de cosas contempladas y oídas"; también en el artículo enviado a *La Prensa* de ese año se define como observador de la realidad; y lo mismo hará en 1913 en el prólogo de *Misericordia*, donde defiende su método de observación y de experimentación como "el sistema que he seguido siempre de formar un mundo complejo, heterogéneo y variadísimo, para dar idea de la muchedumbre social en un periodo determinado de la Historia" (Pérez Galdós 1999: 296-297); a Enrique García Velloso un año después le confesará que volvería a escribir las novelas tal y como lo hizo[1]; y Tito en los últimos Episodios Nacionales termina sentenciando que su misión es observar y difundir.

No obstante, a pesar de que conservara la base realista y la metodología propias de la novela tradicional, pertinente para una sociedad cuyos problemas sociales continuaban sin resolverse (cuando no habían empeorado), desde los años noventa los mecanismos y la manera de llevarlos a la literatura se habían vuelto más complejos. Los irracionalismos y las corrientes espiritualistas de la década anterior habían creado ya una anegación en los mecanismos de la novela realista-naturalista que impedían su continuidad sin modificaciones como la novela de una nueva sociedad; tampoco la propuesta estética de *Nazarín*, *Ángel Guerra* o *Realidad*, que habían recibido la influencia de Tolstói, etc. sería válida para el recién inaugurado siglo xx. De modo que Galdós se va a situar en los límites, por un lado, de la novela tradicional y, por otro, de las nuevas tendencias, para buscar una solución acorde con una sociedad que mantiene los problemas del siglo anterior pero que también exige el predominio de las novedades del presente. Esta tensión y este conflicto es la afrenta que Galdós va a intentar resolver en su novela del siglo xx desde el punto de vista de la estética. La búsqueda del consenso y del diálogo, de la unidad entre las

1 Aparte de esto hay que sumarle la prudencia a la hora de innovar por razones económicas (Galdós ya contaba con algunos fracasos editoriales), y recordar el éxito de ventas de las novelas realistas del momento.

diferentes partes de la sociedad no solo responden a una lectura ideológica, sino también estéticamente se manifiesta mediante la creación de una novela que busca la convivencia entre las diferentes literaturas que en el siglo XX se están desarrollando, las que vienen de un tiempo anterior y las que nacen con el siglo.

Esta manera de resolver la imposibilidad de continuar con la novela anterior es comparable a la relación que ideológicamente establece con la Revolución del 68. Galdós sigue partiendo de las ideas del 68 como sigue partiendo de la base realista para escribir sus novelas, pero para someterlas a la realidad del siglo XX. Entonces, las limitaciones surgen en todos los planos y le obligan a superar el punto de partida original. Galdós, en la confrontación de diferentes elementos estéticos y novelísticos, hace surgir una nueva manera de narrar que es fruto de una nueva definición ideológica:

> La narrativa de Galdós como sus coetáneas europeas, representa temática y estilísticamente la fricción resultante de la interacción de una pluralidad de sistemas de opinión, así como la manera en que el proceso de significación se constituye a través del tira y afloja de fuerzas sociales conflictivas (Delgado 2004: 934).

Así como ideológicamente ya hemos visto que la evolución de Galdós responde a un proceso con contradicciones y límites claros, también estéticamente es necesario analizar el conjunto como un proceso irregular en el que va probando, descubriendo, asumiendo y desechando elementos. Entonces va a pasar de una *Doña Perfecta* implacable incluso en 1896 a una doña Juana que en *Casandra* acabará por perder la vida, o ya dentro del XX, el héroe principal de los Episodios Nacionales va a evolucionar de un protagonista aristócrata en la cuarta serie (Pepe García Fajardo, Marqués de Beramendi), a un Tito Liviano, periodista de la clase media, en la quinta. A partir de ellos se va a ir alejando de los espacios de la realidad que no le interesan para acercarse a otros: va a abandonar la vida de los salones y las tertulias de la burguesía "interpenetrada" en la cuarta serie para acercarse a la pequeña burguesía y al pueblo, las clases sociales entre las que hay que buscar el consenso. E incluso va a ampliar su espacio llevando a algunos de sus protagonistas a lugares configurados desde lo imaginado y no desde lo real.

Galdós va a desechar lo que no represente a la sociedad moderna del xx ni sea materia novelable, y lo va a sustituir por nuevos elementos que va a ir incorporando. Estos serán a veces sociológicos y a veces estéticos, de modo que para crear la nueva novela del siglo se ve en la necesidad de renovación de los recursos novelísticos. En este sentido, habría que mencionar el descubrimiento del Impresionismo, que se desarrolla en obras como *Los duendes de la camarilla*, estudiada por Casalduero en su clásico *Vida y obra de Galdós* (1961: 141 y ss.), o el periodo modernista de 1901-1902, la evolución de los héroes galdosianos, pasivos y victimistas, a otros activos y dispuestos a buscar el cambio (véanse Casandra, Santiago Ibero, Teresa Villaescusa o Carlos de Tarsis)... En los siguientes apartados nos centraremos en repasar el intento efímero y frustrado de estética modernista como hito relevante en el proceso de búsqueda, así como en tres aspectos capitales en la configuración de la nueva novela del siglo xx: la ampliación de nuevos espacios novelescos a lugares realmente desconocidos por el autor, como América; la combinación de lo teatral con lo narrativo como una forma literaria más acorde con la nueva manera de percibir la realidad, más directa, más fugaz y más efectiva; y la imaginación, materializada en lo fantástico y lo mítico, como dimensión que permite captar paradójicamente un mayor número de elementos reales en la novela. Con estas novedades el novelista amplía su horizonte narrativo y se mueve hasta los límites permitidos por una novela de base realista, de modo que se van a crear una serie de tensiones entre lo ya establecido y las nuevas aportaciones. En consecuencia, al tiempo que enriquece su estilo creará una desestructuración en los moldes de esa novela tradicional de partida, exactamente iguales que las que crea la nueva sociedad en el orden vigente.

Este camino que recorre no debe ser pensado de manera homogénea, premeditada y lineal, al menos entre 1902 (primera novela del siglo) y 1908, en que escribe *España trágica*. En ese periodo se detectan varias búsquedas, pruebas y elementos novedosos en las novelas, pero no la creación de una estética que haya impactado de una manera muy efectiva en el público. Esto, probablemente, y como se intentará demostrar, a causa del fracaso de *Alma y vida* que le pudo abrir el camino a una nueva manera de escribir basada en el modernismo. Ello le supone que hasta *El caballero encantado* no vuelva a arriesgar un éxito literario, ni a ensayar conscientemente una estética muy novedosa. Así, la manera de tratar la realidad, el tiempo, el espacio, el género literario, hasta situarlos, de manera inteligente, en los límites permitidos por una novela de tipo realista, crean una nueva estética que, aunque causa extrañeza e incomprensión entre parte de los críticos, como se vio en el capítulo primero, consigue tener éxito de recepción (recuérdense las tiradas y las ventas) y abrir una nueva manera de novelar que enseguida pasa a los Episodios Nacionales, subgénero idóneo por su larga trayectoria y marco férreo sobre el que se sustenten las innovaciones. Este cambio no parece casual, pues, además, se trata del tipo de novela que fija la historia de esas clases sociales consensuadas que él propone para la formación de la clase media.

El hecho de que encontremos menos carga histórica en los últimos Episodios de la quinta serie se relaciona con que ha volcado prácticamente todos sus intereses narrativos en este subgénero, que si hasta el momento habían sido el manual histórico de todo liberal español, ahora se convertirían en el manual de una nueva clase media que está emergiendo y que se está formando. Ellos servirían para reactivar el proyecto ideológico que simultáneamente intenta llevar a cabo desde la Conjunción Republicano-Socialista[2].

7.1. El modernismo y el intento frustrado de una nueva estética

En sus *Memorias de un desmemoriado* recordaba Galdós la asiduidad con que visitó a su amigo León y Castillo en París, durante los años 1901 y 1902 atraído por la ciudad (1968c: 1714). Gracias, entre

2 Esta nueva manera de novelar se entiende, de hecho, como la materialización de la ideología galdosiana. Prueba de ello es, por ejemplo, que los años más radicales coinciden con los más alejados de la novela realista decimonónica.

otros, a esos (y anteriores) viajes el novelista mantenía el contacto con la literatura francesa y estaba informado tanto de las novedades como del funcionamiento de la esfera artística en Francia. Desde los años en que había descubierto a Balzac hasta convertirse en una revelación para él, la estética en auge procedente de París no le pasaría desapercibida. Así, en ese caótico entresiglos, en que la heterogeneidad y el vacío de una estética hegemónica definían el campo cultural español, Galdós empieza a recoger y a hacerse eco de esas nuevas tendencias. Se propone entenderlas, acercarlas a su estética de base realista e incluso se produce un intento de viraje hacia ellas.

El año 1902, uno de los más comentados, analizados y reseñados en las historias de la literatura, de los más importantes desde el punto de vista de la estética y de la subjetividad del autor, es el año en que Galdós explora el simbolismo y el modernismo tanto desde su actividad como intelectual como desde sus escritos. Se trata de un corto periodo que dista entre la escritura de *Alma y vida* (julio-noviembre de 1901) y la publicación de *Las tormentas del 48* (junio de 1902), año en el que el novelista, además, participa como jurado de la encuesta de *Gente Vieja* sobre qué es el modernismo y se relaciona con escritores como Martínez Sierra y otros colaboradores de la revista *Helios*, muy cercanos a esta corriente estética[3].

Alma y vida, escrita tras el éxito de *Electra*, y en la que se ha querido ver un trasunto del final del reinado de Isabel II (De la Nuez Torres 2005), refleja el momento ideológico y estético galdosiano, puesto que aúna la perspectiva regeneracionista de dos problemas latentes como son conflicto de la tierra y el caciquismo, hilo conductor de los hechos, con una tragedia amorosa en la que se desarrollan el espíritu melancólico, la abulia y la desazón del fin de siglo.

3 El propio Martínez Sierra (1903) le dedica un artículo en esa revista el año siguiente en el que destaca el simbolismo en sus obras, su capacidad para introducirse en las "galerías" del alma (en términos machadianos) a través de sus personajes, a pesar de su falta de impulso poético, y la admiración que siente por la potencia renovadora de su teatro, si bien le invita a un ejercicio de condensación más intenso en su contenido.

Para contextualizar ese conflicto de la tierra, Galdós sitúa la obra en un tiempo muy cercano ya a la Revolución francesa (1780) y en un espacio que se reduce al castillo de Ruydíaz, "una antigua construcción feudal, de la cual se conserva una parte en su primitiva arquitectura, con torres y adarves" (1968c: 903), y alrededores. La elección de estos dos aspectos no puede considerarse arbitraria si se tiene en cuenta que durante toda la obra se respira un aire de inminente revolución campesina que recuerda la advertencia del ya citado artículo "Rura" y que, a la vez, reproduce el sistema prerrevolucionario que entonces en España seguía imperando en la gestión del campo.

Por tanto, Galdós vuelve a escribir sobre el problema de la tierra y también sobre la lucha de clases con la acostumbrada resolución de unión entre el pueblo y la aristocracia, pero desde un marco formal y unos elementos estéticos procedentes del simbolismo y del modernismo[4]. De este modo, intentará combinar en una misma obra un contenido realista social típico de la novela tradicional con un marco formal propio del momento en que se está escribiendo la obra. Esta diferenciación se hace latente también en la propia estructura de la obra. Así, el principal conflicto social y material se plantea extramuros del castillo; es generado y protagonizado por los campesinos como clase social, dejando a la clase social dirigente como receptora. Frente a esta, se plantea otra situación intramuros que responde más bien a un conflicto amoroso e ideal, gestado y protagonizado por la facción aristocrática de la sociedad. La tragedia amorosa ocurrida entre la duquesa Laura de la Cerda y el hidalgo Juan Pablo Cienfuegos explora las sensaciones y las galerías del alma. Ello se efectuará a través del diálogo metateatral surgido en el ensayo de la pastorela del acto II, que lleva por título precisamente ese tipo de composición musical medieval.

Así, cuando el tema del campo es tratado por los campesinos como protagonistas, se convierte en un tópico de tipo social; sin embargo, cuando este alcanza a la aristocracia se convierte en un problema de

4 La obra ha sido estudiada exhaustivamente desde esta perspectiva por Rosa Amor del Olmo en su edición crítica de 2002.

las ideas, en una representación que indaga sobre lo profundo de las galerías del alma. Hacia este segundo aspecto se van a inclinar las escenas de mayor musicalidad, las más líricas, las más estéticamente cuidadas. Allí aparece el verso, donde se encontrará la mayor carga simbólica y la novedad estética que lo acerca al modernismo a través de elementos como el marco de pieza musical que envuelve la obra, o la aparición de lo oculto y esotérico, representado por las brujas de la alquería.

El punto de unión que da coherencia a esa dualidad platónica de la materia y la idea, de alma y vida, se lee en el análisis social de los protagonistas del conflicto, que funcionan como símbolos de la clase aristocrática, caso de Laura de la Cerda, la marquesa de Ruydíaz, y de la clase que está por debajo, representada por Juan Pablo Cienfuegos. La caracterización de Laura, como mujer enferma, abúlica, falta de voluntad, representa el desgaste de una sociedad enferma y frágil que ya no parece tener cura. Frente a ella se sitúa el hidalgo Juan Pablo Cienfuegos, de fama revolucionaria, dispuesto a desafiar a la clase dirigente y alborotar a los campesinos para que se levanten frente el poder hegemónico. Galdós lleva a su literatura del siglo XX por primera vez esa idea (con antecedentes en *La loca de la casa* y *La de San Quintín*[5]) de la unidad de las clases que definía en el discurso de 1897, mediante la relación de Juan Pablo y Laura, posible solo en el plano de la idea, representado a través del metateatro, pero imposible en el de la materia, como se demuestra mediante la tragedia de la muerte de Laura y la no consumación del amor de estos. Lo pastoril, entonces, aparecerá también por primera vez en el siglo XX galdosiano como la resolución de conflictos (recuérdese que posteriormente, en 1909, volverá a lo pastoril en *El caballero encantado* como una Edad de Oro idealizada).

Galdós ofreció una nueva propuesta estética bajo los parámetros del simbolismo, "matriz desde la que se plantea un nuevo lenguaje teatral y una forma distinta de comunicación entre el escenario y la sala" (Ayuso 2014: 60). Sin embargo, el intento no fue bien recibidos por la crítica, que no comprendió la relación de la obra con el sim-

5 Véase Mainer (1987: 21-22 y 25).

bolismo que presentaba (véase Berenguer 1988: 240-258). Tanto fue así que Galdós decidió editar el texto unas semanas después con un prólogo explicativo defendiendo el simbolismo de la obra como uno de sus logros.

En *Las tormentas del 48*, que reproduce (y no casualmente) los años de la Italia romántica, presenta tímidamente elementos de tipo modernista: la autobiografía, las confesiones, las memorias, el ocultismo, las pasiones desenfrenadas, el protagonismo y el refinamiento de la alta sociedad, el dandismo del Marqués de Beramendi... y el romanticismo. Este último es el que Galdós rescata en mayor medida, pero sin llegar a superarlo como los propios modernistas lo harían, ya que el novelista desestimará toda la renovación del lenguaje poético y la indagación de sus posibilidades estéticas. Sin duda, Galdós no consigue crear en ese Episodio una novela al estilo de las *Sonatas* de Valle-Inclán, pero sí anuncia maneras que proponen otra forma de novelar y que lo acercan a esta estética con la que se encontraba claramente conectado[6].

La decepción de la puesta en escena de *Alma y vida* cercena todo intento de ruptura con el realismo decimonónico. La negación del arte por el arte, los límites de clase como escritor burgués, las limitaciones de difusión y su elitismo, le impiden la creación de un arte cercano al de los bohemios, al de los Azorín o Valle-Inclán en 1902, un arte rupturista que se aleje del referente realista que busca su público. Galdós respetaba y admiraba lo que hacían, pero no podía sumarse a sus nuevas propuestas. El poco impacto y el poco efecto que tiene en la sociedad, le hacen volver a un estilo más realista y menos modernista, a buscar otra estética que defina y que haga dialogar a las distintas clases sociales que la componen. Galdós rechazará entonces esta estética rupturista y buscará su nueva novela a partir de otras innovaciones[7].

---

6 Téngase en cuenta que *Las tormentas del 48* se escribió después de *Alma y vida*, y que Galdós desechó esta forma de escritura justo tras haber fracasado en su estreno.

7 Véase esta opinión tardía sobre su postura sobre el arte por el arte, que Del Olmet y Carraffa recogen en su entrevista de 1912: "No, jamás. Creo que la literatura deber ser enseñanza, ejemplo. Yo escribí siempre, excepto en algunos

7.2. Hacia los límites del espacio narrativo: América en Galdós

La emancipación de las colonias y la guerra con los Estados Unidos (mientras se reparten el mundo junto a Gran Bretaña y Francia) complicaron la situación internacional de España en el fin de siglo, que continuaba alejándose políticamente de los Estados europeos más fuertes[8]. Las políticas económicas, tanto internas como externas, orientadas a mantener los intereses de la élite gobernante, dejaron el país en una situación de debilidad y vulnerabilidad cada vez mayor. El endeudamiento del Estado, factor más relevante, lo convertía a ojos de las potencias del momento en una posible "explotación colonial" (Carr 2003: 53-54), que para dejar de serlo necesitaba deshacerse definitivamente de estructuras obsoletas. El ansia de expansión de la Europa capitalista no obviaba los beneficios que aportarían las inversiones en un país limítrofe como España, pasaporte de entrada a África y, por su pasado colonial, a Latinoamérica.

Por tanto, en todos estos años posteriores al 98, en que definitivamente está resurgiendo el concepto de patria y en los que España se ha convertido en un país potencialmente colonizable, el interés de Galdós por mantener cuantos más vínculos culturales con la América hispanohablante es constante (antes incluso de que la Generación del 14 se obsesionara con la creación de una identidad común a través de la cultura)[9]; el novelista entiende im-

momentos de lirismo, con el propósito de marcar huella [...] En pocas obras me he dejado arrastrar por la inspiración frívola" (93).

8 España, con Portugal, Italia y Rusia, entre otros, forma parte del grupo de países en los que el capitalismo se desarrolló de manera tardía, debido en buena medida a su situación eminentemente agrícola (Nadal 1999: 238; Tortella *et al.* 1981: 67; y Tortella y Núñez 2011: 110-111).

9 Que Galdós era consciente de este peligro parece evidente cuando se leen declaraciones como esta de 1907: "...acudiremos al Socorro de la nacionalidad, si, como parecen anunciar los nubarrones internacionales, se viera en peligro de naufragio total o parcial, que nada está seguro en estos tiempos turbados, y en los más obscuros y tempestuosos que asoman por el horizonte" (Fuentes 1982: 53).

prescindible la relación entre España y la América independiente como una forma de regeneración simbólica nacional, pero también económica:

> Por una ley de compensación histórica, si la América española debe su origen a España, esta antigua monarquía, sometida a durísimas pruebas en el curso de la historia, hoy gastada y anémica, como madre consumida en la concepción y crianza de tantos hijos, necesita del concurso de los Estados nuevos de América para vigorizar su organismo y restablecer su peculio (Pérez Galdós 1923a: 250).

El factor geopolítico, por tanto, entra a funcionar en el pensamiento galdosiano como una de las variables más que se debe tener en cuenta a la hora de formular una salida a la crisis nacional. Este hecho no responde a una casualidad ni a una visión circunstancial, sino que se entiende como parte de una constante e ininterrumpida relación entre el novelista y América. Los vínculos familiares[10], el nombramiento como diputado liberal por el distrito de Guayama (Puerto Rico) en 1886, el rico intercambio epistolar con los intelectuales americanos de diferentes países, los ejemplares dedicados en su biblioteca y las colaboraciones en publicaciones periódicas americanas, como *La Prensa* de Buenos Aires, dan buena cuenta de ello. Entre los diferentes países, Cuba destaca sobre las demás, debido a la relación generada por la emigración de algunos miembros de su familia[11], y sobre todo, a razones históricas, puesto que Cuba no solo fue una de las últimas colonias emancipadas, sino que su proceso de independencia generó

---

10 Esta relación es común entre los canarios y la América Hispana, ya que fueron en todo momento muy estrechas, debido a su situación geográfica, el comercio y el constante flujo de viajeros emigrantes e inmigrantes entre las islas y el continente (Parsons 1983).

11 Existen varias ramas de la familia Galdós asentadas en Cuba. Véanse al respecto y principalmente, Artiles (1967); Camacho y Pérez Galdós (1973); Pattison (1986) y De Armas (2011). Además, los biógrafos del novelista han hecho hincapié en la importancia que tiene la relación mantenida en su adolescencia con la cubana Sisita, hija de un pariente de la familia Galdós (Bueno 1958: 52 y 82; y Sinnigen 1998: 115-121).

toda una literatura propia en la primera década del xx, en la que Galdós participó notablemente[12].

En ese sentido, resulta fundamental tener en cuenta que dicho proceso emancipatorio fue el único vivido por Galdós (recuérdese que él nace en 1843, casi veinte años después de la batalla de Ayacucho) y que, como ya se apuntó anteriormente, en su caso personal, de la coyuntura creada tras la guerra de Cuba surge una nueva realidad que impulsa la reconfiguración de un nuevo proyecto ideológico.

Estas circunstancias llevan al novelista a ser reseñado como uno de los pocos intelectuales de su generación que desde el comienzo siempre mostró interés por el otro lado del Atlántico (Ángel del Río 1961: 279 y García Barrón 1986-1987: 145-146)[13].

La coyuntura histórica, como se viene sosteniendo, rige el cambio estético; así se deduce del análisis cuantitativo y cualitativo del grado de aparición del tema americano en su obra. Y dentro de ese elemento histórico es la pérdida de las colonias lo que determina el incremento cuantitativo y el mayor grado de importancia de América y lo americano como un nuevo modelo espacial en el que se inspira el

12 Esta abarcó desde composiciones populares, hasta la labor de poetas (Manuel del Palacio, Joan Maragall, Santiago Rusiñol, Eusebio Blasco…), novelistas y cuentistas (léanse los cuentos "En el tren", de Clarín, y "Poema humilde" de Emilia Pardo Bazán, o las novelas *Las ingenuas*, de Felipe Trigo y *Del cautiverio*, de Ciges Aparicio, por ejemplo). Véase Rodríguez Puértolas (1999).

13 Aunque fue Antonio Heras quien en el año 1941 por primera vez da cuenta de la presencia del tema en muchas de sus obras, como *El amigo Manso*, *La loca de la casa*, *El abuelo*, *La vuelta al mundo en la Numancia* o *El caballero encantado* (1941: 101-111) se ha considerado el trabajo de Ángel del Río "Notas sobre el tema de América en Galdós" (1961), como referente para los estudios de América en Galdós, estudios que proliferarían en la década de los noventa, hasta llegar incluso al teatro, donde Sebastián de la Nuez Caballero detectaba elementos de tema americano en diez de sus veinticuatro piezas teatrales (aunque solo en cinco se consideran relevantes para el conjunto de la obra) (1986: 461-472). Ello sirve de punto de partida para entender y analizar la configuración del imaginario americano en el novelista, cómo se estructura a lo largo de su vida y cómo será después del Desastre del 98 cuando América se convierte en elemento relevante de su proyecto ideológico y es utilizado literariamente como un nuevo espacio narrativo en el que incluso desarrollar una trama novelesca.

actual proyecto ideológico galdosiano. Por tanto, la situación histórica española en sus relaciones internacionales es crucial para entender la función de América en la ideología galdosiana del siglo XX. Galdós sabe de la importancia de las relaciones entre América y España para el país, pero solo las convierte en fundamentales en un momento en que estas relaciones son parte latente de la problemática nacional, al igual que hará con Marruecos en *Aita Tettauen* (1904). Esta idea permite dividir su imaginario americano en dos fases: una que llega hasta 1898 y otra de 1898 en adelante.

Durante la etapa colonial América tiene menor importancia, sobre todo hasta el IV Centenario del "descubrimiento", en que se restablece el intercambio entre los intelectuales de uno y otro lado. Anteriormente, debido a las frías relaciones entre estos y el desinterés recíproco tras las guerras de independencia, las referencias de Galdós a América en sus obras son escasas y coyunturales[14]. No le dedica especial atención al otro continente, puesto que él lo considera parte de la realidad nacional. América siempre se encuentra presente a través de sus personajes, cuyos problemas o conflictos son una prolongación de los de la metrópoli. Todavía no es un espacio literario, no tiene independencia ni importancia más allá de lo que la une con España, de ahí que el tema del indiano surja como uno de los más recurrentes en esta etapa[15].

14 Ni en la primera serie de los Episodios Nacionales ni en ninguna novela hasta *Gloria* (1876) se encuentra mención explícita a América. Sin embargo, a partir del año 1875, que aparece la primera alusión directa en *Memorias de un cortesano de 1815*, en casi todas las novelas de esta época se registra alguna referencia, excepto en *El doctor Centeno*, *La de Bringas*, *Lo prohibido* y *Miau*. Tanto en la segunda serie de los Episodios Nacionales, como en las novelas hasta 1889, dejando al margen la citada *Memorias de un cortesano de 1815* y *El amigo Manso* (1882), aparecen de manera casi anecdótica y circunstancial, sin darle espacio siquiera a acontecimientos del grado de la batalla de Ayacucho. Y a partir de *Realidad* (1889), solo hay presencia en el teatro, no en las novelas, a excepción de *El abuelo* (1897). Para más información sobre al respecto, véanse Del Río (1961); Coffey (2009); John H. Sinnigen (1998) y Friol (1981).

15 En este sentido el caso de *El amigo Manso* es relevante en tanto que Galdós lleva por primera vez al centro de la trama elementos coloniales a través de la familia de José María Manso, hermano del protagonista, como ha estudiado John

Galdós desconoce la realidad de las aún colonias[16] y la configuración de su imaginario sobre América se encuentra determinado por el liberalismo con el que se identificaba entonces (recuérdese que entre 1886 y 1890 fue diputado del Partido Liberal de Sagasta por Puerto Rico[17]). A partir de artículos como "Unión Ibero-americana" (25/10/1886), "América y España" (25/12/1886) o "Las dos razas del continente" (04/03/1890), se deduce que América para Galdós es un bloque unido por la Historia colonial española, la lengua y la raza, con la que hay que emprender una relación "moderna" (basada en el co-

---

Sinnigen (1998: 117 y ss.), prototipo de indiano. Este modelo social ya había aparecido en *Marianela*, mediante la figura de Teodoro Golfín, pero también se encuentra en novelas posteriores como *Tormento* (Agustín Caballero), o en piezas teatrales como *La loca de la casa* (José María Cruz). De las obras de la América independiente, solo en *El tacaño Salomón* se hará referencia a la figura del indiano.

Aparte, en las novelas y piezas teatrales de Galdós se registran múltiples personajes que de alguna manera se encuentran relacionados con América, especialmente con Cuba. Para muchos de ellos, América se presenta o se ha presentado en algún momento como una posibilidad de cambio, una nueva oportunidad para empezar de cero una nueva vida (Víctor, de *La de San Quintín*; León, de *Mariucha*; el conde de Albrit, de *El abuelo*; Alfonso de la Cerda, de *Casandra*), para otros es una vía de escape de la metrópoli, pero considerándolo como un lugar en el que continuar con la nueva vida; eso es Cuba cuando aún es colonia de España (Joaquín Pez y Melchor Relimpio, en *La desheredada*; Federico Cimarra, en *La familia de León Roch*). Otros han estado y han vuelto, como Feijoo en *Fortunata y Jacinta*...

16 Buen ejemplo de ello ocurre cuando el novelista cubano Cirilo Villaverde le manda a Galdós un ejemplar de su novela *Cecilia Valdés*. Con él va una carta fechada en Nueva York, el 11 de abril de 1883 en que Villaverde le presenta su admiración y respeto. A esta le responde un muy diplomático Galdós: "he leído la obra con tanto placer como sorpresa, porque, a la verdad (lo digo sinceramente, esperando no lo interpretara V. mal) no creí que un cubano escribiese una cosa tan buena" [...] "aquel acabado cuadro de costumbres cubanas honra el idioma en que está escrito", pero sin embargo, "enormes diferencias separan su pensar de V. del mío en cuestiones de nacionalidad" (carta fechada en Madrid el 26 de junio de 1883, citado por Cairo 1987: 95). Esto, según nos cuenta Friol, no sentó muy bien ni a Villaverde ni a los cubanos, sobre todo en lo referente al nacionalismo (1981: 16).

17 Más información en Armas Ayala (1979).

mercio), para adelantarse a las intenciones del bastión norteamericano que, poco a poco, iba creciendo como potencia económica[18].

Sin embargo, a partir de 1898 el novelista se preocupará por incluir en el ideario nacional un nuevo imaginario de América cuya autonomía con respecto a la metrópoli iba a ser reconocida nada más que parcialmente. Para Galdós, la relación que España debe establecer con América se encuentra ligada a su concepto de patria, una patria que va más allá de las fronteras geopolíticas[19]. Más adelante veremos que también en esa concepción de América la formación de la clase media tiene mucho que ver.

Pasado el tiempo inmediato al 98 y animado por las nuevas relaciones con América —como se deduce de su epistolario, especialmente con Ricardo Palma—, Galdós muestra mayor interés por este continente que en etapas anteriores[20]. Trata con profundidad el tema

18 En "Las dos razas del nuevo continente" apela a una ley de compensación histórica que tiene América con España frente a América con Estados Unidos. Son estos los años en que el panamericanismo está proyectando y acaba de celebrarse su primer congreso en Washington. Galdós cree muy claras las intenciones expansionistas norteamericanas y califica de imposible el panamericanismo que quiere Estados Unidos, y bajo la cual ya captó la intención de "extender a ambas Américas la influencia de los *yankees* y llegar a la hegemonía comercial de los Estados Unidos con exclusión de la industria europea" (1923b: 245). Se posiciona, por tanto, contra la autonomía y la autarquía de América como formación ajena a Europa; teme que una unión americana deje a Europa sin tratos comerciales con América.

19 En este sentido, resulta esclarecedora la publicación de otro artículo en *Vida Nueva* el 10 de julio del 98 (último en tiempo inmediatamente posterior al Desastre) titulado "La patria". Se trata de un fragmento copiado de *Trafalgar* (capítulo X), en que se explica el alcance del concepto. En la obra de 1873, es Gabriel Araceli el sujeto de esas palabras previas a la batalla de Trafalgar, sin embargo, ahora es el propio Galdós. Para alguien que no conociera el texto de *Trafalgar*, resultaría evidente que esa idea de patria pertenece al autor. Y esa patria será "una inmensa tierra poblada de gentes, todos fraternalmente unidos", incluyendo padres, hijos, y espacios: huertos, surcos, casas… y también "la colonia descubierta y conquistada por sus ascendientes".

20 En esta etapa se recogerá el fruto de las relaciones que se habían empezado a recuperar con la celebración del IV Centenario del Descubrimiento de América y su protagonismo en la Expo de París de 1892 (véase Fernández Cifuentes 1998: 117-145).

y reflexiona sobre las causas de su independencia, así como las relaciones que se han establecido y que se deben establecer con España. Ahora se incluye verdaderamente en sus textos, ya que de 33 obras que escribe entre 1901 y 1920, en casi la mitad menciona de alguna manera el tema de América, llegando incluso a ser escenario de una de ellas, el Episodio Nacional de la cuarta serie *La vuelta al mundo en la Numancia* (enero-marzo, 1906), fruto de las conversaciones (por carta y en persona) con Ricardo Palma, así como de las lecturas históricas sobre Perú, Chile y la guerra del Pacífico (García Barrón 1983 y 1992: 24-52)[21]. Galdós, en consonancia con la búsqueda estética de una nueva novela de la clase media, convierte por primera vez al continente latinoamericano en espacio literario.

Ambientada en esos años, Galdós relata el viaje del protagonista a tierras peruanas, donde presencia el suceso del bombardeo de El Callao; así, la novela se convierte en un relato dedicado prácticamente al tema de América. La trama lleva a que el peruano Belisario, enamorado de Mara, la rapte en España y se la lleve a Perú. El padre de ella (el protagonista), Diego Ansúrez, parte entonces en la fragata *Numancia* a buscarla a tierras peruanas. En ese recorrido, que conforma el grueso de la novela (capítulos IX-XXXI), Galdós va planteando una serie de elementos con respecto a América a partir de los cuales, se deduce la composición de ese imaginario americano.

En el siguiente Episodio de la cuarta serie, *Prim* (julio-octubre, 1906), Galdós vuelve a introducir otro relato sobre las intenciones imperialistas de la corona española: la intervención en México en 1861 junto con Inglaterra y Francia por el impago de la deuda (capítulos I-X). En la narración de este suceso, Galdós lleva a Prim a México, alejándolo físicamente de la escena principal, lo que le permite relatar los hechos a través de las opiniones de quienes se encuentran en España (y no en México). Así, la fuga de Santiago

21 Parece que la idea primitiva era escribir una obra de teatro a partir de las *Tradiciones peruanas*, de Ricardo Palma, sin embargo, nunca lo hizo. No obstante, esa información fue utilizada para este Episodio Nacional (Ricard 1972: 135-136 y De la Nuez Caballero 1981: 122-128).

Ibero, obsesionado por unirse a la expedición mexicana (a causa de sus lecturas sobre los conquistadores españoles y el ya creado mito de Prim), le permite a Galdós emplear el recurso del viaje para ir mostrando las diferentes opiniones (especulativas la mayoría de las veces) que reproducen el sentir general del suceso en España. Estas son de tan diferente índole que van desde la opinión del pueblo en una taberna de Almazán ("un zanganote montuno", "un gordo sanguíneo", "un pesimista siniestro", "un gordo grasiento" o un soldado mutilado, Milmarcos), a la de un cura (Tadeo Baranda, tío de Ibero), a un estudiante (Maltrana), a un sargento de Infantería (Silvestre Quirós), a monjas, aristócratas (Eufrasia), progresistas como Manolo Tarfe, conservadores como el Marqués de Beramendi o la propia voz del narrador. Muchas ideas son las que se manejan sobre Prim, sobre su poder e imagen, sobre la composición del mito, etc. Y como telón de fondo de este completo análisis del sentir social nacional, se establece un acuciante problema de política exterior: el nuevo imperialismo por parte de Francia e Inglaterra y el ridículo papel de España en el conflicto[22]. La retirada de las tropas de Prim por cuenta propia se entiende desde el punto de vista de la política internacional española como un gesto antiimperialista. El relato del episodio le sirve a Galdós para demostrar cómo España ni estaba —ni está en el tiempo de la escritura— a la altura de las nuevas potencias imperiales y que cualquier rebrote de imperialismo solo acabaría una vez más en vergüenza y derrota. Así lo expresa el general Prim en su discurso de defensa en el Senado, en diciembre del 62, por la retirada de las tropas:

> Y a pesar de tan dura lección, incurrimos en nuevas fanfarronadas, que tal fue, además de la anexión de Santo Domingo, la insensata campaña naval contra Chile y el Perú. En mal hora vino acá la moda imperial, con sus miriñaques primero, sus polisones después; vanidad de formas femeninas, vanidad de pompas bélicas (1968b: 570).

22 Recuérdese que entre enero y abril de 1906, Alemania, Francia, Inglaterra y Estados Unidos están discutiendo en la Conferencia Internacional de Algeciras el reparto de Marruecos.

Prim y también Galdós no solo se oponen al imperialismo tanto francés (resuenan ecos de la guerra de la Independencia), como español, sino que además reconocen la autonomía política americana adquirida previamente —en ello insistirá posteriormente en *España trágica* (1909)—, donde será directamente la emancipación de Cuba lo que se debata. Galdós contextualiza la campaña de la prensa que en 1870 acusaba al general Prim, entonces presidente del gobierno, de estar negociando con Estados Unidos la venta de Cuba a cambio de una indemnización. A través de una carta del mismo Prim que llega a las manos del personaje Vicente Halconero, Galdós no solo desmiente el tema de la venta, sino que apoya conferir la independencia a la isla, puesto que la carta contenía las "Bases propuestas por el general Prim para conceder a la isla de Cuba la autonomía o la completa emancipación" (1968b: 954), aunque esta contaría con ciertas restricciones como compensación económica por todos los inmuebles españoles en la isla, asunción de parte de la deuda pública española o ventaja del comercio con España frente a los demás países por un tiempo limitado. Prim anteponía el interés económico y aceptaría la independencia de la isla siempre que el pueblo lo deseara (la primera de las cláusulas expuestas en sus textos reivindicaba un plebiscito). A raíz de esta situación y de la carta de Prim se establece una conversación entre Vicente Halconero y su amigo Segismundo García Fajardo en que se trata el candente tema (en 1909) del panhispanismo[23]. En este punto entronca con la novela que meses después escribiría, *El caballero encantado* (julio-diciembre, 1909), en que a la solución de la unión de las clases

23 El panhispanismo fue una corriente que empezó a gestarse como respuesta al efecto producido por el sentimiento independentista que se formó entre los intelectuales cubanos a raíz de las demás independencias americanas (1810-1824). El padre Félix Varela fue el primero que intentó por la vía administrativa y política un intento de autonomía y de independencia, pero su proyecto fue rechazado por las Cortes (203). Y a partir del año 66, tras las implicación de España la guerra del Pacífico entre Chile y Perú, el problema de la América española vuelve a estar candente vuelve a resurgir (véase Cairo 2003: 201-209). Por eso tiene total sentido que Galdós traiga a colación en esta narración basada en 1869 este concepto.

se sumará la unión también de América y España. Por tanto, en estos textos, sobre todo en relación con los escritos de la etapa colonial, América funciona como un elemento ideológico relevante (recuérdese cómo algo posteriormente Galdós proyecta escribir, aunque nunca lo llevó a cabo, el Episodio Nacional *Las colonias perdidas*, que trataría sobre Cuba; véase la nota 24).

Como complemento de estos testimonios, para poder entender en qué consiste el imaginario americano de Galdós, tenemos que tener en cuenta las opiniones que aparecieron en los artículos de 1905 publicados en *La Prensa* de Buenos Aires con motivo del III Centenario del *Quijote* (Boo 1982) y 1914 ("América y España", publicado en *La Esfera*), o en la entrevista de Javier Bueno de 1912.

También es en estos años en los que se conserva el mayor epistolario de Galdós con los americanos, puesto que tiene relaciones por carta con Ricardo Palma, con Manuel Serafín Pichardo, Rubén Darío, Amado Nervo, etc., y en los que habla de visitar algunos países americanos, como Argentina, México y sobre todo Cuba[24].

---

24 Al viaje a Argentina se refiere en una carta fechada el 9 de abril de 1918 y dirigida "A mis amigos argentinos" (conservada en la Biblioteca Nacional de Chile, procedente del Archivo de Ghiraldo). En ella se lamenta de no haber podido realizar un viaje que había proyectado hacía años a ese país (la carta se puede leer en Rubio Cremades 2009: 563). En cuanto a México y Cuba, el poeta cubano Manuel Serafín Pichardo publica el 13 de agosto de 1905 en *El Fígaro* (La Habana) un artículo en el que, entre otras cosas, recuerda una visita que hizo a Galdós en el verano de 1903 en Santander, en la que le prometió viajar a La Habana: "Nos habló de letras, de periodismo, de Cuba, de la América latina, y nos hizo la promesa de visitar La Habana, cuando pueda realizar —que no será tarde— un viaje que tiene ofrecido a sus amigos de México" (406). Unos años después, en 1914, aparece también en *El Fígaro* otra carta de Galdós al mismo Manuel Serafín Pichardo, recientemente elegido académico de la Lengua. La carta, fechada en Madrid, el 6 de junio de 1914, recoge de nuevo las intenciones de Galdós de viajar a Cuba con el fin de escribir ese Episodio Nacional *Las colonias perdidas*: "Ya manifesté a V. en Madrid mi deseo de visitar la isla de Cuba. Ha sido y es esta visita la ilusión preferente de mi vida, en los últimos años. Por el estado de mi vista no he podido lanzarme a esta descomunal y grata aventura. Pero, a pesar de los pesares, es muy posible que en el próximo invierno, obligado a ello por la necesidad, acometa tal empresa, valetudinario y casi ciego, con el exclusivo

Teniendo en cuenta la extensión y la importancia que tiene América en el desarrollo narrativo de sus textos, parece que las referencias han dejado de ser secundarias llegando incluso a adquirir especial relevancia en algunos casos (*Electra*, *Mariucha*, *Amor y ciencia*, *Pedro Minio*, *Casandra*...[25]). De ellos se desprende que Galdós intenta establecer una nueva manera de relacionarse con América, que difiere de la anterior, y que pueda funcionar como parte de la solución a la crisis española y como mejora de la sociedad del momento. Esto lo hace transformándolo en espacio literario y a la vez a través de la creación de un imaginario americano propio que nace de las lecturas y de su conocimiento sobre el continente. Pero ¿cómo es ese conocimiento?, ¿de dónde parte la creación del imaginario americano?

7.2.1. El imaginario americano de Galdós

En su "Notas sobre América en Galdós", Ángel del Río establece tres elementos clave en el tiempo posterior a la pérdida definitiva de las colonias: "condenación de los rebrotes de imperialismo; comunidad profunda de sentimiento y espíritu entre españoles e hispanoamericanos, por encima de sus diferencias; España, como entidad histórica creadora, pertenece al pasado, América al porvenir" (1969: 289). Estos elementos pueden servir como punto de partida, aunque requerirán matización, y a ellos se sumarán otros nuevos.

En primer lugar, América funciona como un bloque, como un todo; solo Cuba, por razones familiares e históricas tiene siempre

objeto de escribir en esa isla, uno de los cuatro episodios que me faltan, dedicado a la guerra de Cuba" (360). Ese mismo año, en la citada entrevista de El Caballero Audaz a Galdós, le explica con respecto a los nuevos Episodios Nacionales: "Tengo el propósito, para hacer el segundo, de irme a la isla de Cuba a pasar allí dos meses para documentarme bien. No sé... También me han invitado a ir a Buenos Aires..." (Dendle 1990a: 77). Y De la Nuez Caballero reproduce los testimonios de intelectuales como Andrés Sanz Coy o José Betancort que confirman el interés del novelista por realizar tal viaje (1981: 134-135).

25 Véase De la Nuez Caballero (1986).

un lugar especial en todo momento (*El amigo Manso*) y, en cierto modo el Perú, del que se encuentra una descripción algo más profunda en *La vuelta al mundo en la Numancia*. A pesar de estos dos casos particulares, Galdós no atiende a las peculiaridades ni a la identidad propia de cada uno de esos países. Sí ve muy claramente una diferencia con los Estados Unidos, convertido en nuevo imperio, y que para Galdós venía siendo una potencia cuyo crecimiento no había que descuidar ya desde la década de los noventa, en que se estaba fraguando el panamericanismo y el temor a una alianza entre las repúblicas americanas que arrebatara la hegemonía europea era latente. Galdós reivindica desde entonces un vínculo entre los centro y sudamericanos y los europeos que los uniera frente a una nueva potencia estadounidense que, "sueña con absorber moralmente (ya que materialmente no le es posible) la raza ibérica que puebla la América central, meridional, erigiéndose en tutora y abastecedora de aquellos jóvenes Estados" (Pérez Galdós 1923b: 246). El concepto de "raza ibérica", que responde a un criterio cultural e histórico (no antropológico) por el que se unen los diferentes pueblos de los dos lados del Atlántico, le servirá como factor diferenciador entre Estados Unidos y los demás países centro y sudamericanos (247)[26].

En este sentido, hay que tener en cuenta que Galdós acepta sin dudarlo la nueva realidad política de América y de España, su autonomía e independencia, como demuestra en la mayoría de sus escritos. A veces de manera implícita, como la expedición a México, contada en *Prim*, y otras muy explícitamente, como (aparte de la ya mencionada carta de Prim sobre la independencia de Cuba en *España trágica*) en el relato de la llegada a Montevideo en *La vuelta al mundo en la Numancia*:

---

26 También reconoce y pronostica muy acertadamente la relación dialéctica entre las civilizaciones del norte y del sur de América: "entre ambas habrá siempre un antagonismo saludable, que a una y a otra dará dignidad y vigor, y que ese antagonismo será elemento principal de la historia futura" (1923b: 247). Y después: "El norte y el sur serán émulos, jamás amigos, y ambos conservarán siempre sus lazos familiares con Europa y con las dos razas de que provienen" (*idem*).

> En esto llegaron a Montevideo, donde encontraran descanso, la alegría de víveres frescos, del bajar a tierra y tratar con españoles. Aunque políticamente no fueran aquellos nuestros hermanos, por el habla y los sentimientos no podían negar la casta (1968b: 469).

O en la misma novela, en este juicio de Mendaro, el español afincado en Lima:

> Estos países son hijos del nuestro emancipados, harto grandullones ya para vivir arrimados a las faldas de la madre... y aunque sean algo calaveras, no debe la madre ponerse con ellos demasiado fosca. Son republicanos, han roto con la historieta vieja, y se traen ellos su historia (498-499).

La aceptación de la autonomía de las repúblicas americanas implicaba que las relaciones entre España y América ya debían establecerse bajo otros criterios diferentes a los de tiempos coloniales. Galdós ahora sustituirá ese interés de los años noventa en fomentar las relaciones comerciales por la reivindicación de las relaciones culturales. Así lo expresaba en la carta enviada el 9 de mayo de 1905 a *La Prensa* de Buenos Aires sobre el III Centenario del *Quijote*, en la que apela a la literatura (y por consiguiente, a la lengua española), como factor de unidad cultural entre los dos continentes.

> Toda la rama, que bien podríamos llamar *cervántica*, está bastante lejos de ostentar ante el mundo una influencia o preponderancia directora. Pero dispersa y fraccionada, posee un lazo federativo que a unos y a otros nos liga y aprieta con nudo indisoluble; este lazo al propio tiempo signo de concordia y marca de progenie, es el idioma condensado en el poema que ha tenido y tiene más lectores en el mundo, poema sintético de la fantasía y la realidad, intensamente español y humano. Los españoles de una y otra banda del océano podemos afirmar nuestra fraternidad por el vínculo de orden espiritual y literario, y proclamar en él la ejecutoria más fehaciente de inmortal parentesco y de unidad sin fin.
>
> [...]
>
> Sagrada, intangible sea el arca de oro; pero dejémosla sin cerraduras, para que su rico caudal pueda crecer y multiplicarse con los elementos que nos trae la evolución vital del saber y del sentir panhispánico (Boo 1982: 125-127).

La unidad cultural entre los dos mundos para Galdós es no solo inexcusable, sino también inseparable[27], como dejaba escrito en el prólogo a los cuentos de Fernanflor en 1904:

> Vengan gobiernos que acometan resueltamente la extinción de los analfabetos; añádase un cordial acuerdo con las naciones hispanoamericanas, estableciendo aquí y allá el debido respeto a la paternidad literaria, y a la vuelta de veinte años, el imperio español, que políticamente es uno de los más inverosímiles ensueños, será realidad en el orden espiritual constituido bajo la majestad del idioma (Shoemaker 1962: 72).

Y en *El caballero encantado*, la Madre afirma la unión de los dos espacios mediante la lengua: "Allá como aquí, domino por mi aliento, *sicut tuba*; por la vibración de mi lenguaje, que será el alma de medio mundo" (259).

De esa relación fraternal nacería el hijo de Mara y Belisario, el peruano y la española de *La vuelta al mundo en la Numancia*, y posteriormente, Héspero, hijo de Gil-Tarsis y Cintia-Pascuala, los protagonistas de *El caballero encantado*. No deja de ser relevante la evolución del viaje de ida y vuelta a los dos lados del océano que se lee simbólicamente a través de quiénes y dónde se gestan esos hijos: el del texto de 1906 es engendrado en Perú y por una hija de español fugada a tierras americanas; pero en 1909, en cambio, será una colombiana de Bogotá educada en Argentina la madre de un niño esta vez concebido España. Los dos hijos, y más explícitamente, Héspero, son caracterizados como los portadores del progreso y del cambio hacia una nueva sociedad que regenerará a la vieja España (ya lo apuntamos anteriormente) a partir de una moderna Latinoamérica, como ha advertido la mayoría de la crítica (Cabrejas 1992; Rodríguez Puértolas 2006; Coffey 2009). Ese periplo por el que une los dos mundos con el fin de aprender, confraternizar y avanzar conjuntamente en un proyecto común es el que mantendrá hasta el final Galdós y el que intentará recoger en las últimas palabras del protagonista Diego Ansúrez en *La vuelta al mundo en la Numancia*:

---

27 Su lectura está orientada en la misma línea fraternal que se leía en el anterior episodio *Aita Tettauen*, sobre las relaciones entre España y Marruecos.

> Sosegados los tres, hablaron largo rato de las cosas pasadas y presentes; y en el curso de la entrañable conversación, repitió el celtíbero más de una vez este sagaz concepto: "Lo que yo he visto y aprendido es que cuando a uno se le pierde el alma tiene que dar la vuelta al mundo para encontrarla" (1968b: 541).

Galdós encuentra en la emancipada y republicana América la modernidad que busca para España. La nueva clase social que se está gestando no puede prescindir del vínculo que une a los dos mundos, sino que debe incorporarlo.

Sin embargo, no tuvo Galdós en cuenta que la independencia política y económica había también desatado una reivindicación ideológica no solo americana, sino propia de cada país. De ahí que, en 1910, Fernando Ortiz publicara una réplica de *El caballero encantado* galdosiano: *El caballero encantado y la moza esquiva (versión libre y americana de una novela española de Benito Pérez Galdós)*, en la que le recordaba a Galdós que la autonomía y la independencia adquiridas, en este caso por los cubanos, había impulsado la búsqueda de una identidad propia a la que no se podía silenciar[28].

La obra de Ortiz se publica a modo de folletín en la *Revista Bimestre Cubana* entre mayo-junio de 1910 y enero-febrero de 1911[29], y como folleto en 1911 (Imprenta La Universal); ese mismo año se incluye en *La reconquista de América*, un volumen editado en París, en el que Or-

---

28 El primer estudio que relacionaba esta novela y la galdosiana fue el de Vernon A. Chamberlin en "A Cuban's Reply to Galdós: *El caballero encantado y la moza esquiva*", de 1986. Posteriormente, Ricardo Viñalet analizó en profundidad la parte formal en "De cómo Fernando Ortiz supo hallar una moza esquiva para cierto caballero encantado", publicado en su obra *Fernando Ortiz ante las secuelas del 98*, de 2001, en la revista *América Sin Nombre*, en 2002 y en su obra de 2012 *Acercamientos y complicidades* (62-85); una versión reducida de dicha investigación puede encontrarse en "*El caballero encantado* en la óptica cubana de Fernando Ortiz: un enfoque sociopolítico regeneracionista e intertextual en 1910", de 1997. También desde Cuba Salvador Bueno (1995 y 1996) estudió ambas novelas.

29 *Revista Bimestre Cubana*, vol. V, núm. 1 (mayo-junio de 1910): 30-44; (julio-octubre de 1910), núms. 2 y 3: 141-160; (noviembre-diciembre de 1910) núm. 4: 257-268; vol. VI, núm. 1 (enero-febrero de 1911): 12-26.

tiz recopila artículos publicados en el diario *El Tiempo* y en la *Revista Bimestre Cubana* entre 1909 y 1910 en defensa de una cultura e identidad propiamente cubanas[30], en el marco de una campaña de respuesta al panhispanismo de Rafael Altamira y su recién terminado periplo divulgador por América (Cairo 2003: 215). Ortiz muestra en estos artículos unas muy duras y contundentes críticas al discurso de Altamira para denunciar sus intenciones neoimperialistas. El tono, no obstante, difiere del utilizado en su versión de *El caballero encantado* que, en clave de humor, rebaja la agresividad de los anteriores artículos.

El fin de su lectura de la novela galdosiana queda explicado en el prólogo a la obra con total claridad:

> El autor de estas líneas somete a su fantasía la magistral novela del castizo literato español y la interpreta desde puntos de vista americanos, subrayando los episodios y dichos principales y que más pueden interesar a los hijos de América (31)[31].

La novela de Ortiz es una propuesta de lectura anticolonialista de *El caballero encantado*, en la que se reivindican la autonomía y la dignidad no solo de Cuba, sino de toda la América no anglosajona. En su respuesta a modo de novela va dotando de realidad, completando y dando protagonismo a una América que para Galdós es muy parcial (una "ficción a medias", diría Ortiz).

En su análisis del elemento americano en la obra se centra sobre todo en el personajes de Cintia-Pascuala y tras un seguimiento en el

30 En el momento en que Ortiz publica *La reconquista de América*, interrumpe la escritura de otra obra en la que indaga en la cultura cubana con el fin de seguir buscando la identidad propia y las causas de no haberse modernizado completamente tras la emancipación, *Entre cubanos*. Urge, frente a la autorreflexión y la resolución de la movilidad interna, la defensa activa ante las intenciones coloniales, que pudieran hacer regresar a tiempos pretéritos. Al respecto, afirma Matos Arévalo: "En toda su obra inicial se verifica el afán de conocer al pueblo cubano y de darlo a conocer, como único y eficaz medio de reorganizar la sociedad sobre la base de principios racionales" (1999: 26).

31 Las citas de *El caballero encantando y la moza esquiva...* proceden de la versión original publicada en la *Revista Bimestre Cubana*.

hilo narrativo de la novela demuestra cómo este es un personaje construido a partir de una idea personal y subjetiva de lo que puede ser América, es decir, una realidad creada a partir de la realidad española, no de la americana[32]. En este sentido, Ortiz ofrece dos interpretaciones: que Pascuala sea un ser independiente de Cintia y ajena al encantamiento, o que el encantamiento es injusto y están penalizando a la protagonista por algo desconocido.

Lo más interesante, la destacable aportación de Ortiz, se encuentra en las dos cartas-epílogo en las que el autor va creando, al igual que Galdós, una ficción con datos reales, de modo que el vínculo con esa realidad para el lector es inquebrantable. Parece que todo lo anterior no fuera más que una excusa, un resumen y a la vez un tributo a la literatura de Galdós, para llegar a esas dos cartas, que resumen la postura de Ortiz frente a la relación España-América (incluidos los Estados Unidos).

La primera es de América Andina (en realidad, la Cintia de Galdós), a su hermana menor Juanita Antilla (Cuba), desde Buenos Aires, en mayo de 1910 (fecha del centenario de la independencia). En ella le resume, mediante un relato simbólico, los intentos recolonizadores de España en la guerra del Pacífico de los años sesenta y la configuración de la Doctrina Monroe. A esta le sigue la respuesta de Juanita Antilla el 4 de julio de 1910 (fecha de la independencia de Estados Unidos), en la que explica cómo ha estado viviendo bajo el dominio español, sobre la llegada de Sam (los Estados Unidos) y sobre cómo la ayudó a liberarse de ese yugo. Ortiz expone el escenario histórico en el que se han desarrollado las últimas batallas coloniales con todas las posturas: España, Estados Unidos, Cuba y el resto de Latinoamérica.

---

32 Ortiz exagera esa falta de conocimiento galdosiano: llega a dudar de la construcción del personaje como desdoblado, puesto que no sabe cómo justificar el encantamiento de Cintia (frente al de Tarsis, que él mismo acredita en su novela) (150), aunque Galdós lo explica al final: "ya me han traído a lo que fui, bien corregida de mi orgullo, y del desprecio con que miré a los que no poseían caudales como los que por herencia, no por trabajo, poseo yo" (Pérez Galdós 1968c: 341).

En la primera de esas cartas se confirma la teoría de Ortiz sobre el lugar desde dónde está concebido el personaje de Cintia y cómo esta nunca puede ser un desdoblamiento de Pascuala:

> Pascuala no es sino la *libertad de la cultura moderna*, cuyo deseo en la soledad del enfermo se aviva. Y así se comprende que no yo, que no su ideal *Cintia* pueda ser la presa del caciquismo español de los Gaytanes, Gaitines y Gaitones, ni sea la prenda que quieren robarle la burocracia del cerdoso secretario del Ayuntamiento de Calatañazor y el amado Regino tan fieramente acusado por Carlos.
>
> Este ve cómo a sus tierras regresan sus propios gañanes, después de trabajar en las mías y los encuentra mejor que antes, pulidos y de libres ideas, endomingados y con dinero, e instintivamente cree ver en mí la fuente de la libertad, de la riqueza, de la instrucción y del urbano refinamiento que por las puertas se le entran cada día. Por eso me confunde con Pascuala (1910: 1r).

El personaje, por tanto, solo funciona si se entiende creado a partir de una realidad española, no americana. Esto demuestra cómo Galdós trabajaba en su proyecto con elementos procedentes de la idea y no de la materia real. Todo lo que absorbe de su alrededor, mediado por los elementos que lo rodean, pertenecen a una imagen que choca frontalmente al ponerse en funcionamiento con la realidad descrita a partir de la experiencia propia, de la materia observada y vivida.

Fernando Ortiz, en esos tiempos de búsqueda identitaria, defiende el iberoamericanismo como la

> posibilidad necesaria de una integración de las repúblicas hispanoamericanas, sin la inclusión en un principio de España, aunque tampoco excluyéndola. Más bien la exhorta a ganarse un espacio en nuestra comunidad de naciones a partir de su regeneración, de la conducción de sus destinos por los españoles nuevos, los regeneradores verdaderos sin apetencias colonialistas, y con proyectos de desarrollo económico, educativo y cultural (Viñalet 2001: 116).

Misma idea que se muestra en los indianos retornados de las obras teatrales galdosianas y que reflejan hasta qué grado imagina América como un lugar de libertad.

No cabe duda de que Galdós estaba al tanto de lo que significaba el panhispanismo, como demuestra Segismundo García Fajardo en *España trágica* al comentar con Vicente Halconero la famosa carta de Prim. Este reconoce, a partir de la propuesta del general,

> una previsión profética, un mirar de águila que percibe lo distante mejor que lo próximo; [...] el ensueño de fundar una nueva España más grande y potente, formada por pueblos ibéricos que se aglomeren y unifiquen, no en atadijos administrativos sino con ligamento moral, filológico y étnico (1968b: 956).

Hasta este punto parecería que las intenciones de los panhispanistas serían en todo caso fraternales, como las de Galdós, pero poco después el propio Segismundo alude a la verdadera intención del proyecto (siempre a partir de la base de una opinión sobre el texto de Prim que se está manejando): "lo bonito será que nos traigan acá los doscientos cincuenta millones de pesos, para distribuirlos y aplicarlos conforme a las negras necesidades de estos empobrecidos pueblos" (957). Esta viene a coincidir con la misma definición de panhispanismo de Fernando Ortiz en *La reconquista de América*:

> significa la unión de todos los países de habla cervantina no solo para lograr una íntima compenetración intelectual sino para, también, conseguir una fuerte alianza económica, una especie de "zollverein", con toda la trascendencia política que ese estado de cosas produciría para los países unidos y en especial para España, que realizaría así "su *misión tutelar* sobre los pueblos americanos de ella nacidos" (1910: 8).

De vuelta a la anterior conversación de *España trágica*, no parece que las ideas panhispanistas acabaran de convencer al otro interlocutor, Vicente Halconero, a pesar de haberse sentido atraído por ellas en ciertos momentos:

> Las ideas de este [se refiere a Segismundo] sobre el *panhispanismo* como síntesis palingenésica le admiraban y seducían, pues él también acarició alguna vez en su cerebro aquella magna hermandad de los continentes, concibiéndola y desechándola como un rosado ensueño, y en

> el inofensivo picor de la gaseosa, se alumbró con las divinas luces que despedía de su mente el gracioso perdis... (1968b: 957).

En el pensamiento de Vicente Halconero se puede ver de alguna manera reflejado el pensamiento de Galdós, por el cual a priori parece que existe una empatía con los panhispanistas al apelar en mayor o menor medida a los mismos preceptos (unión cultural a través de los conceptos de raza, religión e idioma comunes), pero en realidad la intención imperialista y verdaderamente reconquistadora lo aleja de ellos. En este sentido, Fernando Ortiz critica especialmente la preocupación obsesiva de los panhispanistas por América cuando son los problemas de España los que les afectan directamente. A través de lo que los panhispanistas llaman "misión tutelar", se establece una relación consciente de superioridad entre España y América, que no se reproduce en el pensamiento galdosiano (incluso a pesar de que Galdós utiliza constantemente la metáfora de la madre y las hijas entre España e Hispanoamérica). Se trata en todo caso, de buscar un intercambio entre unas y otras, como afirma en "América y España" (17/01/1914):

> Comúnmente, proponemos la cordialidad de nuestras relaciones con las repúblicas americanas, carne de nuestras carnes y hueso de nuestros huesos. Perezoso yo también y tocado del general marasmo, pregunto: ¿Qué debemos llevar de nuestra España a las naciones americanas?... ¿Qué debemos traer de aquellas a nuestra Patria?... Nosotros poseemos archivos, museos, catedrales, lengua sonora y castiza, historia, mucha historia, demasiada historia. Nuestros hermanos de América nos ganan en receptibilidad para la ideología de nuestro tiempo, en adaptación a los nuevos métodos de trabajo y del comercio, en el hábito de la ciudadanía, siquier sea esta desordenada y tumultuosa (Dendle 1990a: 29-30).

Ello no significa, sin embargo, que no subyaciera un pensamiento inevitablemente colonial en la relación América-España. No hay un interés anexionista o reconquistador como en los panhispanistas, pero sí un fuerte pensamiento colonial que impide reconocer a América como un espacio autónomo y desligado de España. Y eso es lo que le recrimina Fernando Ortiz: su incapacidad para reconocer una autonomía total y una realidad enteramente propia americana independiente de la metrópoli española. Ciertamente, a Galdós poco le interesa la América que no tiene relación con la metrópoli, puesto que la imagen que configura de dicho continente se encuentra más bien vinculada a su realidad española que a la americana[33]. En todos sus testimonios americanos (más aún antes de la emancipación de Cuba y Puerto Rico) se centra en los elementos que relacionan América con España, en qué elementos le pueden ser útiles para repensar España. Así, se ve un esfuerzo constante de Galdós cuando se enfrenta directamente con la realidad americana por encontrar en ella algo conocido, algo familiar, que lo vincule con España, para reafirmar esa relación fraternal entre unos y otros, pero siempre con un cierto grado de paternalismo del que no puede despojarse (Arnáiz 1989). Por ejemplo, en *La vuelta al mundo...*, cuando Ansúrez llega a Lima, tiene constantes "anagnórisis", en palabras del narrador, españolas en la arquitectura de la ciudad (Coffey 1999: 358 y Cabrejas 1992: 403)[34]. Parece que, como afirma Cabrejas, "a la distancia solo comprende lo que reconoce propio" (404). En realidad, no le interesa cómo se van desarrollando las historias de los países americanos en su independencia. De ningún modo atiende a sus peculiaridades étnicas, raciales, etc., sino con un cariz negativo. En la descripción de los patagones argentinos, imaginados como seres fabulosos, estos se muestran como auténticos salvajes, ignorantes e incivilizados, ajenos al mundo occidental, desagradables y desagradecidos ante los intentos de agasajo de los marineros (capítulo XI). Y, posteriormente, en la descripción del

33 Este parece un patrón típico de los países imperialistas con respecto a sus colonias, puesto que también se reconoce en el orientalismo, que, como explica Said, "es —y no solo representa— una dimensión considerable de la cultura, política e intelectual moderna, y, como tal, tiene menos que ver con Oriente que con 'nuestro mundo'" (2013: 35).

34 Pilar Palomo destaca el elogio a la marina española y la importancia del nombre de la fragata en el título (1993: 257 y 259). También Ortiz Armengol, en su biografía, recuerda cuando comenzó a escribir la tercera serie la importancia de lo ocurrido con el *Maine* en Cuba y cómo anteriormente había dedicado varias crónicas en *La Prensa* al tema (1996: 554).

deforme y feo Santos, el cholo peruano, (capítulo XV), que desacredita la ruptura de prejuicios que se muestran a través de Ansúrez con el engaño y la mentira sobre su condición. Es decir, "su imagen de los indios vuelve al prisma 'colonialista'" (Cabrejas 1992: 403), aunque sin intento alguno de cambiarla ni de hacerla moderna[35]. Lo que a Galdós le interesa verdaderamente es reafirmar y potenciar una imagen de América que la relacione con el mundo moderno occidental. Consecuentemente la convierte en el modelo que la nueva clase social ha de seguir. Para eso, debe eliminar todo lo que no le interese que aparezca en el contexto de la ciudad europea. El borrar la huella de lo autóctono americano es símbolo de modernidad, de progreso, de avance. Así se manifestará en los centenarios de las independencias a principios del XX, para mostrar tantos logros materiales nuevos, máquinas, construcciones, etc., como símbolos de una nueva era, la era del progreso y de la modernidad.

Galdós, en estos momentos, asociaba a España con lo antiguo y América, con lo moderno, con el progreso. En 1912, año en que se encuentran sus opiniones más pesimistas sobre el futuro de España, responde a Javier Bueno en su entrevista cuando este le preguntaba sobre Latinoamérica:

> Esos países son fuertes: la Argentina, Brasil, Chile, el Uruguay, son países jóvenes donde hay vida. Aquí está todo muerto, aquí tiene que haber una gran catástrofe o esto desaparece por putrefacción (Rogers 1979: 86).

América simboliza el progreso, lo positivo, el horizonte al que España debe llegar, ahora que el capitalismo está afianzándose. Un progreso que enlaza perfectamente con ideas galdosianas como el anticlericalismo, el laicismo y el republicanismo. Y esto se percibe hasta en los más mínimos detalles, como cuando Ortiz destaca con ironía que en *El caballero encantado* solo el nombre de Cintia encanta a

35 Aparte de en las novelas, la *Revista Canaria* de Buenos Aires, en su número de agosto de 1920, incluye un artículo de José Betancort (Ángel Guerra) en que recuerda que de América "solo comprendía la de abolengo latino… […] Quería ver toda la América que conserva la lengua y la tradición españolas, desde México a la Argentina" (citado por De la Nuez Caballero 1981: 134-135).

Tarsis, porque "en las americanas se advierte cierta inclinación a paganizar los nombres, cual si quisieran iniciar una graciosa escapada de las sombrías esferas del cristianismo" (Ortiz 1910: 37). O en *La vuelta al mundo...* cuando afirma Fenelón: "Los ideales que desechan las madres son recogidos por las hijas tiernas... España coge su rueca y se pone a hilar el pasado; tu hija hila el porvenir... en rueda de oro" (173-174)[36]. Por tanto, frente a una América moderna se establece la España caduca. En su relación se produce la comparación entre un país incapaz de avanzar en el curso de la Historia, de modernizarse, de entrar en el siglo xx con éxito, y unas naciones que no solo han superado su dependencia, sino que llegan a establecerse como modelos de progreso. En palabras de Mary Coffey, "España puede recuperar la fuerza vital que le falta mientras las antiguas colonias desarrollan una economía y un sistema de leyes adecuados para participar en el mundo moderno" (2009: 707-708). Y para eso, Galdós

> se remonta por encima de la abulia, desidia y actitud negativa del momento y aboga por un futuro esperanzador, visión que incluye no solo a España sino también a las repúblicas del continente americano (García Barrón 1986-1987: 147).

Porque "había que transformar la sociedad española, caduca y corrupta, aprovechando la savia de las jóvenes repúblicas hispanoamericanas para construir así un futuro mejor para todos" (152). Es decir, el novelista ofrece una visión de América no solo como integrante de lo hispánico, como si de una unidad cultural y lingüística se tratara, sino como el lugar del progreso, del futuro, de la esperanza. Así, literariamente tiene cabida en los Episodios Nacionales como una novedosa opción espacial que en el contexto del siglo anterior no había sido posible. Galdós se sitúa en el límite de la novela realista una vez más para ofrecer dentro de una narración en su apariencia ligada estre-

---

36 Con respecto de este párrafo añade García Barrón: "Lo fundamental aquí no es tanto el énfasis en el papel del romanticismo como la afirmación de que América representa el porvenir, el futuro prometedor, y que ese futuro está en manos de la juventud" (2001: 21).

chamente a la realidad, pero profundamente imaginada. Más aún si se tiene en cuenta que al tiempo que Galdós reproducía este discurso de modernidad en sus textos, desde algunos lugares de las repúblicas americanas, se están cuestionando hasta qué punto y para quién un siglo de independencia ha significado progreso (véase, por ejemplo, el caso de Luis Emilio Recabarren y su discurso "Ricos y pobres" en que pone en duda todo ese progreso burgués). Pero no creo siquiera que esas noticias le llegaran a Galdós. Esta idea de América era, sin embargo, la que conocía y la que aprendía en las fuentes que él usaba para escribir sus libros. Sebastián de la Nuez Caballero reproduce una carta de un argentino en que se puede leer esa reivindicación del progreso y la modernidad que los europeos han traído a América: "América para los americanos entre nosotros no prospera. La República Argentina es para el mundo entero. Solamente visitando este país pueden darse cuenta los europeos de sus enormes progresos" (1981: 130-131). O entre la correspondencia con Ricardo Palma destaca una en la que el peruano tranquiliza a un Galdós preocupado por escribir sobre una realidad que desconoce, anunciándole que él, que ha vivido en Madrid unos seis meses, piensa que Madrid es muy parecida a Lima (véase De la Nuez Caballero 1981). Con lo cual, hay que tener en cuenta también que a lo imaginado han contribuido las noticias que desde la propia América le llegaban y a las que tenía acceso: son los propios intelectuales con los que él se relaciona quienes le invitan a un imaginario monolítico de América[37].

A las noticias directas de las cartas hay que sumarle el hecho de que las obras que el novelista consulta y utiliza son mayoritariamente escritas por españoles, con lo cual forzosamente, el punto de vista predominante ha de ser el español. El ejemplo más claro se encuentra en *La vuelta al mundo en la Numancia*, puesto que las fuentes históricas

37 Amado Nervo, en su comentario sobre Galdós (Rogers 1979), reproduce estas palabras del novelista canario en un encuentro con el poeta: "Como en mi próximo episodio he de referirme al general Prim, deseo que un día venga usted a almorzar conmigo, a fin de que me hable mucho de México; quiero saber, no lo que dicen los libros, que bien me sé, sino todos esos hechos, todas esas menudencias, todos esos detalles que constituyen la vida diaria, la vida familiar" (79-80).

con las que reconstruye el suceso son mayoritariamente españolas, no peruanas[38].

Gracias a las fuentes a las que tiene acceso y a su círculo social, Galdós vio en América el perfecto espacio para proyectar sus ideas, puesto que podría establecerse constantemente en un limbo de dudosa veracidad. América se imaginaba como a él le interesaba; en este caso, como espacio de progreso. Dado que necesitaba un lugar lejos de la capitalista Europa y de los acechantes Estados Unidos en que proyectar su idea, América se entiende, entonces, como el lugar donde España puede encontrar su modelo de modernidad y desde ahí formar una nueva clase media como un bloque hispánico que pueda hacer frente al Antiguo Régimen peninsular.

Por tanto, el imaginario americano se forma a través de una idea, no de una experiencia; una idea, además, que en el fondo parte de la realidad española, no americana, como demostró Fernando Ortiz.

El desconocimiento y la manera de crear el imaginario le permite, por otro lado, volver a una América virgen, idílica, paradisiaca, siempre tratada en tono positivo, en equilibrio con la naturaleza…[39] Volver también al mito del buen salvaje. América, una vez más, se convierte en un lugar al que se le ha borrado su Historia y su identidad, puesto que no tendrá más identidad que la surgida de la modernidad.

Esta configuración ideal surge cuando Galdós separa las colonias de la metrópoli, es decir, cuando deja de pensarlas como parte de España, cuando les da independencia e intenta tomar algún elemento típicamente americano. Galdós, que asume la distancia surgida entre los dos continentes con la emancipación, no deja sin embargo, de intentar aproximarse a esa otra realidad, de racionalizar su conocimien-

38 Según ha estudiado Carlos García Barrón (2001: 28-30), se apoyó sobre todo en *La perla de Lima* (1869), del español Fernando Fulgosio, y en la obra de Manuel A. Fuentes, *Lima: Apuntes históricos, descriptivos, estadísticos y de costumbres*, publicada en París, 1867. Su mayor fuente fue Pedro Novo y Colson, *Historia de la guerra del Pacífico*, Madrid, 1882, creada precisamente por encargo de Alfonso XII.

39 Véanse los personajes verdaderamente americanos, como Lica, en *El amigo Manso*, Belisario, en *La vuelta al mundo...* o Cintia, en *El caballero encantado*.

to, de hacerlo verdadero, de ahí que en *La vuelta al mundo...* se lleve Galdós al protagonista hasta América por primera vez.

Por otro lado, cierto es que en el repensar España y en la creación de una nueva conciencia nacional no puede faltar una visión de lo americano, en tanto que es parte de esa conciencia, a pesar de que se haya independizado económicamente. Galdós acepta la autonomía económica, pero no la cultural. El decir que España y América comparten una misma base cultural alimenta la visión de una España fuerte que, aunque no tenga alianzas europeas, aún sigue estando vinculada y tiene poder sobre una parte importante del mundo. Hacer de América parte de España es una manera de protegerse frente a las potencias mundiales, y de estar en consonancia con el resto del mundo, de no aislarse. La inclusión de América en la novela del siglo XX no es solo una estrategia ideológica sino también una manera de establecer una nueva relación con la realidad que irá desarrollándose en paralelo con una definitiva recuperación del elemento imaginado en toda la novela galdosiana del siglo XX, como se intentará demostrar en la última parte de este capítulo.

7.3. Hacia los límites de los géneros literarios: el teatro y las novelas dialogadas

7.3.1. De la novela a la novela dialogada y al teatro

En 1889 Galdós publica *Realidad*, la primera novela dialogada. Inaugura así un nuevo subgénero novelesco que, por un lado, devolvía al escritor al teatro en busca de la renovación de la escena española copada por el melodrama romántico[40] y por otro, lo apartaba del "círculo estrecho

40 La primera obra que llevó a las tablas fue esta misma novela dialogada, *Realidad*, mostrando la delgada línea que separaba ambos géneros y la facilidad para pendular entre ellos. Este fenómeno de hibridación debe entenderse en un contexto europeo más amplio generado por novelistas realistas franceses como Zola o los hermanos Goncourt (Ayuso 2014: 32). En este sentido, la relación con el cine es directa, ya que las novelas dialogadas se van a ir pareciendo cada vez más a guiones de cine.

de la literatura novelesca", como él mismo confesaría posteriormente en *Memorias de un desmemoriado* (1968c: 1699)[41]. La nueva manera de novelar, aún en "periodo de prueba", continuó ese mismo 1892 con *La loca de la casa*, estrenada en el teatro un año después, y con *El abuelo* en 1897, en cuyo prólogo, primer marco teórico de su propuesta, ya muestra plena conciencia del subgénero. En él lo denomina "procedimiento dialogal" o "sistema dialogal", hace referencia explícita a *Realidad* en tanto que obra fundacional y recoge sus características básicas:

1) La supremacía de los personajes por encima de la creación de un ambiente, de modo que consigue un dinamismo y un movimiento de mayor amplitud con respecto a la novela anterior:

> El sistema dialogal, adoptado ya en *Realidad*, nos da la forja expedita y concreta de los caracteres. Estos se hacen, se componen, imitan más fácilmente, digámoslo así, a los seres vivos, cuando manifiestan su contextura moral con su propia palabra, y con ella, como en la vida, nos dan el relieve más o menos hondo y firme de sus acciones (1968c: 11).

2) Al componer el texto directamente desde los personajes, sin desarrollar el ambiente, el autor y el narrador pasan a un segundo plano (aunque no desaparecen), exponiendo más directamente los acontecimientos al curso de la Historia. Al prescindir (con reservas) de las explicaciones, disminuye la manipulación de la información, y paradójicamente, aumenta la intención de objetividad que se contradice con una lectura más abierta y libre. El texto multiplica las lecturas y las interpretaciones:

41 También en ese texto admite que por entonces ya ni siquiera solía ir al teatro. Anteriormente, en el prólogo a *El abuelo* había calificado al teatro español de encorsetado y pobre, y en unas notas escritas para la *Revista Nueva* en 1899, afirmaba que este se encontraba "reducido a moldes cada día más estrechos, no es más que una engañifa, arte secundario y de bazar" (638). Y, finalmente, en *El caballero encantado*: "Toda nuestra literatura dramática es esencialmente *latosa*, toda convencional, encogida, sin médula pasional, cuando no es grosera y desquiciada" (1968c: 232).

> La palabra del autor, narrando y describiendo, no tiene, en términos generales, tanta eficacia, ni da tan directamente la impresión de la verdad espiritual. Siempre es una referencia, algo como la *Historia*, que nos cuenta los acontecimientos y nos traza retratos y escenas. Con la virtud misteriosa del diálogo parece que vemos y oímos sin mediación extraña el suceso y sus actores, y nos olvidamos más fácilmente del artista oculto; pero no desaparece nunca, ni acaban de esconderle los bastidores del retablo, por bien construidos que estén (*idem*).

3) Lo que aporta el teatro a esta novela es la estructura y la división en jornadas, la metodología sintética y el ejercicio de condensación a la hora de trazar un planteamiento[42]. En la comparación entre los dos géneros, Galdós destaca cómo es el teatro quien le proporciona a la novela la "condensación y acopladura" de lo que en la novela entonces eran "acciones y caracteres".
4) Se trata de liberar y de abrir el género novelesco, situándose en sus límites formales para iniciar la construcción de algo nuevo que verdaderamente no tiene necesidad de ser definido, como ocurre con *La Celestina,* sobre la que no hay acuerdo sobre el género exacto.

Con esta última característica, Galdós clarifica el origen de su invención y su posterior adaptación al tiempo que está viviendo. Las relaciones entre *La Celestina* y las novelas dialogadas terminan en su estructura formal, puesto que esta recuperación del género se encuentra relacionada más bien con el simbolismo, con un momento en que la ruptura de los géneros era frecuente (recuérdese la aparición de la poesía en prosa en esos años). Bajo esta novedad subyace también la búsqueda de cambios en la novela (o de una novela moderna), que incluye la apertura de los géneros y de las voces que intervienen en esta (Beltrán Almería 1992: 86)[43].

---

42 Véase Rodríguez Puértolas (1995: 517), que relaciona esta idea con la teoría de la condensación de T. S. Elliot, poeta ya del siglo XX.

43 Con respecto a esta idea, Manuel Alvar (1971) recordaba que dicha recuperación se produce precisamente en un momento en que la novela como género estaba no solo consolidada, sino que presentaba una estructura muy férrea: "La idea de

La novedad absoluta se encuentra en que al introducir estos mecanismos, se rebasan las características predominantes de la novela tradicional, obligada a repensarse a fín de ser adaptada a una época "tan gustosa de los sintético y ejecutivo", como el propio Galdós afirma al término del citado prólogo[44]. Esta transformación de final de siglo parece que puede surgir tanto para la novela, resultado que se obtiene si se compara con la manera de novelar anterior, pero también podría funcionar para el propio teatro, como se entiende de las palabras de Galdós dos años después en que afirma la liberación del teatro a través del teatro leído, molde —nada casual— de estas novelas dialogadas (*Revista Nueva* 15/02-05/08/1899: 638). Sin embargo, a medida que avanza el siglo xx, no acaba de abandonar la novela ni genera propuestas teatrales revolucionarias sino más bien reformadoras (Ayuso 2014: 39-40) y se centra en adaptar sus novelas a la escena, como ocurre con *El abuelo* en el año 1904. No parece, por tanto, que la novela dialogada fuera un mecanismo pensado desde o para el teatro, sino más bien desde y para renovar la novela[45]. El proceso iniciado en los noventa se

Galdós, si no nueva en su génesis, lo era en su aplicación moderna" (59), puesto que lo que lleva a cabo es su reinvención (84), y lo que convierte al literalmente en "revolucionario" (58).

44 Esta novela experimental parece que gustó a la crítica precisamente por mostrarse como un reflejo de la contemporaneidad, por ser un molde que reproduce el sentido experimental y de cambio que por entonces está imperando (véase la reseña de *Casandra* que Alberto Sevilla publica en *El Liberal* de Murcia el 13/12/1905).

45 Aunque en el siglo xx la producción teatral de Galdós es la más abundante de su carrera, sigue viendo en la novela el género más adecuado para ser vehículo ideológico de su proyecto de transformación social. Recuérdese cómo la novela había sido durante todo el xix el género de la burguesía y en ella se habían proyectado todos los valores ideológicos de su clase (Risco 1980: 272). Téngase en cuenta, además, lo que se señaló anteriormente sobre el éxito de las novelas y su volumen de ventas en este siglo xx. Por otro lado, conviene destacar el hecho de que Galdós nunca transformó una obra de teatro en novela dialogada o, simplemente, narración, sino que siempre fue a la inversa (véanse los casos de *Doña Perfecta*, *Gerona* o *Zaragoza*) (Alvar 1971: 54). En este sentido, se muestra más coherente buscar el origen de la novela dialogada en los abundantes diálogos, conversaciones, etc. que se pueden encontrar en las novelas, teniendo presente

consolidará con *Casandra* en 1905, primera novela del siglo (que no es Episodio Nacional) y escrita en forma dialogada.

7.3.2. *Casandra* y la consolidación de la novela dialogada

Esta novela dialogada narra el conflicto de intereses en torno a la herencia de doña Juana de Samaniego, modelo de los valores más conservadores de la Restauración, mujer manipuladora y huraña con su patrimonio.

Galdós retrata en esta obra dos mundos claramente enfrentados de manera dialéctica entre sí: uno antiguo, en vías de extinción y protagonizado por doña Juana, un ser pasivo, resentido, atado por viejas y obsoletas convenciones sociales, y otro moderno, símbolo del progreso, representado por Casandra, fértil, activa, libre y feliz. La muerte de doña Juana abre la puerta del camino hacia la libertad, frente a unas leyes sociales anticuadas y que demostraban el peso de la Iglesia por encima de todo.

Al escribir esta obra, Galdós vuelve a sentir la necesidad de justificar la elección de la novela dialogada como marco en el que desarrollar la historia y de prevenir al lector sobre lo que formalmente va a leer. Para ello de nuevo escribe un prólogo, complemento teórico al marco descrito en *El abuelo*, dedicado exclusivamente a justificar el porqué de esta manera. En él avanza en el afianzamiento del subgénero y sistematiza lo que había ensayado en la década anterior. Primero, incluye explícitamente dentro de esta misma forma literaria *Realidad*, *El abuelo* y ahora *Casandra*, para enseguida asignarles por fin un nombre propio: "Novela intensa" o "Drama extenso", "subgénero, producto de cruzamiento de la Novela y el Teatro". Y comienza su defensa como procedimiento literario propio del tiempo en que se escribe, justificando la necesidad de que se solventen las carencias de la novela y

---

que "la aparición del *diálogo* en la narración supone el recurso más tradicional para presentar y aproximar al lector a la actualidad viva de la materia novelada" (Beltrán Almería 1992: 82).

el teatro o, mejor dicho, de que se amplíen las limitaciones técnicas que ya describía en el anterior prólogo programático: la necesidad de adoptar los "procedimientos analíticos" por parte del teatro y la condensación y la síntesis por parte de la novela. Así, Galdós explicita en qué lugar desde el punto de vista formal se quiere situar en esta novela del siglo XX: en el que se puedan mostrar los límites de la novela y también los del teatro, porque ello le proporcionará un nuevo producto literario mucho más acendrado y perfeccionado.

Sin embargo, y aunque consideremos *Casandra* como la consolidación de esta manera de narrar, ni siquiera él mismo tiene claro que con ella haya culminado el proceso de investigación formal, ni que haya conseguido la perfección del género. Galdós deja humildemente abierta esta nueva veta para quien quiera continuarla, es decir, la comparte no solo con sus lectores, sino con el resto de novelistas. De hecho, realmente espera que sean ellos quienes continúen: "Los obreros jóvenes que tengan aliento, entusiasmo y larga vida por delante, levantarán la casa matrimonial de la Novela y el Teatro" (1968c: 117). Con esta idea, parece que Galdós ya había decidido que esta sería la última novela dialogada que iba a escribir. *La razón de la sinrazón*, la única que podría adscribirse al subgénero, difiere de las anteriores ya desde el subtítulo: *fábula teatral absolutamente inverosímil*. Es decir, cuando escribe *La razón de la sinrazón* ya el impulso es teatral, no novelístico[46].

El cambio o la consolidación de este sistema dialogal pasa en *Casandra* por una depuración de las técnicas empleadas en las anteriores novelas. Se trataba de mejorar ese ejercicio de síntesis por el que había que repensar la manera de abordar la objetividad-subjetividad de la narración. Galdós sigue buscando cómo reinventar o reubicar el papel del narrador y apuesta por su redistribución entre los diferentes elementos que otorga el diálogo como tipología discursiva. En este sentido, las acotaciones, en las que anteriormente se había concentrado

46 En este sentido conviene recordar que *Realidad*, *El abuelo* y *Casandra* se subtitularon "novela en cinco jornadas" y que cuentan con una adaptación teatral, de lo que carece *La razón de la sinrazón*.

gran parte de la carga narrativa (únicos espacios en los que el narrador podía verdaderamente tener presencia), van a aparecer en menor número y reducidas. En su lugar los propios personajes (sin ser narradores) aportarán la información que en la novela realista anteriormente contenían las descripciones del narrador.

Así pues, el parlamento de los personajes complementaría el desarrollo de la acción y la información de las acotaciones. Esto prueba hasta qué punto Galdós está buscando cómo hacer desaparecer prácticamente al narrador, conductor de los hechos en las novelas tradicionales.

Este modo de resolver la narración tendría su máximo exponente en la manera de caracterizar a la propia Casandra, que se da a conocer mediante testimonios ajenos y no aparece físicamente hasta la escena XIV del primer acto. Frente a ella, doña Juana, su antimoderna antagonista, es presentada a la manera tradicional realista, es decir, a través de un narrador omnisciente. Doña Juana aparece desde la escena primera y es descrita mediante una serie de adjetivos que nos permiten hacernos una idea directa de su imagen física. En esta descripción, Galdós la sitúa junto a los símbolos que la van a caracterizar, el dinero y el catolicismo radical:

> Doña Juana (en 1905, es señora tan respetable como adusta, vejancona y fláccida, cargadita de hombros, el rostro amarillo y rugoso, la mirada oblicua; al andar se gobierna con un palo; viste de estameña parda o negra; está sentada junto a una mesita donde tiene apuntes de cuentas y libros de devoción)... (1968c: 118).

Esta descripción con la que se inicia la novela obliga al lector a entrar en la narración con un panorama muy claro tanto de la escena como del personaje. Sin embargo, a la hora de describir a Casandra no dibuja una imagen tan directa, sino más sugerente y confusa. Entonces emplea otros mecanismos que muestran con sutileza y ponen en juego la multiplicidad de voces, la fragmentación de la realidad. Casandra es moderna en su pensamiento y debe ser presentada con estilo también moderno. Así, en la primera noticia que se tiene de ella aparece en medio de un diálogo (no en una descripción, como doña

Juana) y para hacer referencia a su matrimonio, a su maternidad y a su buena o mala fama (1968c: 121). La siguiente mención a Casandra se encuentra en la escena X y procede de su esposo Rogelio, que, en contraste con el discurso sobre el matrimonio, se refiere a ella en términos de amor y libertad, de lo que ella le aporta como mujer, de cómo para ella ha sido su liberación. Y ya con esta conversación entre Rogelio y otro de los personajes, Ismael, queda al descubierto cuál va a ser la trama de la novela y el argumento principal.

Así, se han delimitado las posturas antes de que aparezca Casandra: la desconfiada de doña Juana, opinión concebida previamente a conocerla, y la positiva de Rogelio, que ha situado a Casandra en la cumbre de las ideas avanzadas. A estas dos totalmente contrarias se suman enseguida otras dos voces más, las de Rosaura y Clementina. En este caso, se trata de la escena XI, en una conversación que estas mantienen con doña Juana, que con sus intervenciones deja claro que Casandra para ella es una libertina que no acepta las leyes morales ni sociales (naturales, según su parecer). De su lado está Clementina y frente a ellas, Rosaura, que sigue descubriendo la bondad y la legitimidad de las decisiones y modo de vivir de Casandra. Es en este momento en el que aparece el tópico del dinero. Casandra es pobre, aunque también se la considera honrada.

Casandra va apareciendo en la mente del lector en la escena XIII cuando Zenón, el último personaje que opina sobre ella, indica que está entrando en la casa, y lo hace de una manera muy positiva atendiendo a una cualidad hasta entonces desconocida, su belleza física, comparada nada casualmente con la belleza de una diosa.

Esta presentación polifónica de Casandra se cierra precisamente con una última voz, la del narrador, que aparece en la acotación en la que la presenta (escena XIV), cuyo físico se resume en "mujer arrogantísima, de gentil talle y rostro estatuario". Y a esta pequeña descripción le siguen dos preguntas que el narrador se hace de manera retórica: "¿Quién antes de verla viva, no la vio de mármol en algún museo? ¿Quién la ve que no quede suspenso ante tanta hermosura, prendado de sus ojos, que comprendían la luz del cielo y toda la negrura de los abismos?" (135). En esta ocasión, Galdós se sirve de las preguntas retóricas parar fijar en un tiempo infinito su propia opinión y hacer incuestionable en el texto la idea de la supremacía de Casandra y las cualidades de ser superior frente a los demás. Es la culminación de una descripción coral que ha preparado al lector para conocer la realidad viva de un personaje moderno. Galdós se vale de la voz del narrador como si fuera otra más en el discurso pero en realidad la sitúa por encima del resto[47].

Por otro lado, Galdós subvierte el orden dominante en la forma y en el fondo: deshace la linealidad del discurso y de la perspectiva mediante las posturas enfrentadas; además, rompe la estructura social de la trama estableciendo un nuevo sistema en el que no es Dios, un ser intangible y abstracto, quien determina lo supremo, sino una mujer viva, una materia que se puede percibir, a quien se le da la cualidad de suprema. Ahora lo incuestionable —Dios anteriormente— es Casandra, que no responde a una única y homogénea idea, sino a un grupo de voces que la configuran de manera mucho más completa y, acaso, real.

Esta manera de narrar muestra un cambio claro en la novela porque dota de una mayor ambigüedad a la realidad, lo cual potencia y multiplica las posibilidades de imaginar y de reconstruir la escena por parte del lector. La supresión de un narrador omnisciente, al menos en apariencia, ofrece un texto mucho más libre, que posibilita una proyección del discurso menos dirigida y rígida.

También estos cambios muestran una diferente concepción del tiempo y del espacio. Ahora el uso del tiempo es, en palabras de Manuel Alvar, "sacrificado" (1971: 59) y se reduce a un estatismo mayor que, por otro lado, le permite al autor un trabajo de la escena y del momento presente únicos. Galdós sustituye la acumulación de detalles en favor de un desarrollo intenso del momento presente en el que confluyen las diferentes perspectivas. Se ve obligado a concentrar en una estructura dialogal más corta, a decir o a sugerir con menos palabras, con menos recursos discursivos.

---

47 Las preguntas retóricas llevan la respuesta incluida en la pregunta porque hacen referencia a una idea consensuada sobre una realidad, a una verdad incuestionable, a una idea en la que socialmente todo el mundo está de acuerdo, aunque en realidad la mayoría de las veces sea una opinión subjetiva del autor.

Según ha apuntado Ermitas Penas en su estudio sobre las novelas dialogadas de Galdós, si se comparan *Realidad* y *Casandra*, las diferencias se pueden clasificar en un menor número de monólogos y soliloquios, frente a una mayor cantidad de acotaciones, aunque más breves. Lo primero se encuentra relacionado con la superación del interés por lo individual, de lo introspectivo y del trabajo intenso sobre los personajes, propios del final de siglo, para ser sustituido por la investigación profunda sobre un tema que atañe a la comunidad receptora, especialmente a la clase media, que preocupa al común de los lectores galdosianos: el monopolio tanto económico como social de las clases en el poder y su soporte ideológico, la Iglesia[48].

Esta novela surge en un momento (como ya se mencionó anteriormente) previo a la adhesión oficial de Galdós al republicanismo, pero en el que está luchando políticamente desde la literatura, puesto que se trata de este periodo de 1903-1907 en que las libertades hasta el momento conseguidas se están empezando a perder. Por tanto, tiene total sentido que sus novelas vuelvan a apartarse del individualismo y se vuelquen en el pensamiento colectivo de la clase media. Para la praxis de este pensamiento colectivo, el procedimiento y los límites de concreción a que obliga la novela dialogada resultan un molde perfecto. Por ello se ha entendido como la más cercana al teatro y la que probablemente fue concebida desde el comienzo para ser llevada a la escena[49]. Lo cual, sin embargo, no ocurre hasta cinco años después, en 1910, de manera nada casual, puesto que, recordemos, ese año será el de las campañas anticlericales, el de la Ley del candado de Canalejas, etc.

Galdós, que desde que se estrenó en el teatro con *Realidad* ha ido aprendiendo el oficio de dramaturgo, a pulir su técnica teatral y a

---

48 Esta idea se encuentra relacionada con la manera en que los griegos concebían el teatro clásico, en cuyas obras se exponían precisamente los problemas o las cuestiones que preocupaban a la comunidad.

49 Si se compara *Casandra* con sus predecesoras, especialmente con *Realidad* y *La loca de la casa*, se deduce una mayor soltura en el manejo de los recursos teatrales, pues, entre otros, se ha deshecho de la mayoría de los elementos que tenían sobrecarga narrativa. Por ello se entiende que *El abuelo* y especialmente *Casandra* fueron creadas para pasar posteriormente a la escena (Menéndez Onrubia 1983).

seleccionar los elementos más pertinentes para la escena, cuando escribe *Casandra* tiene muy claro cómo llevarlo a cabo. Así se lo hace ver a Federico Oliver, empresario teatral y esposo de la actriz Carmen Cobeña:

> Recibirá usted el tomo de *Casandra,* escrita en forma dialogada con el fin y propósito de arreglarla para la escena.
>
> Léala usted cuando no tenga ocupación más apremiante y hágase cargo del contenido y dificultades de la obra y luego me dirá si emprendo el arreglo o lo dejo para las *calendas griegas.* Debo advertirle que el arreglo no se hará más que de los tres primeros actos, que son los actos de *acción* por decirlo así; lo demás se deja. Pero deberá tenerla leída, vista [ilegible] para abarcar por completo el pensamiento de la obra (Martínez Umpiérrez 1977: 113).

Efectivamente, Galdós piensa solo en el arreglo de los tres primeros actos de *Casandra*, o más concretamente, hasta que la protagonista da muerte a doña Juana, puesto que es donde se produce la tragedia y el punto climático de la narración de los hechos. De ahí en adelante, ya no tendría sentido continuar sobre un escenario lo que con ese final se adopta una forma lo suficientemente provocadora como para que el mensaje de la obra quede claro.

Aparte de suprimir las dos últimas jornadas, Galdós ha sintetizado aún más los recursos y los elementos para conseguir esa versión teatral. Manuel Alvar, que los estudió detalladamente en su obra de 1971, los resume en un procedimiento basado en los

> principios de economía y verosimilitud. Esto es, descarnar el proceso narrativo de toda excrecencia para dejar a flor de aire el nódulo brillante de las almas. Para conseguirlo, Galdós ha eliminado personajes, situaciones, verbalismo, soliloquios: todo lo que no es gramático, sino diríamos épico o lírico (Alvar 1971: 69).

Y considera que el ejercicio del paso de novela dialogada al drama en *Casandra* es llevado al extremo en comparación con las anteriores novelas del mismo tipo, puesto que “cada escena, cada personaje, cada una de sus palabras es un elemento que con un mínimo de medios debe estar potenciado para un máximo de expresión" (61), siendo en las acotaciones donde mayores cambios se detectan (Menéndez Onrubia 1983: 286).

La "reducción" de personajes y consecuentemente de la acción, suponen el "sacrificio" de diferentes elementos:

> monólogos, reiteraciones, anécdotas, lirismos, procesos secundarios, es decir, todo lo que sobre las tablas puede convertirse en hojarasca volandera. Con ello el argumento cobra una escueta sencillez que permitía al espectador concentrar su atención sin desmayos. Pero la atención, tensa, sostenida, necesita la purificación lustral del reposo. Por eso Galdós modifica el final de sus escenas para producir sobre el espectador la descarga que le permita recuperar el sosiego; por eso sus actos terminan con efectismos lícitos que acentúan lo que en la escena viene pasando. Y, en consecuencia, los dramas abocan a soluciones catárticas, cerradas en sí mismas y sin distensiones ajenas. La novela es sentida por Galdós como una suma de drama + digresiones (etopeya, paisaje, juicios de valor), cuando desde la novela va a las tablas todas las digresiones se incrustan en el drama, son elementos con los que enriquecer el desarrollo de la acción, no por dispersión sino por intensión (Alvar 1971: 86).

Manuel Alvar insiste en su estudio en la superioridad de la adaptación teatral frente a la novela por ese ejercicio de condensación y de supresión de las superficialidades. Lo considera un paso más en la evolución de su trayectoria, pero creo que no se trata de entrar en juicios de valor literario, sino de considerar cómo las formas de la novela permiten unos movimientos y el teatro, otros; que cada uno tiene una funcionalidad y son maneras de comunicación diferentes con efectos distintos en quienes lo reciben. Lo reseñable es cómo Galdós demuestra con sus dos textos hasta qué punto era consciente de ello y el alto interés por aprovechar hasta el extremo cada uno de los géneros literarios. En este sentido y en cuanto a la novela, resulta pertinente volver a esas dos jornadas que no se convirtieron en actos, la cuarta y la quinta, buen ejemplo de esa experimentación y exploración de los límites novelescos en los que se sitúa el escritor canario.

La continuación de la novela tras resolver la tensión dramática de la narración rompe con la linealidad y con la esperada finalización de la obra. Galdós demuestra la falta de superación de un conflicto que no acaba con la muerte de doña Juana, sino que requiere de un proceso mucho mayor, ya que ella es tan solo la cabeza visible de toda una red ideológica que está más que asentada en las esferas de poder. El novelista busca una reflexión más profunda sobre el desmantelamiento de esta red que exceda lo superficial y extirpe lo que él considera un mal social prácticamente endémico. Para ello busca la manera de dar cuenta del funcionamiento de todos los elementos insertos en dicha red y de cómo se articulan simultáneamente. En este sentido, tiene que continuar rompiendo las reglas establecidas e incluir a base de pequeñas escenas la multiplicidad de espacios y realidades que le permitan llevar la atención de los lectores de un lugar a otro. Esta manera de moverse en el espacio y, por consiguiente, en el tiempo de la narración acerca a la novela y especialmente en su última jornada al guion de cine, como ha señalado la crítica (Alvar 1977: 87-88; Menéndez Onrubia 1983: 276; Ley 1990: 706; Sánchez 1974: 122). La jornada IV, desde la escena VII en que se empieza a relatar el funeral de doña Juana, se presenta como una auténtica secuencia cinematográfica en la que Galdós conduce al espectador acercándose o alejándose a las diferentes situaciones que en ese funeral se están dando. Comienza con la visión panorámica del pórtico que indica la entrada a la iglesia, con toda la alta clase lujosa esperando para entrar, en la que surgen diferentes conversaciones que el novelista capta con su cámara y cuyos diálogos reproduce (marqués de la Armada, Alfonso de la Cerda y grupo de jóvenes) para pasar después dentro de la iglesia, donde capta el ambiente general y lo materializa mediante la narración con unas acotaciones, las más largas de toda la obra. En estas escenas ocurre más que un trabajo de personajes, la recreación de un ambiente al que le acompañan las conversaciones de quienes allí están esperando a que otro espectáculo, el del funeral, dé comienzo. La ruptura de la tensión y la descomposición de este metateatro irónico mediante el número cómico de Zenón pone fin de una manera no poco grotesca a este espectáculo semejante a la entrada de la clase alta a un teatro donde se va a proyectar una película.

El fin de esta escena provoca la retirada de la cámara galdosiana para llevarla a la cárcel, donde se presenciarán rápidamente otras situaciones protagonizadas por Casandra. Este cambio brusco es imaginable y perfectamente posible desde el punto de vista del cine, por lo que no parece estar concebido ni teatral ni novelescamente.

Finalmente, es de resaltar el comienzo de la jornada quinta: la acotación que sitúa la acción en una feria benéfica en los jardines del Retiro. Allí, Galdós da indicaciones propias de un guion de cine, no de una narración ni de un apunte teatral, puesto que si no es posible la representación de tanta variedad, sí lo es su captación mediante una cámara:

> En el curso del diálogo se indican las muchas personas que actúan en esta escena. Diferentes grupos se apartan del lugar de la rifa y venta para pasear con sosiego y entablar conversaciones particulares (1968c: 198).

A partir de esta visión panorámica, Galdós vuelve a acercar la cámara a una de esas conversaciones, para reproducir lo que de ellas le interesa. Los personajes aparecen de manera parcial, fragmentados, captados y capturados en un momento preciso de su vida, pero de ellos no se vuelve a saber nada más. Se trata en este momento de personajes muy secundarios, casi figurantes que crean ambiente. Esta caracterización viva, que los descubre de manera puntual sin la necesidad de ahondar más en ellos, también lo acerca al cine y lo aleja de la novela y del teatro (Alvar 1971: 87-88).

Bien es verdad que no se sabe hasta qué punto Galdós conocía los mecanismos del cine, si había podido ver alguna película, pero sí se sabe que, ya en 1896, cinco meses después de ser presentado en París, Alexandre Promio trae a Madrid el cinematógrafo. El 13 de mayo realizó una exhibición en el Hotel Rusia, en la Carrera de San Jerónimo. Por los precios fijados, se ha deducido que iba dirigido al público burgués y, por la repercusión en la prensa, que algunos escritores como Echegaray o Benavente se muestran interesados por el aparato. Al final de la temporada los teatros ya lo están incluyendo después de las sesiones o en los intermedios. Adquiere gran popularidad y a los empresarios teatrales les seduce porque de este modo abaratan costes (Aguirre Carballeira 2006: 23). El cinematógrafo alcanza en 1913 ya a tres teatros vinculados a Galdós: el de la Comedia, la Princesa y el

Infanta Isabel, con lo cual, de acuerdo, con Arantxa Aguirre Carballeira, se puede afirmar que "Los últimos años de Benito Pérez Galdós (1843-1920) fueron, pues, contemporáneos del cine, e incluso llegó a compartir con él escenarios y actores" (26).

No he encontrado noticias exactas que demuestren su conocimiento sobre el cine en torno a 1905, pero las maneras de caracterizar a los personajes y de mostrar, entre otros, múltiples estados de humor en tiempos muy breves eran más propias y factibles de llevar a cabo en el cine que en el teatro[50]. Sí las hay, sin embargo, en 1913. En un artículo publicado en *El Liberal* en que repasa la temporada teatral como director artístico del Español, reflexiona sobre el conflicto surgido entre el teatro y el cine, comparándolo con el que ideológicamente se está debatiendo por entonces con respecto al socialismo:

> Y ya que hablo de reformas, no terminaré esta Memoria sin decir algo de ese cinematógrafo, en cuyos progresos ven muchos un peligro serio, que nos traerá la total decadencia, quizá la muerte, del teatro. Creo, sí, que a los espectáculos artísticos que tienen "por principal órgano" la palabra, los quita mucho público el "cine", creo también que como indudable progreso científico, se perfecciona de día en día, trayendo nuevas maravillas que cautivan y embelesan al público. No es prudente maldecir al cinematógrafo, como hacen los entusiastas del teatro; antes bien, pensemos en traer a nuestro campo el prodigioso invento, utilizándolo para dar nuevo y hermoso medio de expresión al arte escénico, sin que éste, poseedor de la palabra, pierda nada con la colaboración del elemento mímico y la exuberancia descriptiva de lugares geográficos, visión rápida que no cabe en la estrecha medida del verbo literario. ¿Cómo se hará esta colaboración? No lo sé: quizá lo sepa pronto. Nada perderán Talía y Melpómene de su grandeza olímpica admitiendo a su servicio una deidad nueva, hija

---

50 Sobre este aspecto, añade Rosa Amor del Olmo: "Las direcciones que escribe a los actores, antecediendo a los diálogos en lo que conocemos como acotaciones, están descritas casi para lo imposible, si se busca ante todo naturalidad. A veces quince estados de ánimo diferentes en una escena y a un mismo personaje es imposible de percibir en un escenario, sobre todo el de la época, y aún hoy, donde los espectadores se encuentran lejos, muy lejos del sentido y actitud de los actores" (2006: 80).

de la Ciencia. Abusando un poco del registro profético que todos llevamos en nuestro pensamiento, se puede aventurar esta idea: así como los Poderes públicos de toda índole no podrán vivir en un futuro no lejano sin pactar con el socialismo, el teatro no recobrará su fuerza emotiva si no se decide a pactar con el cinematógrafo (Pérez Galdós 1913: 2).

Galdós propone una vez más el consenso entre las estructuras (tanto ideológicas como literarias) de la tradición que él considera válidas y las nuevas que se están empezando a establecer en la sociedad del momento. Advierte un avance imparable de las novedades como algo propio del tiempo moderno en que se está viviendo y el no aceptar ese avance supone el peligro de entrar en un conflicto que solo puede ser resuelto por la fuerza[51].

Su visión novelística se relaciona con esa nueva manera de las artes escénicas, es parte de una búsqueda de nuevas técnicas modernas para la construcción de una inminente nueva sociedad. Las novelas dialogadas se entenderían en este proceso como el punto más extremo a que Galdós lleva su investigación sobre la unión de los géneros, pero en otras novelas del siglo XX también incluye esas partes dialogadas, especialmente en *El caballero encantado*, de modo que el impulso teatral o dialogal, el interés por buscar una nueva estructura formal acorde con la sociedad moderna que él quiere representar en sus novelas se encuentra constantemente presente.

7.3.3. Sistema dialogal y elementos teatrales en *El caballero encantado*

En el siglo XX solo tres de las obras galdosianas son incluidas en la colección Novelas Españolas Contemporáneas: *Casandra*, *El caballero encantado* y *La razón de la sinrazón*. La primera es novela dialogada y la tercera, obra de teatro. La segunda, por su parte, mantiene la

51 Posteriormente, en 1915, por primera vez una productora quiso llevar al cine los Episodios Nacionales. En 1916, Domènec Ceret terminó una versión de *El abuelo* bajo el título de *La duda* y dos años después se rodó en Hollywood una versión de *Doña Perfecta* llamada *Beauty in Chains* (Aguirre Carballeira 2006: 25-28).

tradicional estructura de novela o de novela corta (o de cuento largo incluso), pero también en ella la presencia del diálogo es capital y se encuentra desarrollado en mayor medida que en el resto de su producción novelística. Si se compara *El caballero encantado* con las novelas en las que se ha detectado un uso del diálogo y se han considerado antecedentes de las novelas dialogadas (*La desheredada*, *El doctor Centeno*, *Tormento* y *La de Bringas*), veremos que no solo es mayor cuantitativamente sino que en *El caballero encantado* reproduce conversaciones de importancia capital para la obra[52].

En dicha novela se registran cuatro capítulos con presencia del sistema dialogal. El primero de ellos, el capítulo III, muestra una escena a modo de pequeño acto dividido en varias subescenas unidas a través de mecanismos narrativos. Todo el capítulo se encuentra escrito en forma dialogal y se articula mediante una polifonía de voces sobre diferentes temas que atañen a la alta sociedad del momento. Se reproduce una situación prácticamente similar a la presentada en *O'Donnell* (1904) con la figura de Guillermo de Aransis y el usurero que lo avala.

En las conversaciones que van surgiendo entre los personajes —representantes de los diferentes tipos de la alta clase social— que aparecen y desaparecen, se discuten diferentes temas que a todos interesan y que forman parte de su tiempo de ocio: teatro, Historia, agricultura... Mediante los diálogos, el lector comprueba y vive en los propios personajes las descripciones que el narrador previamente ha detallado en los dos capítulos anteriores, incidiendo en la figura de Tarsis, en la abulia y el nihilismo que caracterizan a la clase burguesa. Las críticas de Tarsis resultan muy valiosas en tanto que detectan el fallo en el sistema vigente, pero es la falta de voluntad lo que le impide intentar cambiarlo. En la conversación sobre los diferentes problemas de España (la economía, la agricultura, la política, el teatro...) no se mues-

52 Roberto Sánchez ha demostrado cómo, de manera aislada, el sistema dialogal se inicia ya en *La desheredada*, *El doctor Centeno*, *Tormento* y *La de Bringas*. Sostiene que el sistema de *Realidad* no fue casual ni repentino, sino que ya venía experimentándose "en indecisas tentativas, a partir de 1881", con *La desheredada* (1974: 108).

tran posturas ideológicamente atrasadas, sino al contrario, incluso se proponen ideas sobre el reparto de la tierra (por ejemplo) más propias del socialismo, aunque a ellos mismos esa palabra les parezca una sinrazón. El ambiente burgués que Galdós muestra en la conversación, mecanismo que le permite abarcar un mayor rango de opiniones, es el de las ideas de la España progresista y desganada. En relación con la estructura general de la obra, vienen a cerrar un trío estructural de tres capítulos que sirven de introducción al desarrollo argumental de la novela.

La diferencia entre este capítulo y los dos anteriores se encuentra en el citado procedimiento dialogal. Los capítulos I y II han planteado (al modo realista del XIX) la situación de los personajes y del ambiente para preparar al lector. El capítulo III, por el contrario, aporta el dinamismo que Galdós necesitaba para completar este cuadro. A partir de entonces, la narración va tomando ritmo en cuanto al relato de los hechos. Las siguientes ocasiones en que aparece el sistema dialogal ya pertenecen al encantamiento de Tarsis y ocurre entre personajes de especial relevancia, aparte del protagonista: la Madre y Becerro. La más larga de estas conversaciones ocupa los capítulos VIII (casi completo) y IX (íntegro); desarrolla la primera conversación entre Gil-Tarsis y la Madre. A través de ella Galdós explicita la intención moral y el objetivo ético de la obra, es decir, desvela el porqué del encantamiento:

> Así es. Se te ata corto a la vida, para que adquieras el conocimiento de ella y sepas con qué fatigas angustiosas se crea la riqueza que derrocháis en los ocios de la Corte. Verdades hay clarísimas que vosotros, los caballeretes ricos, no aprendéis hasta que esas verdades no duelen, hasta que se vuelven contra vosotros los hierros con que afligís a los pobres esclavos, labradores de la tierra, que es como decir artífices de vuestra comodidad, de vuestros placeres y caprichos. [...] Todo lo mereces, Tarsis, y porque mucho te estimo, he de llevar hasta el fin la obra justiciera de tu escarmiento (1968c: 251-252).

Su método de castigo no consistirá simplemente en convertir a los ricos en pobres y a los pobres en ricos, sino al explotador en explotado, con el fin de condenarlo a los trabajos más forzosos y que aprenda una lección moral. Su intención es mostrar el proceso de aprendizaje a través de un ejemplo procedente de esa clase alta de ideas progresistas (es por eso por lo que ha elegido a un Tarsis y no a un La Diosa). Mediante el diálogo lo revela a la vez que el propio autor desaparece y se distancia del objetivo de la novela. Da autonomía a quien lo está orquestando, la Madre, representación literaria del consenso social al que Galdós se refiere constantemente en los textos de estos años.

Por otro lado, al igual que en la conversación anterior, Galdós vuelve a traer a discusión directa sobre sus ideas más básicas como la libertad sexual y la denuncia de la hipocresía del matrimonio. Otros temas de interés para la sociedad y para el Galdós del momento y que competen a la clase dirigente son denunciados en esta conversación, al igual que en la anterior, como el retoricismo y el parlamentarismo falaz del sistema restauracionista. El tema del retoricismo y del uso vacío del lenguaje en esta novela supera lo meramente puntual. Galdós muestra a través de la simple frase *sicut tuba*, que se repetirá a lo largo de la obra, la importancia del lenguaje como herramienta para el cambio. Se interesa por dignificar una lengua vapuleada por quienes la usan de manera ligera y sin responsabilidad, quienes desconocen y desestiman el poder de las palabras y su potencial influencia en la sociedad. El lenguaje, que, como una trompeta, sirve para transportar las ideas y se encuentra al alcance de todas las clases sociales, es denostado por quienes ostentan el poder y su retórica vacía. Cometido de la nueva sociedad, del nuevo Tarsis, será llenarlo de contenido que se transformará en acción, exactamente lo mismo que el propio Galdós ha empezado a hacer desde 1907 y está llevando a cabo en esta novela (255-256). Este vacío será llenado, por un lado, con lo que esa clase alta redimida aporte, y por otro, con lo que proceda de las clases humildes, en el caso concreto de este capítulo, los pastores. En consecuencia, al final del capítulo se escucha a los pastores *sicut tuba* y se reproduce esa especie de égloga que suma un nuevo subgénero dentro de la estructura dialogal. En el encantamiento la anterior polifonía de voces que discutían sobre las cuestiones que preocupaban a la burguesía, se ha convertido ahora en un coro de pastores que en sus cantos también intercambian opiniones sobre sus intereses. Se pasa de debatir sobre el último estreno y sobre las tendencias teatrales al elogio bucólico del campo. Así pues, Galdós no solo ha introducido en estos dos capítulos una forma dialogal para explicitar las ideas que quiere transmitir en la novela, sino que además ha terminado por llevarlas hasta un subgénero poético como es la égloga. La distancia, por tanto, de la novela tradicional es patente y demuestra que la unión de los géneros en un mismo marco literario es absolutamente posible.

La siguiente forma dialogal no aparece hasta el capítulo XIV, en que Tarsis llega a las ruinas de Numancia y, como afirma Rodríguez Puértolas, entra "en contacto con la propia Historia" (2006: 254). La conversación se produce principalmente entre Tarsis y Becerro, personaje también encantado, heraldista y cronista de España, el Cayetano Polentinos del siglo xx, relacionado con el León de Hesperia y, según nos había ya informado la Madre, artífice del teatro que introdujo a Tarsis en el mundo maravilloso (253-254). En esta conversación se trata abiertamente de los fenómenos fantásticos, del encantamiento y de la Madre, a quien Becerro llama Hermana Mayor, de modo que lo naturalizan, lo aceptan y lo incluyen en la realidad. En su conversación nos damos cuenta de que la figura de la Madre, como se verá posteriormente, no es unívoca ni homogénea ni siquiera para los de la misma clase, sino que responde a múltiples definiciones porque está sometida también a una lectura de clases e ideologías.

En esta ocasión, el diálogo funciona de diferente modo a las anteriores, debido al predominio de los elementos maravillosos que acaban por imponerse. Becerro, que en el encantamiento había adquirido esa forma de León de Hesperia[53] y había comenzado en un estado raquítico y desanimado, ahora, también en un momento avanzado de su penitencia, se ha convertido en un león regenerado apto para emprender el cambio.

La última escena dialogada se produce entre Gil-Tarsis y la Madre en el capítulo XVII, el que precede y prepara la acción para entrar en Boñices. Aquí, por primera vez Galdós va a introducir el diálogo dándole en su introducción la categoría de histórico (en una clara refe-

53 Recuérdese que Galdós ya había hecho referencia a este símbolo como emblema de la hispanidad en su discurso del centenario del 2 de mayo en 1908.

rencia a Cervantes) como copia de un códice de la catedral de Osma. En él ahora se cuentan sucesos que han ocurrido en esos días, como la muerte de José Caminero, y retoma Galdós uno de los temas clave de la novela que completaría los ya referidos (teatro, agricultura y política restauracionista): la educación. En este diálogo y en las palabras de la Madre y Gil-Tarsis, Galdós muestra sus ideas sobre la educación y la urgencia de ocuparse de ella en su proyecto regenerador.

Tras analizar estas escenas, parece claro que la forma dialogada funciona como un recurso para dar perspectiva e introducir la polifonía de voces y la simultaneidad de pensamientos. Pero, además, el autor ha condensado toda la información básica que desde la perspectiva ideológica estaba interesado en transmitir en la novela, de modo que dicha ideología llega al lector de la manera más directa posible, sin narradores-mediadores que lleven a pensar que el texto reproduce tan solo la opinión del escritor.

También en los Episodios Nacionales se encuentran breves fragmentos en forma dialogal. Así, encontramos esta forma una vez en *La vuelta al mundo en la Numancia*, dos en *España trágica*, y otra en *De Cartago a Sagunto* y *Cánovas*. Por otro lado, en *Los duendes de la camarilla*, subyace una estructura dialogal que, sin cumplir la apariencia formal de las novelas dialogadas, se muestra completamente, al menos hasta el capítulo XII, a base de diálogos (a excepción de las descripciones de los personajes)[54]. El recurso del diálogo, ya sea como una técnica narrativa más o como sistema propiamente dicho, no solo amplía el horizonte narrativo galdosiano en el siglo XX con respecto al del XIX, sino que se consolida como posibilidad recurrente.

En cuanto a las novelas dialogadas, le permiten a Galdós traspasar la esencia del teatro, la riqueza de la confrontación y de la contraposición de una situación que se vive en la escena sin la necesidad de poner en funcionamiento todo el mecanismo y la parafernalia que la representación exige. En un principio, estas obras no están concebidas para ser representadas, sino (en el mejor de los casos) leídas de

54 Lieve Behiels (1995: 39-40) destaca la semejanza formal con el guion cinematográfico.

manera individual, como las novelas anteriores. Galdós trata de llevar los mecanismos del teatro, las infinitas posibilidades que ofrece, a una novela que, como género y en aquellos momentos, necesitaba seguir avanzando.

Este sistema, como ya se apuntó anteriormente, obliga a Galdós a replantearse el funcionamiento del tiempo en sus narraciones, a reducirlo, a manipularlo o a sacrificarlo, a hacer un ejercicio de condensación. Esta disminución y economización encuentra otra manera de manifestarse a través de personajes como la Madre y la creación de un tiempo mítico, así como de la inclusión de lo maravilloso de una manera diferente a como se había hecho en el XIX.

7.4. Hacia los límites de lo real: relaciones entre la realidad y la imaginación

La variedad de géneros explicada hasta el momento no se puede entender como un fenómeno aislado, sino como una parte más de un proceso de cambio en el que una nueva realidad se está formando, y demanda una nueva relación con las formas que la transmiten. En la base de este fenómeno se encuentra el descubrimiento de la realidad como una dimensión fragmentaria imposible de percibir y plasmar objetiva y totalmente, "de que el 'realismo' dista de cercar lo Real, es más bien su mueca" (Zavala 2001: 17). Ese "lo Real" ahora se aborda desde múltiples lugares y formas y su relación con el lenguaje que lo transmite ha dejado de ser unívoca. Lo simbólico, lo maravilloso, lo fantástico, lo mitológico amplían, enriquecen y dotan de complejidad a la base realista predominante del siglo anterior[55].

De la larga etapa que abarca los años setenta-ochenta en la España del XIX, en que se ha intentado incansablemente la copia mimética de la realidad, el reflejo puro de la misma, ha nacido su imposibilidad de llevarlo a cabo y la evidencia de que una parte de esa realidad es para-

55 Una reflexión más profunda sobre estos hechos puede leerse en Zavala (2001: 11-22).

dójicamente la negada imaginación, entendida esta como una capacidad que usamos en la cotidianeidad, como un "instrumento de expresión —y hasta de acción— libertadora", en palabras de Alfonso Sastre (1978: 21). Este concepto no solo funciona con la realidad de manera inseparable, sino también dialécticamente y en tensión constante, de modo que debemos asumir la presencia del elemento imaginativo en cualquier producción artística. Así, la copia objetiva de la realidad no existe, sino que siempre va a aparecer mediada por el filtro de la imaginación. En el caso de Galdós, este mecanismo de producción resulta muy paradigmático porque es precisamente el elemento imaginativo una constante en su obra lo que le hace ser considerado como un realista "poco realista". Su fuerte presencia desde el comienzo de sus escritos lo ha convertido en uno de los elementos vertebrales desde los que situarse para establecer la evolución de su obra[56].

Galdós, que en esas décadas de auge realista había ido restringiendo el uso de la imaginación, aunque nunca sin anularlo plenamente, al llegar a 1889-1890 recupera y potencia no solo los elementos imaginativos como los sueños, los desdoblamientos, etc., sino también los elementos fantásticos que hasta el momento no tenían cabida en la novela[57]. Galdós, acorde con los tiempos y con los novelistas del momento,

56 Que Galdós nunca prescinde por completo de la imaginación es un hecho. Véase la clasificación de Gustavo Correa en *Realidad, ficción y símbolo en las novelas de Pérez Galdós. Ensayo de estética realista* (1977, capítulos III a XII), donde se puede observar cómo ya en las novelas de tesis existe una fuerte presencia del elemento imaginativo. En sus obras posteriores de la época más naturalista, *El amigo Manso* (1882) sería la más destacada en este aspecto; de ella se servirá Unamuno para la creación de *Niebla* (véase Gullón 1980: 57-96); o esta opinión de Ángel del Río en 1969: "De *La sombra*, 'novela fantástica', a sus últimas obras, *El caballero encantado* o *La razón de la sinrazón*, 'fábula inverosímil', hay una cadena de creación imaginativa, rozando el mundo de lo maravilloso, soterrada acaso en el periodo de culminación realista y naturalista, pero, en el fondo, siempre presente y actuante, activa" (100). Otros, como Germán Gullón, lo relaciona con el proceso de dramatización galdosiano y su camino hacia el teatro (1983: 68).

57 En este punto es necesario insistir en la diferencia que existe entre imaginación, ficción y fantasía, siendo el segundo una convención literaria y el tercero, un nivel del primero. Se podría afirmar, entonces, que elemento imaginativo ha

entiende las rupturas que se están produciendo con respecto a la novela tradicional que ya han dejado clara la inseparabilidad de los términos realidad-imaginación en cuanto a producción y realidad-ficción, e intenta exprimir las posibilidades que juntos dan a la literatura. Se trata de una nueva manera de situarse en los límites de la novela realista para ensancharlos. Así, en torno a 1890, se publican varios textos capitales que abrirán definitivamente el camino de lo fantástico en las narraciones galdosianas: *La incógnita* (1889), *Realidad* (1890) y el volumen que recogía *La sombra*, *Celín*, *Tropiquillos* y *Theros* (también de 1890)[58]. El diferente tratamiento de lo fantástico con respecto a la realidad en cada una de estas narraciones demuestra un incremento cuantitativo que vertebra luego el siglo xx. Entonces, nos encontramos, por un lado, con los elementos fantásticos, maravillosos[59] y mitológicos, que se incorporan en las obras de la primera década del siglo y se desarrollan en mayor profundidad a partir de *El caballero encantado*, que abre una nueva manera de novelar galdosiana (López Morillas 1986: 59). Pero ¿cuál es el sentido de la recuperación de estos elementos?, ¿por qué en ese momento?

En este punto, acudo de nuevo a la teoría de Alfonso Sastre y a los cuatro niveles de la imaginación que establece: práctico, dialéctico,

habido siempre en la obra de Galdós en menor o mayor grado, sin embargo, veta fantástica, solo a partir de 1889, incluida la recuperación de *La sombra*, escrita en 1867, en los epígonos del romanticismo.

58 Las posibilidades de incluir en la realidad también lo imaginado o intangible, como las sombras de *Realidad*, o lo inventado, como en el caso de *Misericordia*, responden al interés por dejar atrás la novela realista-naturalista durante los años noventa. Entonces se remitía "al arte de la modernidad que se centra en el individuo, o en el reducido grupo de individuos, que ha dejado de orientarse por los usos, las costumbres y los códigos de la sociedad en que vive. Son exploradores del yo, y su problema vital es la incomunicación en la que se desarrolla su vida, la cual es un acto de fe, un acto de auto-creación. En las dos *Realidad* don Benito experimentador tantea, mediante la aparición fantasmagórica de Federico Viera, cómo, en una época de crisis y alienación, el ser humano puede franquear las barreras que la farsa social erige entre grupos y personas que deben y quieren comunicarse" (Miller 2004: 80).

59 Por ahora entenderemos lo maravilloso como parte de ese nivel de imaginación "pura" tal y como Sastre lo expresa en su *Crítica de la imaginación* (1978), sin establecer unos criterios específicos que lo diferencien de lo fantástico.

onírico y puro. El último, también llamado fantástico, es explicado desde dos lugares opuestos. Por un lado el de la tradición hegeliana, que niega cualquier posibilidad de existencia de ese mundo imaginado y, por otro, la que contempla la posibilidad de que ese mundo existiera en algún momento. Lo que a Sastre le interesa, sin embargo, es definir este nivel fantástico a partir de la relación que se establece entre la realidad y lo imaginado, siendo paradójicamente en este nivel donde mayores exigencias realistas surgen. No aplica, por tanto, el criterio de probabilidad o improbabilidad, como otros autores, sino que busca explorar la relación dialéctica que se establece entre los planos real e imaginado, puesto que el apego de lo imaginado a lo real es inseparable:

> la literatura fantástica tiene que ser más realista que la otra, digámoslo así. Sus efectos propios dependen del realismo, de una reducción de elementos imaginantes hasta extremos a veces incluso sórdidos. [...] Sin realismo no hay literatura fantástica mientras que la literatura de la realidad corriente, de la posibilidad probable, puede prescindir de olores, de detalles...; puede, en fin, no ser realista (1978: 362).

La veta fantástica, por tanto, refuerza el realismo de una narración y Galdós ya ha descubierto y asumido que "la superchería burguesa ha consistido en hacernos pasar por realidad lo que era solo ficción. Cierto; el realismo era solo una ilusión más" (Risco 1980: 272).

Con el elemento fantástico crea Galdós un mundo más rico, que entra en conflicto con la reproducción mimética del XIX, del mismo modo que las nuevas alternativas ideológicas entran en conflicto y tensionan el poder establecido[60]. Esta veta fantástica, como ideoló-

---

60 El rechazo del artificio gratuito no implica un rechazo de la imaginación. Recordemos que en los textos galdosianos prima la función comunicativa, por lo que el realismo como modo de producción artística es siempre imperante. En este sentido, entiendo que "cualquier efecto que conduzca a una mayor profundización en los medios materiales de vida, la ideología y sus contradicciones será igualmente realista" (Carriedo 2007: 13), y que, como ya señaló Gillespie, "Galdós does not believe that a pat fiction can be superimposed o reality; fiction ultimately subserves realism" (1966: 30).

gicamente lo es el republicanismo, funciona como mecanismo o vía mediante la que explicar y construir de un nuevo mundo que, sin destruir el anterior, responde a la urgencia de solucionar y ordenar el caos predominante. Galdós en su siglo XX va a continuar y a explorar con vehemencia su gran descubrimiento de fin de siglo, la presentación de la realidad multidimensional (Gillespie 1966: 27), pero lo hará desde otros lugares extrautoriales y excediendo lo captado mediante la observación. Las formas fantásticas recuperadas en los años noventa aparecerán ahora impregnadas de una ideología centrada en lo colectivo para anular esa introspección con la que se ha considerado que superaba la novela de los ochenta.

El caso en que se cumple esta premisa con mayor claridad se encuentra en *El caballero encantado*, cuyo material procedente de la imaginación en los niveles onirológico (sueños y desdoblamientos) y puro (la fantasía) analizaremos a continuación.

7.4.1. Realidad e imaginación en *El caballero encantado*

El nivel onirológico[61]

En este análisis de la imaginación no se puede prescindir de las constantes alusiones al subconsciente ni del papel que desempeñan los sueños, que, sin duda, guardan relación con Sigmund Freud y el psicoanálisis. La literatura del XX, que tanto ha tratado sobre la irrealidad, se ha servido en muchas ocasiones de los temas propios de esta corriente. Helio Carpintero y María Vicenta Mestre en su obra *Freud en España* (1984) resumen así las influencias del austríaco en la literatura española:

---

61 Sastre incluye, en principio, este nivel de la imaginación entre los "reproductores", puesto que las imágenes oníricas se entienden como "la reproducción en el tenebroso escenario del sueño de acontecimientos que tienen lugar en nuestra psique: que *ocurren en ella*" (1978: 278). Sin embargo, al estudiar cómo se establece esa reproducción, afirma "que la imaginación nunca se limita a la mera reproducción de lo ausente ni al mero reflejo de lo-ahí" (389).

> En realidad, se trata de una concepción del hombre y de la cultura que ha influido enormemente en el hombre del siglo XX a través de un puñado de imágenes, algunas cinematográficas, que giran en torno a un diván, unos sueños, y un personaje que obra y piensa escindido entre las idealizaciones y las más crudas pulsiones del sexo (242)[62].

En el caso de Galdós, la relación con los preceptos del psicoanálisis es más que evidente, como ya ha apuntado la crítica[63]. Sin embargo, es poco probable que estos fueran influencia directa del propio Freud, puesto que sus primeras obras que aluden al subconsciente aparecen entre 1895 y 1905, cuando Galdós ya ha creado la mayor parte de su obra (Elliot y Kercheville 1940: 35)[64]. Sin embargo, sí se puede asegurar que conoció a sus maestros y precursores:

> In the portrayal of his abnormal characters Galdós discloses an affinity with precursors of psychopatology such as J. M. Charcort (1825-1895), A. A. Liébault (1823-1893), and James Braid (*ca.* 1795-1860), rather than with the German experimental psychologists. Charcot, Liébault, and Braid attributed some nervous disorders, especially hysteria, to suggestibility and successfully treated them with hypnosis (Penuel 1972: 66).

William H. Shoemaker, en la reseña del estudio de Berkowitz *La biblioteca de Benito Pérez Galdós. Catálogo razonado...* (1953: 354), repara en que el novelista canario poseía un ejemplar de uno de estos estudiosos, el *Informe sobre el estado mental de Martín Larios y Larios* (1889) de J. Hardy y F. M. Charcot. Además, Berkowitz anota la

62 En relación con la importancia de lo sexual en *El caballero encantado*, véase Bly (1979).

63 Véanse Elliot y Kercheville (1940); Schraibman (1960: 34-37); Penuel (1972); Glick (1981); Illie (1998) y Ontañón (2009).

64 En 1895 publica *Estudios sobre la histeria*; en 1900, su *Interpretación de los sueños* y en 1905, *El chiste y su relación con lo inconsciente. Tres ensayos para una teoría sexual.* Pero la primera traducción de las obras completas de Freud al español no se lleva a cabo hasta 1922 (trad. de Luis López Ballesteros, 17 vols., Biblioteca Nueva, 1922-1934).

existencia de otras dos obras referentes al tema: una es la de Víctor Malcior Farré, *Los estados del subconsciente y las aberraciones de la personalidad* (Barcelona, 1904) y la otra, *Naturaleza y cultivo de la memoria* de Prudencio Fernández Solares (La Habana: Impr. La Provincia, 1904)[65], que corroboran su interés por el tema. A estos datos habría que sumarle la aparición, ya en 1893, en *La Gaceta Médica de Granada* y en la *Revista de Ciencias Médicas de Barcelona*, de la primera traducción del artículo "Los mecanismos psíquicos de los fenómenos histéricos", firmado por Sigmund Freud y Joseph Breuer, y publicado ese mismo año en la revista *Neurologisches Centralblatt* (núms. 1 y 2); o el prólogo de Santiago Ramón y Cajal al volumen de las *Poesías* de Marcos Zapata en 1902, en el que sin aludir directamente al psicoanálisis, ya menciona los puntos más importantes de este: el subconsciente, al que llama "células cerebrales en barbecho" (19), la interpretación de los sueños o la "segunda personalidad complementaria" (23), es decir, los desdoblamientos de la personalidad son algunos de ellos; o que en el año 1903 se publicara en la revista *Helios* (377-378) una reseña de Pedro González Blanco de *Lo inconsciente* del Doctor Coste, en la que apoya ciertos preceptos de los que parte el psicoanálisis; o que en el mismo año 1909 apareciera la primera crítica al psicoanálisis y a las teorías de Freud por el psiquiatra y neuropatólogo Miguel Gayarre Espinar (véanse Ramón y Cajal 1902; Elliot y Kercheville 1940; Penuel 1972 y Glick 1981).

No debe extrañar que Galdós se interesara por esta materia, puesto que así lo ha demostrado a lo largo de su trayectoria novelística en personajes como Anselmo (*La sombra*), Isidora Rufete (*La desheredada*), Orozco (*Realidad*) o Benina (*Misericordia*), entre otros muchos. En el caso de *El caballero encantado* menciona a estos precursores del psicoanálisis, "los estudiosos que examinan estas cosas enrevesadas de la física y la psiquis" (1968c: 241), al inicio del encantamiento de Tarsis, para referirse a la primitiva pérdida de memoria del caballero. Además, introduce (o al menos alude) importantes tópicos de esta doc-

65 Ejemplares de estas tres obras se encuentran aún en la Casa-Museo Pérez Galdós con signaturas XI-2300, XI-1207 y XI-1832, respectivamente.

trina, empezando por el diván de Becerro en el que "cae" literalmente Tarsis antes de ser encantado (239). Es en el instante en que se tumba cuando empieza a tener el sueño que da paso al encantamiento.

Por otro lado, también resulta sintomático el desdoblamiento que se produce en la figura de Tarsis (después Gil). Se sabe que este mecanismo no es nuevo en las novelas de Galdós. Desde *La sombra*, pasando por *La desheredada*, hasta *Realidad*, entre otras, se sirve Galdós del desdoblamiento de la personalidad. No obstante, en este caso el desdoblamiento ocupa un lugar principal en la novela (el grueso se desarrolla básicamente durante ese desdoblamiento, capítulos VI-XXVI) y, además, el mundo maravilloso creado no funciona exclusivamente en la mente del protagonista, a diferencia de otros personajes de otras novelas, como Isidora, por ejemplo.

La entrada de Tarsis en el encantamiento se puede entender como la inmersión en su propio subconsciente y, por tanto, su transformación "puede ser leída como la relación del Yo con el otro, la del hombre con su doble, la de la conciencia con la subconsciencia" (Gullón 1980: 88). El recurso del subconsciente le sirve a Galdós para descubrir y experimentar a la vez, puesto que el subconsciente obliga a Tarsis a conocer dos partes de la realidad ignoradas hasta el momento: una interna, puesto que Tarsis se descubrirá a sí mismo, y otra externa, en la que aprenderá otra realidad de la España rural y miserable; el cambio de la consciencia a la subconsciencia impulsa la evolución de un Tarsis pasivo a otro activo, de un ser abúlico a otro resolutivo[66]. El encantamiento, por tanto, impone el desdoblamiento y la reflexión que el propio Tarsis lleva a cabo de sí mismo y de lo que le rodea. El desdoblamiento le sirve para cambiar una realidad interior que, consecuentemente, traerá un cambio de la realidad exterior.

El desdoblamiento de Tarsis en Gil implica un cambio en la psique: lo que en uno era el consciente, ahora será el subconsciente, es decir, la personalidad original de Tarsis, el consciente en el mundo real, pasa a ser el subconsciente en el desdoblamiento; de ahí que al

---

66 Compárese el pesimismo latente del protagonista en los capítulos III y IV con la actitud positiva y optimista frente al futuro del capítulo XXVII.

comienzo del encantamiento, cuando "había perdido toda noción de su primitiva personalidad, por un embotamiento absoluto de la memoria" (241), no recordara nada de su pasado porque "la subconsciencia o conciencia elemental estaba en él como escondida y agazapada en lo recóndito del ser, hasta que el curso de la vida la descubriera y alentara de nuevo" (*idem*). Sin embargo, pronto recupera su personalidad y Galdós hace evidente una vez más, no solo el concepto de subconsciente, sino también el de desdoblamiento:

> Empezaba, pues, el desdoblamiento de las dos figuras, de las dos personalidades, desdoblar lento, que los estudiosos de la psiquis comparan a las primitivas funciones de la vida vegetal. Poco a poco se daba cuenta de que había sido otro, y de que la anterior y la presente naturaleza se reconocían, demarcándose, y se aproximaban como procurando la reconciliación. Serían, pues, dos en uno, o un uno doble, y aunque esto no se entienda, fuerza es declararlo así, dándolo por posible, para que lo crea el vulgo y lo acepte con fe ciega y no razonada... (245).

Acto seguido, Gil descubre plenamente su verdadera personalidad, de la que será consciente a lo largo de toda la obra. Gil sabrá que es Tarsis y lo tendrá presente en cada momento[67]. La consciencia de Tarsis se presenta tan clara que sabe perfectamente no solo quién es, sino que ha sido encantado y que el encantamiento funciona como un castigo con un fin concreto, el de la regeneración: "En cuanto me hice cargo de mi encantamiento, días ha, Señora y Madre, comprendí que este no era por daño mío, sino al modo de enseñanza y castigo", le indica a la Madre en su primer encuentro (251).

Además de Tarsis, todos los personajes encantados en la novela (Regino, Pepe Azlor...) aparecen también desdoblados. El caso más relevante se encuentra en la colombiana Cintia, coprotagonista de la obra, que se desdobla con el único propósito de apoyar y afianzar el

67 Véanse los capítulos VIII y XIX en los que entabla conversación con la Madre, los capítulos X y XI en los que se produce el encuentro con Cintia o el capítulo XXI donde, tras ser apresado, se encuentra en la cárcel de Sigüenza y conoce a Tiburcio de Santa Inés, que cree en su condición de noble.

purgatorio de Tarsis; Cintia-Pascuala, deseo de Tarsis, será el motivo de gran parte de las actuaciones del caballero durante el encantamiento. Si Tarsis se ha desdoblado en el primitivamente campesino Gil, Cintia se desdobla de manera nada casual (véase el capítulo II) en la maestra Pascuala. Ella, al contrario de Tarsis, se percata tardíamente de su personalidad en el mundo real y de su encantamiento.

Otro de los elementos que revelan la existencia del subconsciente lo encontramos en los sueños, uno de los recursos más utilizados por Galdós y que más importancia ha cobrado en algunas de sus novelas, como ha estudiado José Schraibman en su clásico *Dreams in the Novels of Galdós* (1960). Los sueños, especialmente en la primera etapa galdosiana, descubren características de los propios personajes y posteriormente también calibrarán su evolución a lo largo de la narración. Soñar para Galdós significa seguir en la vida, como asegura mediante estas palabras de Benina en *Misericordia*: "lo que uno sueña, ¿qué es? Pues cosas verdaderas de otro mundo que se vienen a este" (Pérez Galdós 2003: 311). Los sueños forman parte de la realidad, se definen como una parte de la imaginación que no solo afecta a la realidad sino que también, de alguna manera, provoca su cambio (véase Sastre 1978: 278-295).

En el caso de *El caballero encantado*, aunque los sueños tan solo se desarrollan como una "depiction of a peripheral incident" (Schraibman 1960: 42), sí afectan a la narración: por un lado, envuelven al lector en un estado de confusión idóneo desde el que Galdós transgrede los límites entre realidad e imaginación; por otro, es de destacar la importante carga ideológica que llevan implícitos, al igual que ocurría con la forma dialogal. De hecho, no parece casual que de los cuatro sueños que se registran, tres de ellos utilicen la forma dialogal como marco formal.

El primero ocurre momentos antes del encantamiento, cuando Tarsis cae en el diván de Becerro, del que "no se movió en largas horas" (1968c: 239). Allí, Tarsis sueña que se dirige a su casa, en "lo alto del barrio de Salamanca", donde no le resulta fácil llegar porque "una fuerza irresistible le cortaba la andadura" (*idem*). Una vez dentro, ve el retrato de Cintia y se tumba "quedándose profundamente dormido, sin soñar cosa alguna, como no fuera una visión de Bibiana, la querindanga de Merlín...” (*idem*). Entonces despierta en la casa de Becerro, en su diván. En ese primer sueño, que lleva al caballero “a un dulce estado de inconsciencia melancólica” (*idem*), se concentran varios elementos: lo que Tarsis ansía (su casa, el cuadro de Cintia) y sus temores (recuérdese que Tarsis antes de dormirse le pide a Becerro que se calle al mencionar el encantamiento de Bibiana a Merlín porque teme lo sobrenatural, lo desconocido una vez más).

El segundo sucede en su primera conversación con la Madre, en lo alto de los Picos de Urbión. Allí, Tarsis se queda dormido en sus brazos y al despertar le confiesa:

> ¡Qué dulce paz! He dormido en tu regazo como un niño, y he soñado que vivimos en un mundo patriarcal, habitado por seres inocentes que no viven más que para compartir con amorosa equidad los frutos de la tierra (257).

En este caso, Tarsis se adelanta al final de la novela con su mensaje optimista y que a la vez reafirma cómo el encantamiento está regenerando su propio pensamiento.

El siguiente sueño pertenece a Cintia convertida en Pascuala. Tiene lugar en su primer encuentro con Gil, cuando ella aún no es consciente de su encantamiento y acaba de conocer el nombre del encantado:

> [...] Hace dos tardes pasé por la cantera y vi a los hombres trabajando... Me parecieron demonios. Por la noche soñé cosas horribles... Soñé que yo era piedra, y que me estaban barrenando en el corazón. Desperté al dolor de mis carnes taladradas por el hierro. ¡Ay, qué susto al despertar, y qué sudores de muerte! Oía los graznidos de una bandada de cuervos, y los cuervos decían *Gil, Gil...* y eso mismo, *Gil,* estuvo sonando en mis oídos aquella noche y todo el día siguiente (263).

Este sueño, una vez más, sirve como premonición de lo que ocurrirá en un futuro (por un lado, el inminente encuentro con Gil, como graznaban los cuervos, y por otro, la angustia por ser piedra a la que se le está taladrando el corazón parece ser una premonición de todas las duras pruebas que pasará durante el encantamiento hasta que se pueda reunir con Tarsis).

El cuarto y último sueño que introduce Galdós en la novela está relacionado con su significado global. Tras el regreso de Boñices, Tarsis se queda de nuevo dormido junto a la Madre mientras pronuncia en sueños "soñemos, alma, soñemos", en una clara referencia al artículo galdosiano de enfoque regeneracionista ya varias veces citado. De nuevo, este sueño indicará el deseo de un conmovido Tarsis por lo que acaba de presenciar. En él y mediante la simple referencia al texto de 1903, se condensa toda la carga ideológica con que Galdós cierra la visita a Boñices a la vez que advierte contra una posible revolución desde abajo si no se proponen soluciones mediante otras vías[68].

En los cuatro sueños de la novela, la Madre presenta un papel preponderante, situándose en el centro de los acontecimientos: cuando ambos personajes están lejos de la Madre, el sueño adelanta metafóricamente los acontecimientos (el sueño de Tarsis antes de estar encantado y el de Cintia), además de mostrar sus deseos y miedos; sin embargo, los sueños que Tarsis tiene junto a la Madre reflejan el significado de la novela y a la vez la evolución del propio caballero hacia el optimismo y el interés por transformar lo que le rodea.

Tanto los sueños como los desdoblamientos suponen un viaje simbólico tanto para los personajes en el plano de la ficción, como para los lectores, e incluso para el propio Galdós, que a lo largo de la novela ha aprendido una nueva manera de trabajar el realismo. En este sentido, entiendo como uno de sus grandes logros el haber conseguido llevar todas estas herramientas introspectivas e individualizadoras, propias de la ideología burguesa, al plano de lo colectivo. El interés crítico y pragmático de la obra resulta evidente desde el comienzo (y tiene total sentido si pensamos en un Galdós ya militante en este siglo XX), así como la necesidad de llevarlo a cabo mediante procedimientos en auge hacia 1909, tales como un alto grado de fantasía y de elementos relacionados con lo onirológico. El desdoblamiento de Tarsis funciona como un aprendizaje social y cívico, un manual de educación en el respeto, en la convivencia, en la búsqueda

68 Discrepo, por tanto, de la opinión de Schraibman sobre los sueños como elementos accidentales o periféricos en la obra.

del consenso, la unidad y el punto de encuentro entre las clases que forman la sociedad española.

El nivel "puro" o fantástico

El caballero encantado se concibió desde el inicio como una novela en la que el elemento fantástico sería parte de la realidad novelable, como nos confirman las cartas de Galdós a Teodosia Gandarias[69]. Lo fantástico se descubre para el novelista como un mecanismo no solo relacionado con la realidad de manera inseparable, como nos había señalado Sastre, sino que además va ser utilizado conscientemente para operar con la propia realidad[70]. Galdós mismo, en su carta del 26 de agosto, describe la obra como fantástica pero también recuerda con qué limitaciones:

> Es fantástica porque en ella pasan cosas que no son de la vida real, cosas disparatadas y del orden sobrenatural; pero en el fondo hay realidad

69 En ellas, desde las primeras menciones a la novela se hace eco de la novedad que va a introducir: "Pienso en la obra nueva, y allego los extraños elementos que han de componerla, leyendo diferentes obras; pero no escribo nada todavía" (carta del 22/07/1909, Pérez Galdós 2016: 703). En otra carta del 2 de septiembre, le hace explícito el descubrimiento de este mecanismo para penetrar en la realidad y le explica absolutamente entusiasmando cómo esta nueva manera de novelar le ha permitido abrir más su campo novelístico e introducir ya sin impedimento estético todo un repertorio de seres fantásticos: "Paréceme que he encontrado un filón nuevo. Es un método de humorismo encerrado dentro de una forma fantástica, extravagante, algo por el estilo de los libros de caballerías, que desterró Cervantes, y que a mí, en guasa, se me ha ocurrido rematar para poder decir con la envoltura de una ficción lo que de otra manera sería imposible. En lo que llevo escrito, me he despachado a mi gusto suponiendo encantamientos, apariciones, de... y ahora voy a sacar gigantes, enanos y toda clase de monstruos de la tierra y del aire" (722).

70 Paradójicamente más estrecha en este nivel "puro", porque "no hay un mundo ficticio absolutamente otro: ese mundo imaginado comporta siempre una relación con el mundo conocido" (Sastre 1978: 363).

> o realismo y una pintura que yo creo justa de la vida social, tal como la estamos viendo y tocando (Pérez Galdós 2016: 718).

La fantasía entonces se convierte en un mecanismo ideal para difundir el proyecto ideológico galdosiano, para llevar a cabo su crítica social y para contar "lo que de otra manera sería imposible" (Pérez Galdós 2016: 722):

> Es obra en que he puesto mucho de erudición clásica, cosa que aquí me es fácil por los muchos libros de literatura castiza que aquí tengo, y luego he metido unas escenas fantásticas que me sirven como artificio para introducir una sátira social y política que de otra forma sería muy difícil hacer pasar (715).

Galdós, además, no solo utilizará la fantasía para criticar, satirizar, ironizar o denunciar la situación de una realidad concreta, sino que, a través de ella y del espacio narrativo que configuran los personajes, buscará motivar a las nuevas generaciones burguesas, aún dormidas a causa de un pesimismo generalizado. Lo anuncia el propio narrador previamente al encantamiento, al tratar sobre el interés de Tarsis en las "mágicas artes":

> Tarsis, que anhelaba lo extraordinario y maravilloso, único alivio de su agobiada voluntad y solaz de su abatido entendimiento, llevó la conversación al terreno de las mágicas artes, que a su parecer, opinando como el vulgo, están relacionadas con la malicia y sutileza de Lucifer (Pérez Galdós 1968c: 236).

Lo mismo se puede afirmar de Becerro, encantado por una neurastenia (enfermedad psíquica que deja en un estado depresivo y afecta a las energías físicas) y que acaba convirtiéndose en el león de Hesperia (279-280). De un modo general, el desarrollo de los hechos en la novela muestra cómo la fantasía funciona como mecanismo favorable al cambio de actitud y a despertar una voluntad de trabajo por una España regenerada.

Relacionado con lo fantástico y con la realidad se encuentra la verosimilitud/inverosimilitud, conceptos con los que Galdós va a jugar ya desde el título. Es necesario entenderlos en relación con el momento de la lectura y con el lector del texto, que se encuentra definido por su ideología, al igual que el propio texto. Dependiendo de la ideología del lector, así será la lectura que se haga y el efecto que tendrá (Risco 1987: 149). Por tanto, el grado de verosimilitud de una obra va a depender de un plano ideológico. Y sobre ello va experimentar Galdós en *El caballero encantado*. La obra está concebida para un lector perteneciente a esa clase media que se está formando y de la que se está hablando. Este asimilará como verosímil con mayor facilidad la realidad anterior al encantamiento, estéticamente tratado, además, según los preceptos de la aún exitosa novela realista decimonónica. Una vez que traspasa el umbral del espejo, ante el protagonista y ante el lector aparece otro mundo también real, pero que —muy irónicamente— Galdós coloca en un plano de la imaginación pura, inverosímil para quienes no, como el protagonista (como probablemente una parte importante de los lectores), conocían una España igual. Es decir, esa realidad, que hoy analizamos sin dudar como una parte de la España de la época, es situada por el autor en un espacio en que opera lo fantástico, lo que la convierte irónicamente en inverosímil. De este modo, consigue, paralelamente, potenciar y visibilizar la multiplicidad de la realidad repitiendo el fin buscado con el sistema dialogal. Para el protagonista y para los lectores de esta novela esa España presentada resulta inverosímil, irreal, en tanto que es desconocida, pero para Galdós, quien la trabaja, se muestra verosímil; se trata de un referente real. El que sea desconocida e irreal para quienes la leen, le permite a Galdós establecer en ella toda una serie de elementos fantásticos que en la conocida y real no podría haber introducido o, al menos, no habrían mostrado el mismo efecto.

En las obras de los años 89 y 90 a que me he referido anteriormente, aunque introduce lo fantástico en su literatura, todavía se siente obligado a explicar su manejo en el contexto de la narración. En el volumen que recogía *La sombra* y los cuatro cuentos ya mencionados, entre ellos *Celín*, cuyo universo narrativo se asemeja bastante al de *El caballero encantado*, Galdós siente el compromiso de justificar ante el lector su manejo de la fantasía y los mecanismos elegidos (Pérez Galdós 2005-2006: 23). Ahora, en 1909, esa necesidad de aclarar no existe. Las novedades de la novela y los experimentos que con ella se han llevado a cabo en estos años, definidos por el alejamiento de la escritura realista tradicional, han acabado con la obligación de justificación de estos mecanismos por parte del autor[71]. Ni siquiera en el episodio más inverosímil y fantástico de toda la novela, la estancia de Gil en la redoma de peces justo antes de su retorno a su vida real, se muestra un mínimo interés por justificar lo que está escribiendo. Solo explica brevemente que Gil ha sido introducido en "una nueva esfera de la vida del encantamiento, que de las anteriores se distinguía por la mudanza de las formas de rusticidad y pobreza en formas de elegante pulcritud" (1968c: 334).

El lector, por otro lado, va a asumir sin extrañamiento tanto el encantamiento de Tarsis como los mecanismos fantásticos que operan en la novela. Francisco Ynduráin (1977), el primero que reparó en estas ideas, implicaba en este proceso de asunción al narrador omnisciente que domina la obra y que tan solo en un momento deja de serlo[72]. Entiende, además, que en el instante en que dice "¡Ay, caballero de mi alma, qué será de ti en ese rodar hacia la desconocida hondura! Válgante tus buenas obras..." (Pérez Galdós 1968c: 241), el lector acepta como legítimo el encantamiento, estado en que se van a desarrollar toda una serie de elementos fantásticos (Ynduráin 1977: 341).

Sin embargo, desde mi punto de vista, ya antes el lector lo ha asumido en la novela gracias a que Galdós lo va introduciendo paulatinamente. La primera referencia al tema se encuentra en el título del capítulo IV en el que se presagian "sucesos increíbles" (Pérez Galdós 1968c: 233); la siguiente se encarna en la figura de José Augusto Becerro[73] que, curiosamente,

---

71 Galdós explica el porqué del encantamiento, pero no explica las cualidades de la Madre ni los cambios de escenario, ni los vuelos... tampoco lo hará en los Episodios Nacionales posteriores.

72 Este aspecto ha sido admitido de forma unánime por la crítica. Varios son los estudiosos que él se refieren. Véase, además del ya citado artículo de Ynduráin (1977), Gillespie (1970: 853).

73 Paradójicamente, el personaje más unido a lo científico y a lo real, pues "desde sus tiernos años se dedicó a la enmarañada ciencia de los linajes, a desenredar las

día y noche trabajaba sin levantar mano en un prolijo estudio de la vida y sapiencia del famoso prócer don Enrique de Aragón, marqués de Villena, reputado en su tiempo por letrado, astrólogo y alquimista, con ribetes de nigromante o brujo (235).

Es en casa de Becerro, en la que "había desequilibrios inverosímiles" (*idem*), donde Tarsis "creyó hallarse en la oficina del nigromante o alquimista que nos dan a conocer las comedias de entretenimiento y las obras de magia" (*idem*). La atracción de Tarsis por este mundo se demuestra en la conversación siguiente con Becerro sobre el marqués de Villena. Tarsis le pregunta a Becerro por sus hermanas y este le responde que "viven y mueren en su grande elemento" (236). Será, por tanto, esta afirmación de Becerro lo que incite la curiosidad de Tarsis y lo que le lleve "en busca de la explicación del misterio" (237). Ocurre entonces el episodio del espejo —que se analizará por extenso en líneas posteriores— a raíz del cual Galdós introduce constantemente elementos que invitan a asimilar lo fantástico: "¿eres tú de verdad, o eres pintura, artificio de la luz en el vidrio, por obra del discípulo de Lucifer que vive en esta casa?" (*idem*), le pregunta Tarsis a Cintia cuando la ve reflejada en el espejo; "¿es esto una casa encantada?" (*idem*), añade enseguida: "tu casa está encantada, o tú eres el demonio con figura de Augusto Becerro" (238), le acusa a su amigo posteriormente. Unas líneas después se produce el proceso de encantamiento, cuyo final se explicita con un simple "Tarsis abandonó el concepto de lo real para volverse al de lo maravilloso" (240)[74]. Entonces, el

madejas genealógicas y a bucear en el polvoroso piélago de los archivos" (226), es quien emplea su tiempo en estudiar personalidades relacionadas con las ciencias ocultas y sea quien diseñe la parafernalia del encantamiento de Tarsis.

74 Véase cómo el propio Galdós habla de lo maravilloso y no de lo fantástico. Merece la pena ahora hacer una distinción entre los dos conceptos, y sigo a Antonio Risco en su *Literatura fantástica en lengua española* (1987), que diferencia entre uno y otro mediante los criterios de natural y extranatural. Así, la literatura fantástica se podría definir como "aquella que hace aparecer en sus anécdotas elementos extranaturales, los cuales se identifican en cuanto se oponen de alguna manera a nuestra percepción del funcionamiento de la naturaleza, de su normalidad" (25) o "aquella en que lo extranatural se enfrenta con lo natural produ-

lector ya ha aceptado la concepción de una nueva dimensión en la novela que no es la realista mimética y que, parece, va a predominar a lo largo del relato. No obstante, pronto se matizará esta idea. Por tanto, Galdós ya ha estado preparando al lector para el encantamiento y, sobre todo, ha ido incluyendo unos elementos ajenos a la realidad de la novela tradicional en la narración, de modo que el lector podrá creerlo inverosímil, pero no incoherente. Es evidente que el lector ya ha asumido la dualidad realidad-fantasía de la obra cuando Galdós decide no explicar nada de su proceso de cambio.

Por otro lado, no es solo el lector el que asimila el elemento imaginativo desde el comienzo de la narración, sino también los propios personajes[75]: Gil se muestra consciente del encantamiento desde muy temprano —"Ya estoy en mí, en el mí de ayer. Soy don Carlos de Tarsis", afirma al final del capítulo VI (245), el primero en que se encuentra plenamente encantado—, así como de por qué y para qué; en estas palabras se lo hace saber a la Madre en su primera conversación con ella: "En cuanto me hice cargo de mi encantamiento, días ha, Señora y Madre, comprendí que este no era por daño mío, sino al modo de enseñanza o castigo por mis enormes desaciertos" (251).

Tarsis, por tanto, asume su propia dimensión fantástica poco después que el lector. Pero ¿qué ocurre con la figura de la Madre? Incluso sus actuaciones quedan sin justificar; ella aparece y desaparece sin ninguna explicación y sus actos, como apunta Ynduráin, "operan por modo natural en su línea fantástica" (1977: 343). La Madre, al ser un

---

ciendo una perturbación mental, de cierto orden, en algunos de los personajes que viven la experiencia y, en segundo término, en el lector. Es decir, que de un modo u otro ese encuentro ha de presentarse como sorprendente o escandaloso. Tales escándalo o sorpresa no se producen, como acabamos de ver, en la literatura estrictamente maravillosa, ya que en ella lo extranatural tiende a mostrarse como natural, en un espacio que, por ello, puede llegar a ser muy diferente vive el lector en su cotidianeidad" (139).

75 Para esta relación de los personajes con su entorno novelesco, ténganse en cuenta las palabras de Ricardo Gullón: "La llamada 'verdad psicológica' del personaje no es el resultado de una combinación entre elementos reales e imaginarios encaminada a conseguir que estos se parezcan a aquellos, sino el de la adecuación de la figura inventada al mundo novelesco en que se integra" (1980: 13).

personaje simbólico *per se*, actúa mediante mecanismos fantásticos, ubicados extramuros de la realidad que, obviamente, no requieren de explicación[76]; es más, el lector ni siquiera se plantea la verosimilitud de este personaje sino que asume desde el comienzo su configuración como ser maravilloso.

Este pacto que Galdós va estableciendo con el lector empieza a trabarse ya desde el comienzo de la obra. El juego y la confusión entre realidad-fantasía aparecen desde el título y subtítulo con el uso de los adjetivos encantado, real e inverosímil. Estas palabras encierran en sí mismas la dualidad y la ambigüedad de la obra que quedará sin resolver, puesto que el universo del caballero encantado se creará a partir de una situación real —como era la problemática de la Restauración— aunque el modo en que se desarrollarán las acciones dentro de él serán absolutamente inverosímiles (McGovern 2004: 193).

El título, no obstante, no supone más que el primer acercamiento del lector a lo que se desarrollará en la obra. La estructura de la novela, configurada en torno a estos dos conceptos, aclara el tratamiento de ambos. Tres partes bien diferenciadas delimitan el uso entre la realidad y lo maravilloso: antes del encantamiento (capítulos I-V) reproduce hechos miméticos a la realidad planteando la situación literaria social en un espacio real urbano, que dará pie a la introducción de un espacio real en el que operan elementos maravillosos; el periodo de encantamiento en sí (capítulos VI-XVI), en el que aparecen una serie de sucesos maravillosos en un escenario real agrario y donde se cuentan las "locas aventuras hispánicas" de Tarsis; después del encantamiento (capítulo XVII), en que de nuevo se vuelve al primer escenario, un universo real urbano que para el protagonista (y también para el lector) se muestra de manera diferente al original y que demuestra en qué grado lo maravilloso ha afectado a lo real. La configuración de ambos mundos reales urbanos no presentan ninguna novedad estética con respecto a los de otras novelas

76 Entiéndanse como explicaciones referentes a la situación de Tarsis y no al escenario ficticio creado por Galdós las que se registran en las conversaciones entre ambos.

(excepto que prescinde de las descripciones físicas de los personajes), puesto que se encuentran diseñados mediante las técnicas realistas tradicionales, sobre todo el anterior al encantamiento: descripciones "objetivas" en las que se presenta a Tarsis, sus costumbres, sus amistades y, por extensión, su mundo burgués, así como las carencias que conlleva; la diferencia entre ambos mundos reales presentados estriba en la actitud del protagonista frente a ellos, como se analizará posteriormente.

Sin embargo, el espacio agrario en el que se desarrolla la mayor parte de la obra presenta una complejidad añadida, dado que Galdós lo ha cuajado de elementos maravillosos. El proceso del cambio se inicia con la escena del espejo, que ocurre en casa de Becerro mientras Tarsis curiosea:

> Fijose Tarsis en dos cuadros y dos tablas de la escuela flamenca, representando escenas religiosas con fondo de arquitectura y paisaje; y siguiendo su observación de izquierda a derecha, dio con sus miradas en un hermoso espejo con negro marco... Allí fue su estupor, allí su pasmo y sobrecogimiento (Pérez Galdós 1968c: 237).

El espejo se presenta como un símbolo muy acertado para introducir ese segundo espacio donde prima lo maravilloso. Este había sido el elegido por la novela realista para expresar su esencia (recuérdese la famosa cita de Stendhal: "La novela es un espejo en el camino") y también el que había empezado a ponerla en duda (así, *Alicia a través del espejo*, la cual probablemente Galdós conociera, dada su fuerte vinculación con la literatura inglesa); pero, además, su uso contaba con total sentido en un momento en que el fin de siglo había traído a primer plano lo mágico y lo oculto, lo irracional o lo extrarreal. Galdós va a utilizarlo como elemento que posibilita la unión de lo que refleja para la novela realista (el mundo rural de la España del momento) y para la literatura moderna, lo que esconde el subconsciente, en este caso, el deseo. Recuérdese que lo único que calmaba la abulia de Tarsis eran "lo extraordinario y maravilloso"; además de Cintia, claro. Por eso es a ella a quien ve a través del espejo y no su propia figura, y por eso es a un mundo distinto, donde funciona lo maravilloso, a donde lleva Galdós a Tarsis en la novela[77]. La reacción del protagonista es de desconcierto e incluso miedo, frente a la de Cintia, que ironiza y se ríe del detalle. Se trata de un extrañamiento por parte de Tarsis frente a una normalización de lo maravilloso por parte de ella que parece acostumbrada a lo mágico y a las ciencias ocultas, como se deduce de la contestación.

Tras esta escena, Tarsis va sintiendo poco a poco los efectos del encantamiento:

> Abalanzose don Carlos de Tarsis al espejo, y puestos en él manos y rostro, se aseguró de que era cristal y no un hueco por donde pudieran verse estancias vecinas. Luego salió con paso y andar de borracho, tropezando en los muebles y agarrándose a cuanto encontraba, hasta llegar a la próxima sala, donde permanecía, como alma trasunta en papeles, el erudito endemoniado (238).

En esos momentos en los que la acción ya está impregnada de misterio, Tarsis comienza a sentir la presencia de seres invisibles a su alrededor y un repiqueteo de crótalos que anuncian un suceso sobrenatural. Es entonces cuando empieza a dudar de la realidad de la acción: "Pensaba que todo aquel aparato ultrasensible, la visión de Cintia y el ruido de bailoteo de espíritus, podía ser una farsa, obra de la física recreativa, o de algún maestro en ilusionismo o prestidigitación" (240). Y enseguida, se produce de manera más cinematográfica que teatral (véase la perspectiva del narrador) el paso del mundo real al maravilloso:

---

77 Sebastián de la Nuez Caballero ha encontrado similitud entre la carta del 10 de agosto de 1907 y el uso del espejo como canal de comunicación (1993: 20). Así le escribe Galdós a su amante: "Razón tienes en decir que la ausencia es una vidriera. Feliz expresión que nos presenta al pensamiento traspasando de los vidrios, bien para pintarnos en ellos la imagen de la persona amada, bien para figurar el espejismo que nos acorta distancias y nos achica el espacio medianero entre nuestros ojos y la persona ausente" (Pérez Galdós 2016: 618). Por otro lado, coincido con Óscar Casado Díaz (2008), que atribuye al espejo el poder de presentar el reflejo inverso de la realidad, aunque no se trata solo de la realidad invertida, sino del deseo de Tarsis en combinación con un ámbito desconocido para él.

> ...apenas puso los pies en el suelo, estalló en los aires un trueno formidable, y casi al mismo tiempo, con diferencia de segundos, otro más rimbombante en lo hondo de la tierra, y la casa se abrió y desbarató cual si fuera de bizcocho. Desapareció el techo, dejando ver un cielo estrellado; las paredes se abrieron, los libros transformáronse en árboles, y don José Augusto saltó de su asiento por encima de la mesa, convertido en un perrillo cabezudo y rabilargo. Hallose Tarsis en un suelo de césped, rodeado de robustas encinas, sin rastro de casas ni edificación alguna (*idem*).

Esta sería, por tanto, la primera de esas "escenas fantásticas" a las que se refería en las cartas a Teodosia, y que como Óscar Casado (2008) afirma, muestra la primera fase del rito de paso del protagonista. Dicha escena anuncia la liberación de Tarsis mediante el cambio de un espacio cerrado por otro abierto y natural: rompe las paredes y techo de la casa e introduce al caballero en un campo abierto mucho más libre en el que ha devuelto a su origen natural los elementos manufacturados, como los libros, ahora convertidos en árboles. Esta liberación no es solo escenográfica (y como tal afectará al curso de la novela), sino también estética, puesto que igualmente se deshará de los moldes de la novela tradicional que impedían la inclusión de elementos fantásticos predominantes hasta el momento. Galdós libera al personaje y a sí mismo de un mundo y unas formas insuficientes para contar la realidad que le interesa, se libera de las formas del XIX para entrar en las del XX.

Hasta ese momento el mundo novelístico de *El caballero encantado* estaba compuesto de una base altamente realista e histórica, sin embargo, una vez que la trama abandona dicha dimensión, Galdós introduce tanto situaciones reales (la miseria de la aldea de Boñices, el caciquismo, la muerte de José Caminero...) como maravillosas, inverosímiles (los viajes con la Madre, la aventura del gigante Galo Zurdo, la muerte y resurrección de Gil-Tarsis, etc.); personajes reales (pastores, caciques, frailes...), personajes reales encantados (Tarsis, Cintia, Becerro o Regino) y personajes simbólicos (o/y mitológicos), como la Madre; escenarios reales (Madrid, Ágreda, Numancia, Calatañazor, Atienza...) y escenarios maravillosos (la redoma de peces), etc. Incluso en el camino recorrido y en las conversaciones de los propios personajes se encuentra esta conjunción entre realidad y mundo maravilloso. Recordemos, por ejemplo, el momento en que la Madre, después de su primer encuentro, ha ascendido volando —acción absolutamente fantástica— a los Picos de Urbión junto a Tarsis, le sugiere que no pierda tiempo porque tiene que marcharse con el ganado y le recuerda su necesidad fisiológica de comer (Pérez Galdós 1968c: 250). O incluso los propios Gaytanes, Gaitines y Gaitones, que, a pesar de parecer personajes propios de las más puras obras fantásticas, como los libros de caballería, no dejan de ser la metonimia del cacique, como ya se indicó anteriormente. Muy significativa es también la figura del propio José Augusto Becerro, que en las ruinas de Numancia, es decir, durante el encantamiento, se desenvuelve como si se encontrara en una dimensión real y el encantamiento preparado por él mismo a Gil fuera producto de su neurastenia, la enfermedad que tenía cuando el primer Tarsis va a visitarlo. Los pasos y los límites entre las dos dimensiones, por tanto, no son tan claros como parece a priori. Galdós va a jugar constantemente con la ambigüedad sin dejar muy claro qué pertenece a dónde.

Finalmente, la salida de ese mundo maravilloso vuelve a producirse a través de otro episodio que cuenta con el espejo como elemento significativo. Cuando la Madre y Gil despiertan de su inconsciencia tras los disparos de Regino, ambos se dirigen a las aguas del Tajo, donde el caballero pasará su última fase del encantamiento[78]. Una vez fuera del río, Gil es llevado a una casa donde "todo era contrario al orden natural de las cosas" (334) —véase de nuevo el juego entre lo real y lo fantástico—. Entonces, el caballero se dispone a inspeccionar el lugar con su curiosidad habitual y en ese vagar se encuentra de nuevo con el espejo, "en el cual le sorprendieron resplandores extraños, seguidos de un ir y venir de sombras o sombrajos que en la superficie del cristal se movían" (*idem*)[79]. Este espejo, como el anterior, "traía luces e imágenes de su propia interioridad mágica", es decir, al igual que la primera

78 De nuevo una escena fantástica sin explicación ni siquiera para el propio Tarsis, a quien le recomienda la Madre que no ahonde en el "vago misterio" (331).

79 El espejo vuelve a aparecer en la narración a mitad de la novela, en el momento en que Tarsis-Gil y Cintia-Pascuala se están reconociendo mutuamente y la segunda descubre su encantamiento.

vez, refleja sus deseos, que de nuevo significa reencontrarse con Cintia. Esta aparece enseguida frente a él, por lo que "pronto se hizo cargo de que se hallaba en presencia de un fenómeno igual al de la casa de Becerro en Madrid" (*idem*). Lo que ha cambiado ahora es la actitud de Tarsis, consecuencia del proceso del que da cuenta toda la obra.

El espejo detiene el tiempo de la novela e invita a la reflexión del curso de los hechos. Funcionará como un espacio de examen de lo que se ha trabajado hasta el momento y permitirá analizar la situación en que se encuentra el protagonista. La anterior y rápida deducción de Tarsis deja claro que este ya no se encuentra confundido, que ya lo maravilloso, lo oculto, es conocido para él y que ya no le produce extrañamiento.

Lo maravilloso y todo lo que se ha mostrado a partir de ello ya ha sido incluido primero en la ideología del héroe y posteriormente en la de los lectores, que han recorrido el mismo camino de aprendizaje que él. A lo largo de la obra, Gil va siendo cada vez más un nuevo Tarsis, consciente de lo que ve, de lo que vive, y que incluso reflexiona sobre ello. La vida de Gil la siente propia y real, la padece como si no perteneciera a un nivel fantástico puro. Las dos personalidades, lo imaginado y el referente real, se confunden mucho más al final de la obra, en tanto que el segundo ha absorbido elementos del primero. Por ello no es de extrañar que a término de la conversación Gil se queje de tan pesada "vida de purgatorio, desencajada de la vida común" (337). Esto le da pie a Cintia a augurar el final del encantamiento: "Ya se acerca el fin, ya está próximo el resucitar..." (*idem*). Aunque antes Gil debe pasar por el "*viacrucis* correccional" (*idem*), la verdadera *cura de silencio*. Entonces Galdós repite el mecanismo del cambio de dimensión, aunque a la inversa: si para introducir el mundo maravilloso de Tarsis había ido incluyendo distintos hitos que apelaban a lo maravilloso (o al menos a lo ajeno a la realidad) y que así no resultara extraño al lector ni incoherente con el texto, para salir del mundo maravilloso también añadirá algunos elementos propios de la realidad hasta que se produzca el momento del desencantamiento. Ahora, el papel de Becerro lo asume el también encantado Pepe Azlor[80]. La analogía en-

80 Pariente de los Ruydíaz, amigos de Tarsis en el mundo no encantado.

tre estos dos personajes es evidente, pues si Becerro se encontraba en la misma situación de abulia que Tarsis, Pepe Azlor también sufre el mismo camino de redención; si Becerro es quien prepara el mundo maravilloso y acompaña a Tarsis en el momento del encantamiento, Pepe Azlor será quien le remita al nuevo mundo real (el nacimiento de Héspero) y a la vez quien le acompañe en el desencantamiento; y si Becerro es el *hermano menor* de la Madre y mantiene contacto con ella, Pepe Azlor además es "pariente en décimo grado por la rama de Aragón" (338).

El desencantamiento de Tarsis se lleva a cabo de una manera absolutamente natural, sin "formas extraordinarias" ni "bambolla teatral" (al contrario que la anterior vez). El lector lo sabe por la simple referencia al "que ya no se llamaba Gil" (339). De nuevo en el mundo real, Tarsis ya no es el mismo de antes y se percata de ello desde el comienzo, puesto que se siente extraño con sus ropas anteriores. La entrada en el mundo real es más que evidente cuando aparecen ambos en un coche y sentencia Tarsis: "¡Oh, Madrid, patria mía! —exclamó—. Con más gusto entré en Boñices" (340). Galdós en el mundo real tampoco deja de hacer alusiones a lo acontecido en el anterior maravilloso. En el palacio de la duquesa de Ruy-Díaz lo maravilloso sigue siendo parte de la realidad, como se demuestra en el hecho de que la propia duquesa sea una encarnación de la Madre, que, además, de manera muy natural alude a lo vivido durante el encantamiento del caballero:

> ...*la duquesa de Mío Cid* contaba en un grupo de señoras las peripecias de sus últimos viajes por abandonadas tierras de nuestra España, y las picardías y desafueros de unos gigantes malignos que llaman Gaytanes, Gaitines y Gaitones... (341).

En ese palacio se dan cita los personajes reales y verosímiles que figuran durante el encantamiento, como "la *Usebia* de Aldehuela" o "la procerosa estampa de don Alquiborontifosio rediviva en la figura de un académico melenudo y cegato" (*idem*), y que pertenecen precisamente a otras clases sociales diferentes a las que aparecen en el primer mundo real urbano (véase una vez más la búsqueda del ya muy citado consenso social); se continúan hechos propios del encantamiento, como la aparición de la ardilla de Cíbico o el hallazgo de las minas de don Saturio Borjabad en Numancia; e incluso cuentan con elementos propios de la ficción para sus proyectos de futuro, como desecar las lagunas de Boñices, erigir una estatua a don Quiboro, nombrar a Becerro "archivero mayor de todos los reinos descoronados" y a la ardilla de Cíbico "monja honoraria de todos los conventos" (342). Así pues, Galdós termina por configurar un espacio en esta novela en que lo maravilloso y lo real, lo real y lo maravilloso componen la dimensión en que operan armónicamente todas las clases sociales, tanto las altas como las bajas. Difuminar los límites entre ambas dimensiones ha sido una manera estética de unir elementos, eco también de la unión entre las diferentes clases[81].

El caballero encantado es el comienzo del relato de un rito de iniciación mediante el cual la nueva clase media naciente pueda superar su estado embrionario que se viene anunciando desde finales de siglo pero que no acaba de avanzar. Si tenemos en cuenta la estrecha relación de lo ritual con lo mitológico, no es de extrañar que Galdós también utilice como parte de su búsqueda de una nueva estética elementos narrativos procedentes de la mitología, como hará en los siguiente Episodios Nacionales.

7.4.2. Los elementos mitológicos

A finales del XIX, en el marco de la crisis del positivismo y de la aparición de los irracionalismos, surge un interés cultural en el ámbito internacional por recuperar lo mítico clásico. Ello permitió, por ejemplo, su introducción en la psicología a partir de las ideas de Freud que asociaban el origen del mito con los sueños y el inconsciente. En el arte, el parnasianismo, el simbolismo y el modernismo hicieron

81 A estos elementos fantásticos y onirológicos aquí analizados, habría que añadirle otra lectura posible desde lo simbólico, como la que hizo Paciencia Ontañón en su estudio sobre la obra (2000).

resurgir, frente al positivismo, la ideología burguesa y el utilitarismo exacerbado, el espíritu del romanticismo[82]. Por otro lado, también los realistas decimonónicos más avanzados como Zola en Francia, que darían en sus últimas producciones un uso social al mito (para explicar y denunciar injusticias sociales o realidades que les interesaba tratar) (Behiels 2000: 226), o los regeneracionistas como Joaquín Costa se sumarían a esta recuperación (Varela Olea 2001: 200 y ss.). En esa conexión de Galdós con los regeneracionistas y la literatura de Zola, así como en su relación directa con los modernistas y algunos parnasianistas puede ubicarse el germen de la fuerte presencia de la mitología, especialmente la grecolatina, en su literatura del XX[83].

Los mitos se construyen a lo largo de los siglos mediante un proceso de creación colectiva que los convierte en reflejo y producción

---

82 Ellos se habían esforzado en diseñar un nuevo ideario mitológico que recogiera todos los aspectos de la conciencia y de la subconciencia (perdidos en el XVIII) bajo la idea de que el origen de toda acción poética radica en la abolición de las leyes del pensamiento racional y se establece a partir de los elementos imaginativos propios de la naturaleza humana. Para ello se inspiran en la Antigüedad, donde entonces dichos elementos imaginativos se manifestaban a través de los mitos.

83 No obstante, la relación de Galdós con lo mitológico es constante, como han demostrado los estudios de Correa (1963) y Smith (2005). Dentro de esta, los mitos tomados de la tradición clásica cuentan con un importante peso en el siglo XX. El mundo clásico (en general) se registra en la vida y la obra de Galdós desde sus primeros años en el Colegio San Agustín de Las Palmas, donde escribe *La Emilianada* (poema épico inspirado en la *Eneida* y en *La Araucana*), hasta los universitarios, en que recibe clases del catedrático de Latín Alfredo Adolfo Camús (Del Olmet y García Caraffa 1912: 28), a quien le dedicó el tercer artículo de la "Galería de Españoles Célebres" (*La Nación*, 08/11/1866, reproducido íntegramente en Shoemaker 1972: 266-270), cuya metodología reproduciría en su aplicación de lo mítico en la literatura como una herramienta para explicar la sociedad presente, y del catedrático de Griego Lázaro Bardón, a quien le dedicó otro artículo en su "Galería de Figuras de Cera (IV)" de *La Nación*, publicado el 26 de enero de 1868 (también reproducido por Shoemaker 1972: 394-395) o las tertulias del Café Central. A partir de entonces, Galdós, a lo largo de su vida, leerá y releerá constantemente a los escritores grecolatinos y los plasmará en sus obras (Smith 2005). Para un estudio más completo sobre la importancia de los primeros años, véanse Blanquat (1971: 161-177); Ruiz de la Serna y Cruz Quintana (1973: 227-326 y 359-383); Schraibman (1964: 359-373) y Arencibia (2005).

del sistema social de su tiempo. Ello hace que se conciban, ya desde la Antigüedad, como un documento vivo que sufre diversos procesos de transformación dependientes de la cultura que los produce. Pertenecen a la colectividad y se relacionan con la propia sociedad que los crea o interpreta[84]. Con ella producirá y reproducirá sus mismos procesos de cambio, de modo que, cada vez que se cree una nueva sociedad, nacerá una nueva versión del mito (o desaparecerá). Su aspecto cambiante le permite manifestarse bajo infinitas formas (Díez del Corral 1957: 89). Tales reinterpretaciones son, por lo tanto, reflejo del entramado histórico —si tenemos en cuenta que este conlleva aspectos políticos, sociales y culturales, entre otros—, del momento en que se conciben de nuevo. Esta búsqueda de los orígenes de la realidad más actual en lo mitológico contradice la propia atemporalidad en que este se sitúa, puesto que lo somete a un tiempo histórico[85]. No obstante, dicha atemporalidad, sin embargo, convierte al mito en modelo teórico social y moral, en un mecanismo de legitimación de una ideología, entendida esta como creación de una manera de vida, como una explicación y sentido de unos valores propios mediados por ideologías concretas (Smith 2005: 111). Cuando Galdós introduce los elementos míticos en sus últimas obras (tiempo que coincide con el de mayor militancia política), está buscando a través de ellos la legitimación y la suspensión temporal de las ideas que él mismo está transmitiendo en sus novelas[86]. El uso de este tipo de recursos paganos también será una

84 Según Yolanda Arencibia, en lo religioso predomina lo bíblico, pero "en los ámbitos sociales o históricos es, sin embargo, más frecuente la presencia de concepciones simbólicas que atienden a motivos a temas de la tradición mitológica de la Antigüedad" (2000: 102).

85 Víctor Fuentes, que estudió lo mítico-simbólico en *Fortunata y Jacinta*, concluía que "La dimensión mítico-simbólica no viene a desbancar a la histórica, aunque sí a rebasar los estrechos límites del historicismo, trascendiendo el momento histórico dado, tan amenazado por la decadencia y la degeneración nacional, para encontrar en lo arquetípico nuevas energías y fuerzas de revitalización. Lo mítico-simbólico en *Fortunata y Jacinta* apunta a un horizonte de liberación" (1987: 47-48).

86 La literatura se consolida como el vehículo de transmisión mítica por antonomasia desde la Antigüedad, dada su relación directa con el lenguaje. Y dentro de la propia literatura, será la novela (el género burgués por excelencia) quien tome

manera de enfrentarse al doctrinarismo de la Iglesia, puesto que responderá a las mismas preguntas planteadas por esta, pero con elementos procedentes de otros lugares. La mitología va a ser la nueva manera de hacer religión, de elevar a eterno lo que los religiosos atribuyen exclusivamente a Jesucristo[87]. En este sentido, destaca Alan Smith el sincretismo galdosiano entre el mito y la religión cristiana (2005: 122 y 143), lo cual tiene total coherencia si entendemos la configuración de una nueva historia sagrada que se enfrente con la contada por la Iglesia, a partir de la cual construya y refleje a la vez esa nueva sociedad dirigida por la también nueva clase media. La mitología, por tanto, se convertirá en la teología moderna del siglo xx, como le explica el cura Merino en *Los duendes de la camarilla* a Jerónimo Ansúrez:

> La teología —dijo Merino con marcado desdén— será dentro de mil años no más que lo que es hoy la mitología para nosotros... ¿Sabéis lo que es la mitología? Dioses, semidioses y héroes, todos movidos de las pasiones del hombre. Pues en eso concluirá la teología... (1968a: 1731).

Los mitos han mostrado a lo largo de las civilizaciones un paralelismo con las historias sagradas, entendidas como verdaderas por referirse a una realidad concreta. Dichas historias sagradas están protagonizadas por seres sobrenaturales que cuentan o viven diferentes hazañas y demuestran que existe la realidad a la que se refieren. Construir una mitología a principios del siglo xx, introducirla en una historia o en

el relevo que en el mundo antiguo ocupaba la oralidad. Mediante la literatura el mito se legitima y se asimila como respuesta posible a las preocupaciones vitales de la propia sociedad y, en último término, de quien la transmite. En este sentido, hemos de tener en cuenta también que con la idea que toda la imaginación está sometida (al igual que la realidad vivida) a las circunstancias de clase de quien imagina (Sastre 1978).

87 En *La Primera República* Mariclío lleva en cierto momento un libro que parece de misa, pero que en realidad es un ejemplar del *Agesilao* de Jenofonte y que ella misma confiesa llevarlo cuando se ve obligada a entrar en la iglesia (1968b: 1207). En este sentido, hemos de recordar que la literatura —y el arte en general— moderna somete a los mitos a un proceso de secularización que restringe su uso a motivos estéticos (Vernant 1985 y 1987).

la Historia de España, como hará en los Episodios Nacionales, no es sino una manera de elevar a historia sagrada la Historia misma, es paradójicamente, darle un estatus de eternidad y atemporalidad a un concepto sometido por definición al tiempo.

Galdós acude al mito en su significado primario, como en Grecia, donde cobra especial importancia frente a otras narraciones como la fábula o el cuento: "El mito enseña las 'historias' primordiales que lo han constituido esencialmente, y todo lo que tiene relación con su existencia y con su propio modo de existir en el Cosmos le concierne directamente" (Eliade 1973: 24).

En la literatura galdosiana, el mito intervendrá como una herramienta más de producción ideológica al nivel de lo maravilloso o el sistema dialogal. Su periodo de mayor auge podría acotarse entre 1904 (*Bárbara*) y 1915 (*La razón de la sinrazón*), con especial apogeo en sus años de mayor actividad política (1909-1913), en el que todas sus composiciones registran fuerte presencia directa o indirecta de lo mitológico: *El caballero encantado*, *Casandra* (pieza teatral), *Amadeo I*, *La Primera República* y *De Cartago a Sagunto*, *Cánovas*, *Celia en los infiernos* y *Alceste*[88]. De todas ellas resultan fundamentales para *El caballero encantado* y los siguientes Episodios Nacionales[89], como se desarrollará a continuación.

El caballero encantado

Para acercarse a la génesis de un mito y poder vivir la experiencia desde la mayor cercanía, se acude a los ritos. *El caballero encantado*, considerada como soporte literario del rito que narra el paso de un estado infantil e irresponsable de la sociedad al adulto (la maduración de esa clase media que se está componiendo), al acudir a lo mítico,

---

88 Recuérdese que *Alceste* fue estrenada en 1914, pero en su mayor parte escrita en 1911, al tiempo que *La Primera República*.

89 El caso de *Celia en los infiernos* ya fue estudiado en profundidad por Lieve Behiels (1988) y *Casandra*, por Pilar Hualde Pascual (2003a y b).

procede a la recuperación de un suceso que implica el retorno a un tiempo fabuloso y que remonta al ser humano al origen:

> Al recitar los mitos se reintegra un tiempo fabuloso y, por consiguiente, se hace uno de alguna manera "contemporáneo" de los acontecimientos evocados, se comparte la presencia de los Dioses o de los Héroes. En una fórmula sumaria, se podría decir que, al "vivir" los mitos, se sale del tiempo profano, cronológico, y se desemboca en un tiempo cualitativamente diferente, un tiempo "sagrado", a la vez que primordial e indefinidamente recuperable (Eliade 1973: 30).

La introducción de lo maravilloso en la realidad material impulsa, por lo tanto, y al igual que ocurría con la introducción del sistema dialogal, un replanteamiento y activa una nueva manera de aprehender el tiempo, que se potencia al estudiarla en el conjunto de la novela. Así, Galdós crea varias dimensiones temporales atribuidas a los universos real y maravilloso con las que opera a lo largo de toda la novela. Existe, en primer lugar, un tiempo externo e histórico que sirve de telón de fondo y en el que reside directamente la carga social y crítica de la obra, como ya hemos estudiado. Por el contrario, frente a ese tiempo externo se sitúa el tiempo interno, que surge acorde con las respectivas dimensiones real y maravillosa en las que se desarrollan los hechos.

En el espacio real anterior al encantamiento, estos se suceden en un orden cronológico y lineal, que responde a las características típicas del realismo decimonónico, pero a partir de la transformación, el tiempo interno se vuelve más complejo por "el entrelazarse de diferentes dimensiones cronológicas" (Polizzi 1999: 177). Al entrar Tarsis en la dimensión fantástica, los relojes se paran (1968c: 239) simbólica y literalmente, porque el tiempo real sufre una suspensión que no será recuperada hasta el desencantamiento. De esta manera, Galdós señala la entrada de una nueva dimensión temporal, la del tiempo de lo mítico, que se irá revelando a medida que Tarsis vaya avanzando en sus hazañas. Este hecho no significa que se pierda la linealidad en el acontecer de la acción, sino todo lo contrario: esta nueva temporalidad se encuentra regida por una coherencia temporal en el que las aventuras del ahora Gil se siguen desarrollando en un orden lógico.

No obstante, cierto es que Galdós no se preocupa de dar unas referencias cronológicas precisas, ni incide especialmente en la dimensión temporal del transcurso de los diferentes acontecimientos, como afirma Escobar Bonilla:

> Igualmente, la representación del tiempo narrativo abandona en muchas ocasiones las referencias a una cronología precisa, prolijamente establecida, en beneficio de cierta ucronía que, a pesar de todo, no impide al lector interpretar derechamente los sucesos así relatados como trasunto crítico del presente más inmediato (2000: 291).

Galdós no se preocupa tampoco por el tiempo exacto de la regeneración; tan solo indica al comienzo que su primera aparición después del encantamiento fue "muchos días después de lo narrado" (Pérez Galdós 1968c: 241) y al final, por medio de Pepe Azlor, el intervalo de un año entre el (re)conocimiento de Cintia como Pascuala y su estancia en la redoma: "Tú te enamoraste de una maestra de escuela: la seguiste, la robaste, y en libre ayuntamiento con ella estuviste unos días... Desde aquellos días al presente ha pasado un año" (338).

Por otro lado, la persona que maneja el tiempo —y los espacios— es la Madre. En ella se encarna la conjunción de los tiempos, del presente y del pasado, y así se lo hace saber a Gil sobre los Picos de Urbión: "En esta eminente altura domino la grandeza de mis estados, y la considerable dimensión de los tiempos" (255). Ella presenta capacidad para parar el tiempo de la narración sin que repercuta en el orden lógico de los hechos, además de soberanía sobre Gil-Tarsis para disponer de su presencia cuando ella lo requiera. Véase, por ejemplo, en el segundo encuentro de la Madre con Gil, en el que es pastor y se preocupa por el tiempo que ha pasado con ella y ha descuidado a Sancho. Gil pierde la noción temporal porque no sabe si con ella ha estado "dos días o tres" (258), pero ella le invita a disfrutar de la atemporalidad de la vida pastoril: "En la vida pastoril no necesitas calendario ni reloj. El tiempo es un vago discurso con somnolencia" (*idem*).

En los encuentros entre Gil y la Madre predomina la atemporalidad, lo cual le permite jugar y cambiar los escenarios en relación con la geografía que recorren. No se someten al tiempo real, sino que gracias a las dotes sobrenaturales de la Madre, a la dimensión mítica en que se están moviendo los personajes, se tratan como coherentes y verosímiles en la narración el cambio de escenario y los movimientos de los personajes en un espacio temporal imposible en una dimensión no mítica. Así, cuando vuelven de Boñices, cuenta el narrador:

> Y los cronistas que estas inauditas cosas han transmitido, aseguran, bajo su honrada palabra, que el caballero y la Madre recorrieron, en menos tiempo que se tarda en decirlo, llanuras yermas y empinados vericuetos inaccesibles a la humana planta (302).

Antes de llegar a la última fase del encantamiento, el viaje de Tarsis junto a la Madre hacia las purificadoras aguas del Tajo ocurre "en un lapso de tiempo cuya brevedad no pudo apreciar el caballero" (333), lo que corrobora la atemporalidad en este mundo maravilloso. El tiempo se vuelve mucho más complejo, como era de esperar, en el capítulo más fantástico de toda la novela, el de la redoma de peces. Entonces el tiempo cuenta con su propia medida puesto que se calcula mediante "meses lunarios", siendo un día en la pecera un mes lunario. Así, dos años en la redoma —lo estipulado hasta estar totalmente regenerado—, se traducía en veintiséis días del tiempo real (337-338).

El desencantamiento y la consiguiente vuelta al mundo real se producen desde la más absoluta ignorancia temporal por parte de los dos personajes; retornan tan solo con la vaga idea de que era "media mañana de un claro día" (339) porque "no hay indicación de fecha ni cosa que lo valga" (*idem*) para ubicarlos temporalmente. Sin embargo, los personajes se muestran ansiosos por saber en qué fecha ha ocurrido el desencantamiento, como se evidencia en su primera conversación una vez regenerados (340). En la dimensión que corresponde a la vida en la urbe, en la que lo mítico no puede leerse ni aparecer de la misma manera que en la anterior, existe un interés absoluto por conocer el tiempo, por aprehenderlo. Así pues, en ese instante acaba el tiempo mítico y torna el tiempo real hasta entonces detenido, como ya anunciaban los relojes del principio y corrobora Tarsis en estas palabras: "Hemos resucitado en el punto donde fenecimos. En casa de tu tía estuve en la noche anterior a mi encantamiento" (*idem*).

La suspensión temporal responde al interés galdosiano de controlar, dar estabilidad y establecer en todo el proceso de regeneración del personaje una especie de génesis que inaugura una nueva sociedad, la sociedad del consenso, donde se busca el equilibrio. Galdós está intentando escribir en *El caballero encantado* un manual de regeneracionismo y para ello el tiempo tiene que ser concebido de una manera mítica, eterna e incuestionable. Intenta configurar una teoría del cambio en el que, aunque la Historia sea quien manda en cuanto a que lo que allí se plantea responde a unos problemas concretos del momento de la escritura.

Otros elementos adscritos a esta dimensión mitológica en *El caballero encantado* lo emparentan con la *Odisea* de Homero[90]. Así, aparte de ciertas referencias directas, como la de *Madame de Circe* antes del encantamiento, se encuentran semejanzas en cuanto a la peregrinación del héroe y su finalidad regeneradora, algunos episodios y trabajos de los que pasa Odiseo para llegar a Ítaca y las funciones y cualidades de los seres divinos coprotagonistas.

En primer lugar, ambas obras responden a la canónica estructura de la literatura de viajes en la que el héroe pasa por distintas etapas bien marcadas. En ese periodo se pueden establecer para las dos narraciones varias fases: comienzo, desarrollo de las aventuras, purificación y retorno. La escena del encantamiento, a la que ya nos referimos cuando hablamos del espejo, en la que se encuentra ya encantado en

---

90 Entre todos los autores clásicos de la antigüedad, quizá fuera Homero por el que más admiración sentía Galdós. Ya se encuentran ideas al respecto en los apuntes de las clases de Literatura Latina conservados en la Casa-Museo Pérez Galdós (manuscrito autógrafo, sign. VII-76, f. 6), pero es en los últimos años de su vida cuando esta identificación se intensifica. Así lo demuestran los seis ejemplares homéricos que se conservan en su biblioteca (entre ellas la famosa *Ilíada* traducida al inglés por Alexander Pope, la de José Hermosilla de 1913 y las *Odisea* e *Ilíada* de 1910, traducidas por el catedrático catalán Luis Segalá) y las referencias que encontramos en algunas de las cartas que le envía a Teodosia Gandarias. Así, a medida que se van leyendo las cartas de los años 1910-1913 puede observarse cómo Galdós le va proponiendo diversas lecturas de la literatura universal y le anima a configurar su propia biblioteca, empezando por la *Ilíada* traducida por Luis Segalá (Pérez Galdós 2016: 757, carta del 08/09/1910).

ese ficticio *locus amoenus*, desconcertado, "sudoroso y sofocado" por la situación, recuerda a la vivida por Odiseo en el canto VI, en el que se relata la llegada al país de los Feacios; la primera reacción de Odiseo muestra el mismo desconcierto que el del protagonista de la novela galdosiana:

> ¡Ay de mí! ¿De qué clase de hombres es la tierra a la que he llegado? ¿Son soberbios, salvajes y carentes de justicia o amigos de los forasteros y con sentimiento de piedad hacia los dioses? Y el caso es que me rodea un griterío femenino como de doncellas, de ninfas que poseen las elevadas cimas de los montes, las fuentes de los ríos y los prados cubiertos de hierba. ¿O es que estoy cerca de hombres dotados de voz articulada? Pero, ea, yo mismo voy a comprobarlo e intentaré verlo (VI: 119-126)[91].

El retraso de la vuelta del héroe se produce debido a un pecado de *hýbris*, o lo que es lo mismo, de soberbia, de falta de respeto a los dioses[92]. El mismo concepto de *hýbris* se puede aplicar a las acciones de Tarsis antes de su encantamiento. La soberbia con que actúa el caballero y la falta de atención a los problemas reales de la sociedad en la que vive se entienden como un despropósito para con la Madre, personaje mitológico semejante a los dioses griegos, que se analizará en líneas posteriores.

Dado que ambas obras se conciben como una narración de aprendizaje, resulta evidente que el desarrollo de la trama va a estar dirigido por una serie de pruebas o aventuras que repercutirán en la evolución de los héroes. En estas aventuras se registran algunas reutilizaciones libres por parte de Galdós de algunos elementos de ciertas aventuras concretas. No se trata de una reposición de episodios homéricos, sino de una fuente de inspiración: Galdós extrae elementos narrativos de

91 Las referencias a la *Odisea* se citarán mediante el canto y el número de versos.

92 El hecho de que los griegos saquearan con violencia Ismaro y, sobre todo, que sin causa justificada procedieran a la matanza de las ovejas y los bueyes de los cicones, se entiende en la idiosincrasia griega como un ultraje a los dioses. Por esta razón, Zeus les castiga y cambia los vientos para que no puedan llegar a Ítaca sin haber pagado su pena.

ciertas aventuras de Odiseo, los adapta al tiempo de la narración y los combina con los hechos argumentales de la obra. Una de las más famosas, procedente de una larga tradición folklórica, se encuentra en el episodio de los cíclopes y la lucha con el gigante Polifemo (canto IX), cuya descripción no dista tanto de la del gigante Galo Zurdo con el que Gil-Tarsis se tiene que enfrentar:

> Allí habitaba un hombre monstruoso que apacentaba sus rebaños, solo, apartado, y no frecuentaba a los demás, sino que vivía alejado y tenía pensamientos impíos. Era un monstruo digno de admiración: no se parecía a un hombre, a uno que come trigo, sino a una cima cubierta de bosque de las elevadas montañas que aparece sola, destacada de las otras (Homero IX: 187-191).

> Andado no había veinte pasos, cuando vio ante sí disforme bulto, cual si un gran trozo de montaña se desgajara y cayera sobre el camino, y deteniéndose a mirarlo con aterrados ojos, advirtió el colosal estorbo que le cortaba el paso superaba en tamaño a una casa de las más grandes, y afectaba la forma y redondeces corpulentas de un cerdo bien cebado para San Martín (Pérez Galdós 1968c: 303).

Véase cómo Galdós también utiliza el símil de la montaña para ilustrar la altura del gigante. El gigante, ahora, se ha convertido muy irónica y grotescamente en forma de cerdo (tanto es así, que al dirigirse a Tarsis, lo hace con un "gruñido cerdoso que, atronando los aires, imitaba el habla humana", *idem*). Los seres mitológicos de la España de entonces tienen la forma de los elementos típicos de la idiosincrásica española, el cerdo. Por otro lado, la presencia de dicho ser sobrenatural afirma la fortaleza y la valentía de ambos héroes.

La *catábasis* o bajada a los infiernos es otro de los tradicionales recursos literarios utilizado como tópico de aprendizaje del héroe, que le imprime fuerza y esperanza para continuar el viaje y poder alcanzar su destino de vuelta. Así, se registran diversos casos notables en la literatura universal: Eneas (*Eneida*, Libro VI), Dante (*Divina Comedia*, "Infierno") o el propio Don Quijote en su descenso a la Cueva de Montesinos (Segunda parte, capítulos XXII-XXIII). En el caso de *El caballero encantado*, también se añade un capítulo que, como ya analizó Juan Villegas (1976), se asemeja a dicha bajada al Hades por parte de Odiseo; se trata del capítulo XVIII, en el que Gil es llevado por la Madre a Boñices. Allí, el caballero pasa a un plano secundario como espectador, al igual que Odiseo, mientras la Madre protagoniza la acción y sirve de puente entre él y los habitantes de esta localidad similar al Hades. En la *Odisea*, Circe le recomienda al héroe que baje al Hades para consultar el alma de Tiresias y así conocer su destino y la manera en que puede volver a Ítaca. En la mínima descripción homérica del inframundo, se insiste en la oscuridad que envuelve todo y en cómo los rayos del sol abandonan esta parte de la tierra. Compárese esta con la descripción de Boñices, de aspecto desolador, rudo y miserable, hecha por Galdós:

> Y Helios se sumergió, y todos los caminos se llenaron de sombras. Entonces llegó nuestra nave a los confines del Océano de profundas corrientes, donde está el pueblo y la ciudad de los hombres Cimerios cubiertos por la oscuridad y la niebla. Nunca Helios, el brillante, los mira desde arriba con sus rayos, ni cuando va el cielo estrellado ni cuando de nuevo se vuelve la tierra desde el cielo, sino que la noche se extiende sombría sobre estos desgraciados mortales (Homero XI: 13-20).

> Las calles o ronderas del pueblo eran como ramblas angostas, llenas de cantos rodados, traídos por las aguas que en días nefastos descendían furiosas de la cercana sierra de Cabreja. En angulosa encrucijada vieron la torre de la iglesia, alta, fantástica y muda; revelaba su mole una melancolía perezosa; sus campanas, si las tenía, guardaban avaras el son grave y místico (Pérez Galdós 1968c: 295-296).

Posteriormente se hace alusión a las aguas estancadas que rodean la localidad —que lo aíslan como las cenagosas aguas de la laguna Estigia lo hacían con el Hades—, causa del desinterés de los terratenientes y de la muerte del boticario y el médico —gran ironía si se tiene en cuenta que ellos son los únicos que pueden curar a los cada vez más numerosos enfermos de la zona—.

Dicha descripción responde a una invención galdosiana, ya que, aunque el pueblo de Boñices (Soria) existía en la época en que se escribió la novela, como afirma Julio Rodríguez Puértolas en su edición de 2006, la descripción que de Boñices hace Galdós en este capítulo difiere por completo de la del Diccionario de Madoz (IV, pp. 399-400). Para el primero se trata de miserable aldea de calles angostas y empinadas, "como ramblas" con proximidad de aguas estancadas, germen de aguas epidémicas; según Madoz, Boñices se halla "situado en llano [...], su clima es sano y no se conocen enfermedades especiales" (295, n. 1).

Aunque Boñices responde a una situación real, como podría ser la de cualquier pueblo castellano, una situación que no puede ser tomada sino como un infierno en el que se concentran los males patrios. Galdós crea un espacio mitológico para representar a través de ella una realidad latente. En este infierno la miseria de sus habitantes pulula por dicho escenario como las almas de los muertos por el Hades.

> Los habitantes, víctimas de los agentes demoníacos, experimentan todos los males sin culpa personal. [...]
>
> Boñices representa el espacio infernal, que destruye y aniquila a los seres humanos. Los males son sociales, la despreocupación del gobierno y de las autoridades sanitarias (Villegas 1976: 17).

La propia Madre, al final del capítulo XVII, al explicarle a Gil hacia dónde se dirigen, hace alusión a Boñices como el "emporio de la miseria". La reacción de la Madre en su visita al pueblo reafirma su condición infernal:

> Yo, cuando entro en él, como en otros igualmente consumidos y muertos, me parece que entro en mi sepultura... sí... no te espantes[93]... en la sepultura que entre todos me estáis cavando para el descanso de estos antiquísimos huesos (295).

Y Galdós se encarga de incidir en esta idea, al tratar a los habitantes —ya desde que la Madre y Gil entran en el pueblo— como muertos en vida:

93 También Odiseo se siente asustado al entrar en el Hades.

> A la entrada del pueblo, fue recibida la ilustre pareja por una lucida representación de chiquillos andrajosos; por una corte de damas escuálidas, ataviadas con refajos corcusidos de mil remiendos, y por algunos caballeros en quienes se suponían, sobre el paño pardo, las invisibles veneras de un trabajo estéril y el gran cordón de la infinita paciencia (295).

La delgadez extrema de las mujeres y la alusión a la "infinita paciencia" son semejantes a la iconografía de los muertos —¿o es que alguien puede tener más paciencia que los muertos o existir delgadez más extrema que la de los huesos?—.

Al igual que ocurre en la *catábasis* de Odiseo, van apareciendo ante Gil un elenco de personajes cuyo aspecto mortuorio redunda en la idea de Boñices como infierno, en los que Galdós vierte todos los males de la España campesina. Al entrar en Boñices la Madre —ahora metamorfoseada en la *Señá María*— y Tarsis, les recibe la señora Fabiana, "una mujer vestida de negro, de estas que más parecen envejecidas que viejas, flaca, rugosa y desguarnecida de los dientes incisivos" (296). Si Fabiana resulta grotesca y semejante a la muerte, mucho peor es el aspecto de su madre, una

> anciana de estatura tan lucida como la de la Madre, mas tan seca de rostro, que este se distinguía de las calaveras por el mover de las mandíbulas sin dientes, emitiendo una voz de ultratumba, y por el brillo de sus ojuelos de lechuza, habituados a ver más de noche que de día[94] (*idem*).

En casa de la señora Fabiana se disponen a celebrar un "suculento" banquete con "los sobrantes de la miseria" de la Madre, en el que se van reuniendo poco a poco distintos habitantes de Boñices que alimentan la perspectiva mortuoria de la localidad. Más aún si se tiene en cuenta que otro de los personajes que aparece acto seguido ante los dos visitantes es el enterrador del pueblo, Cernudas,

94 Recordemos la insistencia de Homero en la oscuridad del Hades al describir el lugar.

y que explica cómo las estadísticas de inhumaciones han subido de cuatro cuerpos por año "a ocho por mes, sin contar criaturas, que van a la tierra como moscas" (297). También contribuye a este Hades castellano el testimonio del maestro don Alquiborontifosio, cuya esperanza y confianza en el futuro es ínfima: "¿Qué es la vida? Una muerte que come. ¿Qué es la muerte? Una vida que ayuna. Vivamos muriendo" (298). La muerte como "vida que ayuna" es quien ha tomado Boñices. La miseria, el hambre y la soledad, es decir, los tres grandes males del campo español de principios de siglo, son los que hacen de Boñices un infierno habitado por muertos vivientes[95].

La idea del "banquete", por otro lado, parece una reutilización inversa de la celebración de hospitalidad que Alcínoo le muestra a Odiseo en su acogimiento en el País de los Feacios, y más aún cuando aparece en escena un mozo "que a la espalda traía su guitarrillo colgado de una cuerda, y era músico, juglar y coplero, de esos que a los pueblos divierten con sus ingenuas invenciones de poesía mal trovada y burda. Por su andar a tientas y por la fijeza inexpresiva de sus ojos, se vio que era ciego" (298). El paralelismo con la figura del aedo Demódoco, al que Musa "privó de los ojos, pero le concedió dulce canto" (VIII: 64), quien a su vez es reflejo del propio Homero —también ciego—, parece evidente. Así pues, Galdós ha degradado muy irónicamente el abundante banquete de los Feacios y al admirado Demódoco a una cena de miserables hambrientos amenizada por un trovador de vulgares coplillas.

En relación con el desarrollo de la narración, ambos episodios suponen un punto de inflexión en el transcurso de los hechos: si el canto XI de la Odisea resulta fundamental en el regreso del héroe, la visita a Boñices en la novela galdosiana implica, por un lado, un cambio en las aventuras del héroe, pues a partir de este episodio comienza la segunda parte del viaje del protagonista —la huida que finalizará con el regreso al mundo real— y por otro, anticipa el mensaje regeneracio-

95 Así lo afirma don Alquiboro poco después: "en este lugar de Boñices, los males de toda la tierra se agravan con el abandono que nos tienen los mandarines" (299).

nista que cerrará la novela. Así, durante la cena han ido llegando jóvenes y ancianos de distintos lugares de la región y se han ido agrupando en torno a la casa de Fabiana para ver a la Madre. Allí se discute sobre la situación de la población y poco a poco se va creando un ambiente de rebelión y de esperanza azuzado por la Madre, que les anima a reclamar lo que es suyo y a cambiar el curso de su propia historia. Es en este momento en que se empieza a gestar una revolución, lo que demuestra que, a diferencia del estático Hades clásico, cuenta de alguna manera con un futuro modificable, con una esperanza de dejar de ser infierno. De este modo, Galdós pone en contradicción el tiempo mítico interno de la novela con el tiempo externo de la situación social que cuenta. Dicha revolución, es necesario especificar, no se llevará a cabo con las ideas procedentes de las ideologías obreras, sino con las ideas de la patrística cristiana (Cardona 1998).

Éste episodio (o canto) contiene una clara función didáctica y ejemplarizante no solo para el héroe sino también para el público lector (u oyente). Odiseo, convertido en espectador, se nutre de las experiencias y de los consejos de los muertos, así como de las predicciones de Tiresias. Tarsis, por su parte, está escuchando al pueblo (pueblo que parece muerto) y aprendiendo de él[96]. Tanto uno como otro recuperan fuerzas en estos trabajos para continuar su viaje y llegar a su objetivo (volver cada uno a su Ítaca).

Finalmente, en los poemas homéricos, el héroe se encuentra siempre protegido por un dios que lo elige y lo acompaña en sus hazañas. Los viajes y trabajos impuestos no podrían ser realizados con éxito sin la ayuda de esa divinidad que los custodia. En la novela galdosiana, dicho papel lo asume la Madre, que ya desde su primera aparición en el capítulo V, al comienzo del encantamiento de Tarsis, es descrita como un ser sobrenatural, mítico, semejante a una diosa[97]:

---

96 Esta misma situación se reproducirá posteriormente con Tito en los Episodios Nacionales (recuérdese la ya mencionada situación de los obreros que salen de la alcantarilla en *La Primera República*).

97 Su antecedente galdosiano más inmediato desde el punto de vista fantástico se encuentra en Celín, el protagonista del ya citado cuento de 1890. Ambos personajes cuentan con habilidades sobrenaturales (vuelan y se metamorfosean) y

> Tarsis quedó embelesado y no se hartaba de mirar y admirar la excelsa figura, que por su andar majestuoso, su nobilísimo ademán, su luengo y severo traje oscuro, sin ningún arrequive, más parecía diosa que mujer.
>
> Era su rostro hermoso y grave, pasado ya de la juventud a una madurez lozana; los cabellos blancos, la boca bien rasgueada y risueña (240).

La segunda vez que la encontramos en escena también envuelve la narración en un ambiente mítico que recuerda a las apariciones de los dioses clásicos ante los antiguos héroes, y que además potencia ese juego temporal al que aludimos anteriormente:

> Al rato de mirar el firmamento, echó la boina sobre sus ojos, y pensando que pensaba, lo que hizo fue dormirse... A una hora que le pareció la del alba por la claridad que vio en la faja de Oriente, despertó el zagalón sobrecogido, como si alguien le llamara. A un tiempo creyó sentir un golpecito en su cuello y una voz que le nombraba. Pero a su lado no había nadie. Despabilado y en pie, persistió la ilusión de la voz... Gil volvió sus miradas de nuevo hacia el resplandor creciente de la aurora. [...]
>
> Subió el pastor hasta llegar a un túmulo, que también podía ser trono[98], y en este... ¡Ay!, si no le engañaban sus ojos, si no era un durmiente que se paseaba por los espacios del ensueño, lo que vio era una mujer, una

funcionan en el relato como guías tanto de la acción material y externa como espiritual e interna. Celín será quien le muestre físicamente a Diana, la protagonista, los distintos lugares en su persecución al río Alcana, pero también quien le descubre el sentimiento amoroso y un mundo nuevo en el que conocerá la naturaleza en su estado más puro; una nueva Turris que difiere de la suya habitual, la superficial y anticuada, regentada por la corte más rancia e ignorante (véase el paralelismo entre Diana y Tarsis). También los protagonistas de los cuentos *Tropiquillos* y *Theros*, con los que Celín comparte volumen, van acompañados por seres fantásticos y/o alegóricos. La Madre se puede entender como el resultado final de todos estos personajes-guía. Para un estudio más detallado sobre estos cuentos, véase Smith (1992; especialmente las páginas 102-109, dedicadas a *Celín*).

98 Esta ascensión recuerda a la situación del Olimpo y al trono de Zeus.

señora sentada en aquel escabel [...] se hallaba en presencia de la matrona que vio en la noche de su encantamiento (249-250).

En la Madre se pueden encontrar algunas de las cualidades con las que se caracterizan a los dioses del Olimpo en la mitología griega: la inmortalidad —"yo viviré siempre, defendida por este divino aliento que cierra el paso a la muerte..." (256)—, el antropomorfismo (de clase en este caso: se convierte tanto en la *Señá María* en Boñices, como en la Duquesa de Mío Cid después del encantamiento), las cualidades humanas (afirma estar en desacuerdo con la manera en que "sus hijos", es decir, los españoles, están tratando sus tierras) y el simbolismo (recogerá en su significado simbólico la problemática de la España de 1909).

Por otro lado, también desempeña la función protectora típica de los dioses griegos. En la *Odisea*, es la diosa Atenea quien protege al protagonista. Ella, normalmente, actúa en su favor facilitándole un ambiente propicio para que por sí mismo trame la manera de salir victorioso de las distintas pruebas. La divinidad le aconseja y, aunque nunca decide por él ni resuelve las aventuras —al contrario de lo que ocurre con los dioses de la *Ilíada*[99]—, sí que dirige con sus artimañas el curso de la narración[100].

La Madre protege a Tarsis (como Atenea a Odiseo) y dirige la acción desde el comienzo del encantamiento; es, además, la responsable del mismo. Con ella viaja a los Picos de Urbión para reflexionar sobre la situación del caballero, a Boñices, donde incluso ocupa un lugar protagonista, y, por último, es la Madre la que le lleva hacia el Tajo para su purificación y la "cura de silencio"[101]. Los "trabajos" de Tarsis surgen siempre tramados y dirigidos por su figura.

99 Véase, entre otros episodios, el combate entre Menelao y Paris (*Ilíada* III: 302-382), en el que Afrodita lo aparta de la lucha y se lo lleva de manera oculta a su propia casa.

100 Véanse, por ejemplo, en el canto I, los versos 88-95, donde Atenea decide enviar a Telémaco en busca de su padre después de que los dioses se hayan decidido por su regreso.

101 El comienzo del encantamiento también se inició con el silencio. Recuérdese cómo José Caminero y Usebia destacaban de Gil el silencio como cualidad (243).

Ella aprecia la inteligencia de Tarsis[102] (como Atenea la de Odiseo) y su capacidad de rectificación, razones que lo sitúan como el elegido entre una clase social dormida, heredera y a priori reproductora de los males de las generaciones posteriores, pero aún en estado infantil. Ese infantilismo, que conlleva pasividad y abulia para asumir responsabilidades, se contrarresta con la capacidad de aprendizaje y de cambio, característica que en la vieja burguesía, la gestada después del 68, ya había desaparecido. La propia Madre se lo explica a Tarsis en su primer encuentro:

> Así es. Se te ata corto a la vida, para que adquieras el cabal conocimiento de ella y sepas con qué fatigas angustiosas se crea la riqueza que derrocháis en los ocios de la Corte. Verdades hay clarísimas que vosotros, los caballeretes ricos, no aprendéis hasta que esas verdades os duelen, hasta que se vuelven contra vosotros los hierros con que afligís a los pobres esclavos, labradores de la tierra, que es como decir artífices de vuestra comodidad, de vuestros placeres y caprichos. [...] Todo lo mereces, Tarsis, y porque mucho te estimo, he de llevar al fin la obra justiciera de tu escarmiento (251-252).

Y también Cintia al final de la novela:

---

102 Las razones por las que ella ha elegido a este héroe se deducen de las afirmaciones y epítetos que acompañan al protagonista a lo largo de toda la narración —fecundo en ardides, prudente, hábil...— así como de las cualidades más destacadas del héroe, la astucia y la inteligencia, que coinciden con los atributos de la divinidad. La confianza en su protegido y las razones de su elección se resumen en las palabras de admiración que le dedica la diosa en la llegada del héroe a Ítaca: "En tu pecho siempre hay la misma cordura. Por esto no puedo abandonarte en el dolor, porque eres discreto, sagaz y sensato" (XIII: 330-340). Atenea admira la frialdad y la sensatez de Odiseo. Estas, como puede comprobarse, son todas características positivas, virtudes propias de un héroe épico, modelo de comportamiento, de solemnidad y de ejemplo para una historia que quiere ser gloriosa como la épica. El caso de Tarsis es mucho más realista y opera con las contradicciones propias del ser humano y las características no solo positivas. ¿Podría considerarse *El caballero encantado* como el relato épico de una nueva clase media? Si así fuera, también una nueva manera de contar este género se estaría creando.

> Los perversos y los tontos rematados no son susceptibles de encantamiento. La Madre impone su corrección a los hijos bien dotados de inteligencia, y que sufren de pereza mental o de relajación de la voluntad. En la naturaleza corregida de estos elementos útiles, espera cimentar la paz y el bienestar de sus reinos futuros (342).

Tarsis demuestra su inteligencia desde el comienzo de su metamorfosis, ya que enseguida entiende no solo que está encantado, sino que ha sido transformado para aprender. Y la Madre, vieja y cansada, desesperada por la situación miserable de sus tierras, busca a un heredero con poder para cambiar la realidad española y remediar los problemas que la están destruyendo. Se trata, por tanto, de una figura redentora, capaz de atribuir papeles emancipadores a sus elegidos:

> Madre's role as redemptrix means that she expects those persons with the financial resources and political clout to effect positive change by literally returning to Mother Earth, for the land and the workers who toil over her can no longer afford to be ignored if Spain in to survive and progress (López 2002: 790).

La Madre aparece caracterizada como un personaje complejo y ambiguo: en un principio se muestra como un ser extraordinario, pero pronto le sugiere a Gil que no "vea en ella un caso sobrenatural para regocijo de niños y pastores inocentes". Al tiempo se define parafraseando y paganizando el conocido "mi reino no es de este mundo", transformándolo precisamente en lo contrario: "mi reino no es el cielo, sino la tierra, y mis hijos no son los ángeles, sino los hombres" (Pérez Galdós 2006: 250). Y algo después: "Reina es poco, divinidad es demasiado; espíritu y materia soy, madre de gentes y tronco de una de las más excelsas familias humana" (*idem*). Entonces, ¿qué es la Madre? La Madre se va caracterizar entre lo humano y lo sobrenatural ("estrella terrestre", la llamará el narrador al final de la novela; 330). Por un lado, vuela y se metamorfosea, y por otro, come pan celtíbero de centeno y miel (250). Así, Galdós se aleja de lo espiritual religioso dando prioridad a lo material, rescatando, como ya apuntó Lieve Behiels, el simbolismo que encerraba Lucila Ansúrez en la cuarta serie y que se relaciona con el alma de España o el alma de la raza (1998: 86-87). Y en este sentido, su identidad se revela en la primera conversación con Gil-Tarsis:

> Cuando te faltaba dinero, o lo obtenías de la usura, tu lenguaje era un chorro de pesimismo repugnante. Maldecías todo y a mí me escarnecías, sosteniendo que nada hay en mí que valga un ardite: ni ciencia, ni artes, ni negocios, ni trabajo, ni literatura (Pérez Galdós 1968c: 252).

Ante la soberbia crítica de Tarsis de una España carente de teatro, agricultura, política y hacienda, la Madre se siente ofendida y le responde sin contemplación alguna. En esta respuesta la identificación de la Madre con España es evidente entonces. Pero no se trata de una España desde un punto de vista esencial, sino material. En ella se recoge el sentido del pueblo, que responde, recordemos, a un conjunto muy amplio de tipos sociales que no ostentan el poder. Gil se la describirá así a Pascuala durante el encantamiento: "Es nuestro ser castizo, el genio de la tierra, las glorias pasadas y desdichas presentes, la lengua que hablamos..." (266). Y algo más tarde: "Es el alma de la raza, triunfadora del tiempo y de las calamidades públicas; la que al mismo tiempo es tradición inmutable y revolución continua..." (323). Es decir, la Madre, más que un símbolo del "sentido universal de la continuidad y de la evolución" (Hac 1977: 332) de un pueblo como se ha calificado, representa ese consenso social de las clases por el que debe trabajar la clase media y que va a triunfar en cuanto termine su aprendizaje y madure. Ella es, como dijimos al comienzo de esta investigación, la que manda ahora, razón por la cual adquiere categoría de diosa y guía tanto de Tarsis como de la potencial clase media, a quien, recordemos, va dirigida la novela.

El carácter mítico de la Madre le permite a Galdós situarla en la atemporalidad (y que esta se contagie al resto de la novela), en el tiempo presente de la narración pero también en el pasado. La Madre se mueve a la vez en la atemporalidad que une pasado, presente y futuro (tiempo mítico) y en la temporalización que surge de su relación con la Historia concreta de España, con el pasado nacional. Este aspecto, como ha sostenido Galdós en toda su obra, no es prescindible para construir una nueva España definida por el consenso social. Ella misma lo deja claro en su diálogo con Tarsis en los Picos de Urbión al referirse a la vida despreocupada del caballero hasta ese momento y su pasividad ante la decadente situación del país:

> Pues si nada hiciste cuando podías mirar por tu Madre, ¿qué harás ahora, miserable *Asur*, transformado en Gil? ¿No veías que tus *síes* y tus *noes* no fueron nunca para mi gloria y provecho?[...] ¡Si fuiste ya mi escudero y me vendiste, vendiste a tu Madre! [...] Por esa parte a donde el sol se pone ves mi cuenca de Arlanza, hoy mal poblada de árboles y de hombres, mísera y cansada tierra. Pues así como la ves, pobrecita y escuálida, es la primera en mis idolatrías de Madre; es mi epopeya; es creadora de mis potentes hombres; es la que amamantó mis vigorosas voluntades (255).

Por si quedaba alguna duda de su relación con la Historia de España Galdós remata con estas palabras de Pepe Azlor al referirse a ella:

> Es mi tía en décimo grado, por la rama de Aragón. No sé si estará en Madrid. Viaja de continuo, y las ruedas de su automóvil se saben de memoria todo el mapa de España. Su *choffeur* es un espíritu genial, engendrado por el tiempo en las entrañas de la Historia... (340).

La Madre, en último término, se identifica históricamente con la tierra española y por lo que se ve afectada directamente por cada suceso que en ella ocurre. De ahí, en cierto modo, la condición maternal subrayada por la crítica. Galdós ha elegido a conciencia un personaje mitológico femenino para poder atribuirle el poder de la creación (López 2002: 790). El tono maternal con que se dirige a Tarsis y a los demás hombres —véase el capítulo de la visita a Boñices— reafirma esta característica. A medida que se acerca el final del encantamiento, crece el número de imágenes maternales. Este hecho está relacionado con la esperanza y la confianza en el futuro que se depositará en Héspero, que heredará el simbolismo mitológico de redentor de los males patrios. En este punto, merece la pena mencionar que no casualmente el nombre de Héspero responde al personaje mitológico hijo de Eos (la Aurora)[103], que se convirtió en la estrella que anunciaba el amanecer y el atardecer, tras haber caído al mar desde los hombros de Atlante (su padre o su hermano, según las distintas versiones del mito), y que responde al nombre de Fósforo, del griego *fosforós*, portador de luz (compuesto de *fáos*, luz y *féro*, llevar). Así pues, Héspero será el que traiga la luz a la España decadente de 1909, el símbolo de futuro, de esperanza para subsanar los males que asolan el país. En relación con Héspero hay que recordar que, también en la novela, a España se la llama Hesperia, antiguo nombre que los griegos dieron a Italia y, por extensión, los romanos a Hispania. Se establece así una sugerente cadena léxica entre la Madre, España, Hesperia, Héspero y esperanza[104] que redunda en el fin regenerador de la novela.

La Madre, como personaje mitológico y simbólico de España, en el desarrollo de su relación con el protagonista Tarsis, se convierte en el elemento literario e ideológico más importante de la obra. Ella controla no solo los espacios, sino también el tiempo e influye en el desarrollo de la narración hasta el punto de ser el elemento definidor de la dimensión maravillosa en que se sitúa la novela. Este es el "filón" del que Galdós le hablaba a Teodosia en sus cartas y el que inaugura su última manera de narrar que traspasará nada casualmente a los cuatro últimos Episodios Nacionales[105].

103 No casualmente la primera aparición de la Madre durante el encantamiento se produce tras la llegada del amanecer (248 y ss.).

104 Eugène Hac ve también una posible alusión a las islas Hespérides, es decir, a las islas Canarias, que funcionarían como puente de unión entre España (representada por Tarsis) y América (representada por Cintia —recordemos que ella era colombiana—), la total hispanidad (1977: 335).

105 En un repaso a la crítica, nos damos cuenta de que se ha pasado de la censura y el desinterés hacia estos Episodios a afirmar la creación de una nueva estética (véase Urey 1989: 147 y ss.), interpretada en ocasiones incluso como quiebra de la anterior (Madariaga de la Campa 1989 y Caudet 2007: 69). En mi opinión, no creo que exista una ruptura radical con la manera de novelar anterior, pero sí un interés por experimentar una nueva forma de contar, a partir de las posibilidades que lo fantástico le había abierto en *El caballero encantado*. No creo tampoco que se trate de una indagación arbitraria o azarosa, sino una forma de

Últimos Episodios Nacionales

Amadeo I, *La Primera República*, *De Cartago a Sagunto* y *Cánovas*, los cuatro últimos Episodios de la quinta serie y del género, fueron escritos entre 1910 y 1912, años en que Galdós perdió definitivamente la vista. Este hecho fue determinante para el proceso de escritura no solo porque se vio obligado a dictar las obras y a disminuir, por tanto, su ritmo de producción, sino también porque al perder su capacidad de observación, su metodología habitual se convertía en insuficiente. Para la Historia, recurriría en mayor medida a la memoria, y estéticamente, los elementos mitológicos llegarían en ciertos momentos a dominar la escena[106]. Quizá por eso se ha considerado que, con respecto a los anteriores Episodios, en estos predominan los recursos literarios sobre los históricos y por lo mismo resultan más coherentes en el conjunto de su obra si se entienden como una continuación (salvando las distancias del género) de *El caballero encantado*.

Entre la novela de 1909 y estas posteriores se pueden establecer paralelismos atendiendo a diferentes preceptos: al sentido e ideología

---

buscar el cambio tanto estético como ideológico. Y Galdós fue consciente de esta experimentación en todo momento. Así, en las cartas a Teodosia Gandarias, le informa el 8 y 12 de septiembre de 1910 de que en *Amadeo I* verá una "obra extraña", que se trata de una narración "un poco extravagante y rara" (Pérez Galdós 2016: 757-758). En esta carta, además, apela a su compromiso como escritor ya consagrado: "cuanto más viejo soy, y mayor extensión alcanza mi labor literaria, más miedo siento. La responsabilidad es mayor cada día" (759). Galdós se siente responsable de su escritura y del peso ético que sobre la sociedad tiene. Un cambio radical en su manera de contar habría sido un riesgo en todos los sentidos (incluso en el económico) que estuvo dispuesto a asumir.

106 A ello también ayudó el hecho de que esta etapa de la Historia fue vivida por él mismo, por lo que va a recurrir en mayor medida a lo interpretado a partir de su memoria que a lo estudiado en los libros. Así lo señaló ya Pedro de Répide en su reseña de *Amadeo I* para *El Liberal* de Murcia: "Posee *Amadeo I* un interés especial sobre sus obras hermanas anteriores. Y es el de que el autor tiene parte de actor en este libro, y sus impresiones nos son transmitidas con esa fuerza de vida que caracteriza a las Memorias. En esta obra el novelista no habla de cosas que sabe por documento o testimonio, sino que personas y lugares que describe pasan por el crisol de sus recuerdos" (1911: 1).

que en ellas se lee, a las semejanzas entre los personajes de Tarsis y Tito Liviano, al análisis del tiempo mítico en ambas narraciones y, sobre todo, resulta interesante detenerse en la transformación de la Madre en Mariclío, el personaje mitológico que coprotagoniza las narraciones junto a Tito Liviano. De manera general, se ha entendido a esta diosa como un trasunto de la musa Clío y por ello se han buscado sus antecedentes en las menciones a la musa que, por primera vez, se registran en la cuarta serie (aunque en *Mendizábal* ya se encuentra alguna alusión). Sin embargo, esa Clío aparece como un ser ajeno al relato, es invocada por convención histórica (o cultural) y no tiene categoría de personaje (Fanconi 2013: 322 y Arencibia 2000), ni identidad propia. Mariclío, por el contrario, sí muestra unas características concretas y aunque se define claramente como una musa del Olimpo, Galdós le da categoría de diosa; pasa de ser un nombre a un personaje (Fanconi 2013: 322). Esa evolución ya ha comenzado a darse en *El caballero encantado*, donde tiene más sentido buscar su origen.

El primer eslabón de dicho proceso de cambio se registra en el Episodio que inaugura este grupo de novelas: *Amadeo I*. En él, la primera vez que Mariclío aparece en escena y el protagonista, narrador además de la novela, intenta entablar una conversación con ella, esta desaparece sin dejar rastro. A él, entonces, sin saber muy bien "lo que había visto y oído, tal vez soñado", le urge salir de la casa donde se encuentra alegando que en ella "hay duendes" (1968b: 1025). Poco después cae enfermo y entre los delirios de la fiebre serán constantes las visiones de la diosa (1026). La segunda vez que ambos coinciden será en una situación provocada por un extraño y desconcertante personaje, Graziella, de quien antes de conocerla se pregunta si sería "una hermosa ninfa o un culebrón espantable" (1038) y después la verá como "un misterio, una cifra oscura de interpretación imposible" (*idem*), para finalmente definirla como "ninfa hechicera" que vive no en una casa, sino en una "gruta" (1039). Ella, en realidad, será a lo largo de toda la obra la encargada de resolverle a Tito las dudas y los sucesos incomprensibles que va viviendo.

El lector irá acompañando al protagonista Tito en el recorrido y reconocimiento del personaje de Graziella, descubriendo a la vez su imposibilidad por definirla racionalmente y ubicarla en una categoría concreta, tal y como se esperaría en este subgénero narrativo.

En la gruta de Graziella, donde Tito (y también el lector) es secuestrado, las leyes sociales del mundo no tienen validez; así se advierte en detalles como que las criadas y las señoras cenan juntas en un "burlesca democracia y confusión de clases". Poco después sabremos que en esa gruta vive también Mariclío (1040), con quien por fin se encuentra el protagonista y, a quien todavía el lector está intentando ubicar en cuanto a la imaginación narrativa se refiere, puesto que la información que sobre ella le proporciona Graziella confunde aún más. Una vez que este salga de la "gruta", la casa desaparecerá, como nos hará ver algo más adelante cuando intenta volver para comprobar que de ella queda únicamente un solar (1046). Estas situaciones descritas del comienzo de la novela muestra cómo las primeras apariciones de Mariclío se dan bajo un ambiente de suspense, donde priman lo simbólico y lo oscuro. A medida que avanza la obra, no obstante, ese simbolismo va desapareciendo y se resuelve situándose definitivamente en lo mitológico. El lector (y el protagonista), en principio desconcertado, acepta la aparición del personaje; entra dentro de su pacto de lectura. Galdós va poco a poco abandonando el ser simbólico con atributos mitológicos que era la Madre para definir a Mariclío estrictamente desde lo mítico (sin olvidar a la vez el alto grado de simbolismo con que cuenta la mitología).

Mariclío conseguirá así dirigir el tiempo de la narración y elevar la Historia a la categoría intemporal de mito, puesto que la Historia que va a escribir es aquella con la que se deberá ver representada esa nueva clase media en formación (y con ella sus instituciones). Por esta razón crea al ya mencionado protagonista Tito Liviano, un intelectual, periodista un tanto desubicado pero deseoso de aprender y de construir la Historia (la Historia viva), al igual que lo estaba haciendo Galdós. Este personaje se diferencia y posiciona en la narración en un lugar completamente diferente de los otros Episodios, sobre todo de los escritos en primera persona, como los protagonizados por el Marqués de Beramendi. Tito, Galdós y estos últimos Episodios van a ir evolucionando a la par, de modo que se van a convertir en el reflejo de cómo el novelista está viviendo cada uno de los momentos en que escribe las obras. El gran número de reflexiones y curiosidades que Tito se cuestiona son las mismas que Galdós se está preguntando también entonces. Incluso físicamente sufren los mismos problemas, como la ceguera en *Cánovas*, que coincide con la operación de Galdós.

Aunque se encuentre mucho de Galdós en Tito, también se detecta mucho del novelista en Mariclío. A través de uno y otro se puede leer un reflejo del paso de Galdós por la Conjunción Republicano-Socialista desde el optimismo de 1910-1911 hasta el decaimiento de 1912, de modo que ambos procesos coinciden con el detectado en el ánimo del propio Galdós y su posicionamiento como personaje público, con su implicación en la política y con su evolución de observador pasivo a militante activo.

Mariclío en los cuatro Episodios muestra un recorrido ascendente y descendente de protagonismo e importancia en el curso de los hechos, que se inicia en *Amadeo I* mediante el descubrimiento, la caracterización y el diseño del personaje; aumenta con la toma y la dirección absoluta de la narración (Fanconi 2013: 322) en *La Primera República* y termina con su desaparición en *Cánovas*, donde ella misma decide ser sustituida por otros personajes mitológicos concebidos como sus mensajeras, las *efémeras*.

De estas cuatro obras es *La Primera República* el Episodio en que Mariclío y, por extensión, lo mitológico, cuentan con mayor presencia: de los 29 capítulos en que se divide la novela, en los 12 primeros se invoca varias veces a la diosa para pedirle solución a la crisis endémica en que nació la I República, mientras que en los 17 restantes, la propia Mariclío dirigirá el curso de los hechos. El tránsito de un estado a otro viene marcado por los capítulos XIV-XVI en que Tito es llevado por Floriana[107], ahijada de Mari-

107 Al comienzo del capítulo XIII poco se sabe sobre ella, aparte de que es maestra y noble dama. Su intervención en la novela se inicia en el capítulo XI y Galdós la presentará al modo de Casandra y Electra: mediante la descripción de una tercera persona, de modo que el lector cuando la conoce, ya ha creado su propia imagen de ella. A partir de entonces la narración y Tito van poco a poco acercándose al personaje, primero mediante la descripción de Celestina Tirado (que bien hace honor a su nombre), después mediante una carta de ella a Tito y hasta

clío, en un viaje totalmente mitológico desde Madrid al cantón de Cartagena[108].

Todo el viaje se desarrolla en un ambiente que claramente remite a los clásicos grecolatinos, especialmente a la tradición mítica. Así, Floriana es presentada del mismo modo que la Casandra de 1905, como un ser de una belleza escultórica y semejante a una diosa (términos en que se dirigirá a ella hasta que Mariclío aparezca en escena): "Era como una estatua de imponderable belleza. Vestía traje blanco, de forma helénica netamente escultórica" (1168). De nuevo, una vez más, esta tradición clásica se asocia a la pureza y a la vez a un estado de perfección de la civilización[109].

Para iniciar el viaje utilizará la caverna, símbolo de notable tradición en la mitología. Este elemento funciona como el espejo de *El caballero encantado*, puesto que es la puerta a toda una dimensión mitológica (ya no maravillosa) en la que Tito encontrará una realidad diferente, que él mismo en cierto momento comparará con el Purgatorio de la *Divina comedia* y posteriormente, con el Hades[110]. El protagonista (tampoco el lector) no alcanzará a tener una imagen

---

que finalmente ambos se encuentran. A la descripción de Celestina Tirado hay que añadir la que se elabora el propio Tito en un ejercicio que no poco recuerda al caso de Beramendi y Lucila Ansúrez, aunque despojado del halo romántico de los primeros años del siglo.

108 El mito, tal y como lo plantea Galdós en estos Episodios, no afecta a los acontecimientos de la Historia general sino al curso de la novela, al igual que en *El caballero encantado*; es decir, el mito funciona como un recurso literario que le permite a Galdós una mayor flexibilidad y libertad de movimiento con los personajes, así como poder tratar rápida y coherentemente los sucesos que en diferentes lugares de la península estaban sucediendo. Esta opción en una narración con tiempo realista no habría sido posible.

109 A medida que vayamos avanzando en la obra, se irá descubriendo que también esta Floriana es arquetipo de mujer moderna, como Casandra, que representará los valores republicanos desde el punto de vista de la educación que Galdós tenía entonces tan presentes. Será esta, por tanto, la sucesora de Cintia-Pascuala y de Casandra.

110 Una diferencia importante apreciable en este viaje y en el espacio de este Episodio reside en cómo Galdós utiliza la caverna, un espacio pagano, simbólico, frente al purgatorio dantesco que es místico y religioso.

homogénea de la caverna, puesto que esta irá cambiando, a lo largo del viaje, en relación con el humor, el entendimiento y la vivencia de aquel. Las descripciones de Tito irán en consonancia con su estado de ánimo, con su evolución y su propio cambio dentro de ese viaje. Esta será un reflejo a pequeña escala de la evolución del personaje en la novela, que pasa de la ingenuidad al desconcierto a medida que va desvelando y descubriendo lo que le rodea. En su relato va destacando lo que ve, escucha y come, sumando al evidente recorrido físico otro más sensorial que potencia el alejamiento del método realista que hasta el momento ha predominado. Descubre también la construcción de una sociedad mitológica muy femenina y matriarcal, cuya jerarquía se extiende desde la dirección de Mariclío, pasando por el Consejo de sabias o sibilas (doña Gramática, doña Geografía, doña Aritmética, doña Caligrafía, etc.), que se ocupan especialmente de lo que se refiere a la educación; hasta llegar a un pueblo compuesto por una sinfín de ninfas o sílfides y toros-hombres sobre los que cabalgan. En este matriarcado Tito irá descubriendo una convivencia armónica y sin clases sociales opresoras ni oprimidas, pues los diferentes seres que allí habitan se relacionan "formando grupos sin clases ni jerarquías" (1175). Por otro lado, en esta dimensión mitológica se establece una nueva concepción del tiempo, que rompe la linealidad del tiempo histórico y de la novela tradicional:

> Borre usted de su mente, señor don Tito, las palabras tarde y temprano; que aquí no existe esa forma de apreciar el tiempo. En estos valles no hay día ni noche; no amanece ni anochece. Si lleva usted reloj, no se cuide de darle cuerda, que mejor está descansando, con todas sus ruedecillas dormidas (1169).

En este espacio mítico serán las necesidades más primitivas y básicas las que midan el tiempo: el sueño y las comidas[111]. Así

111 Tito no podrá ver a la Madre hasta la quinta comida, según le informa Graziella (1173).

pues, Tito, en una narración histórica ha entrado precisamente en un tiempo ahistórico, por lo que Galdós, una vez más, se establece en los límites del realismo, utilizando el mito para contar la Historia de otra manera. No obstante, aunque la narración se sitúe en una dimensión irreal, esta no deja de estar ligada a la realidad, al mundo que está por encima de la caverna. En el momento en que la narración parece desprenderse totalmente de su referente real, Galdós introduce algún elemento que vuelve a establecer el vínculo, como, por ejemplo, cuando comienza a llover y explica que son las aguas del Júcar que se caen de arriba, o más sutilmente en el método de la narración, puesto que las descripciones de la naturaleza que ve el protagonista no dejan de ser minuciosas y extensas, típicas de la novela realista. Tito y Galdós siguen sintiendo la necesidad de explicarlo todo, de crear y compartir lo que sus ojos aprehenden, aunque lo que vean sea a veces un bestiario medieval, un *locus amoenus* clásico o, más fantástico aún, una jauría de toros que son dirigidos con varitas mágicas. Galdós construye en estos dos capítulos un espacio mítico (paradójicamente si se tiene en cuenta que estamos ante una narración histórica) mucho más desarrollado que en *El caballero encantado*, pero igualmente ligado a lo real y material.

A este nivel le añadirá el onirológico, como en *El caballero encantado*, aunque en un grado más de complejidad puesto que de los dos sueños que introduce, el primero tendrá como escenario el mundo real. Si recordamos el análisis de los sueños de la novela de 1909, veremos que las características que para ella había subrayado, se repiten en esta ocasión. Así, de estos dos sueños, el primero, que no ocurre en presencia de Mariclío, representará los miedos de Tito y también será una premonición del futuro. El sueño con el discurso de un recién subido Salmerón al poder, que ataca a los carlistas y anima en clave a apoyar a los alfonsinos, mucho tendrá que ver con el desenlace del Sexenio Revolucionario, con la evidencia de la corrupción de una república que nada consiguió cambiar con respecto al reinado de Amadeo I. Mediante este sueño Galdós juega con las dimensiones hasta unirlas y confundirlas, apelando una vez más a la absurdez de la realidad y a su razón de la sinrazón:

> Y heme aquí soñando con lo que había dejado en el otro mundo. Así lo llamo por no saber si el otro era aquel en que me encontraba, o si me habían traído efectivamente al que allá llamábamos el otro. ¡Sueño de sueños! (1171).

O lo que es lo mismo, la realidad de lo fantástico. A través del sueño, por tanto, vuelve a cuestionar el concepto de lo real confundiéndolo con el de irreal, de modo que el lector acaba por plantearse si lo que ocurría en la vida política real de la otra dimensión era verosímil o no: "¿la realidad era lo de allá o lo de acá? ¿Eran este y el otro mundo igualmente falaces o igualmente verdaderos?" (1172). ¿Con cuántas dimensiones irreales está jugando Galdós? ¿Con cuántas reales? ¿De qué manera se entiende una dimensión que es imaginada, mitológica, de un alto grado de fantasía, en la que se sueña con un mundo real que de absurdo parece más irreal que el propio mundo mitológico? Una vez más la razón de la sinrazón se ha convertido en técnica literaria y ha sobrepasado lo relacionado con el contenido para reflejarse también en lo formal. La respuesta la ha dado ya antes a través de Floriana al final del viaje: "Es ley divina que esto acabe siempre en aquello y aquello en esto, pues nunca se verá el fin definitivo de las cosas" (996).

Este sueño va a marcar un punto de no retorno en el viaje, pues varios elementos cambiarán a partir de entonces. En primer lugar, la figura de Floriana pasará a un segundo plano recordando su relación con Tito al mito de Orfeo y Eurídice, puesto que del mismo modo que a Orfeo le es vetado darse la vuelta y ver a Eurídice cuando va a buscarla al Hades, a Tito se le negará intentar poseer a Floriana en este viaje que ha emprendido para buscarla. Así se lo explica Graziella:

> En el momento en que dirijas a nuestra maestra y señora la menor solicitación o requerimiento de amor liviano; en el momento en que aspires a poseer un átomo de la carne divina con apariencias de mortal vestidura, quedarás muerto si no te convierten en un inmundo y hediondo bicharraco (1172).

En segundo lugar y por primera vez se referirán a Mariclío como la "Madre". En este punto la analogía con su homónima de *El caballero encantado* ya es evidente. En esta segunda parte del viaje, la atención recaerá sobre Mariclío y lo vivido por Tito ocurrirá en un espacio de superior carga mitológica, la mayor de la novela, claramente. Ahora Tito ha llegado a ese valle paradisiaco en el que se reencuentra con la diosa y conoce a sus hermanas. Tras una breve conversación con Mariclío, se queda dormido y sueña. En dicho sueño también Galdós repite el patrón del último introducido en *El caballero encantado* (el que finaliza con la máxima "soñemos, alma, soñemos"), puesto que este refleja el significado de la novela. El nuevo sueño le lleva al Olimpo y a situarse cerca de los diferentes dioses de la tradición grecolatina. Si lo comparamos con el sueño anterior, Galdós ha vuelto enmarañar las dimensiones y retorciendo el juego de lo real y lo imaginario. Si antes había descrito un sueño ubicado en un espacio mitológico que volvía a un mundo real, ahora ese mundo real ha sido cambiado por un mundo mitológico aún más irreal que el que está viviendo el propio Tito. El protagonista sueña con un Olimpo, es decir, un lugar de fantasía suprema y de estado sublime, que lo lleva precisamente a un lugar más ideal, de una mitología ya establecida, a diferencia del anterior. Ello junto al resto de la escena en el valle se convierte, por tanto, en el punto de mayor idealismo y simbolismo de toda la novela y quizá de toda su obra del siglo XX. La diafanidad del valle le deja ver a Tito todo lo que tiene a su alrededor, como se refleja de los datos y las descripciones, mucho más amplias que las anteriores. La totalidad de aprehender lo mitológico es posible y no escatima en describir una sociedad que está ahora por venir, aunque basada en unas estructuras y en una tradición a la que no puede renunciar. Galdós utiliza el pasado como elemento fundamental para construir cualquier civilización futura.

No obstante, el descubrir el funcionamiento de esta dimensión mítica confunde a Tito (y el al lector), que no sabe cómo aceptar este nuevo mundo mitológico:

> ¿Era un mundo de guasa mitológico con ribetes picarescos, un fermento trasnochado de paganismo, traído a la vida moderna como levadura para poder amasar y cocer el nuevo pan de la civilización? ¿Las musas que vi eran las verdaderas hermanas de Apolo, o figuras de teatro

> modeladas artísticamente por hábiles maestras de aquella comunidad andante, donde iban hembras de tan diferentes castas y aptitudes? (1176).

Tito, de momento, no es capaz de encajar ni entender ese mundo mitológico que representaría la paz y la armonía de los hombres. Algo después incluso afirmará que ese era un mundo de pesadilla y se alegrará de volver a su dimensión real, una vez situado en la salida de la caverna que anuncia el final del viaje. Un final que se hace evidente a través de lo material: mediante el cambio de ropa de Floriana, que sustituye su túnica blanca por un oscuro traje, y sus sandalias por zapatos y medias; es decir, mediante su "humanización", en palabras del propio Tito; del mismo modo se irá perdiendo la dimensión mitológica, todo se hará visible y desaparecerán los "espíritus"... Parecerá que se vuelve a la dimensión real, aunque enseguida se demostrará la ambigüedad de dicha dimensión, puesto que la presencia de Mariclío (directa o indirecta) y de sus sibilas será constante e incluso Tito se relacionará con el titán-herrero novio de Floriana. De este modo se cumple (al igual que en *El caballero encantado*) la relación inseparable que establecía Sastre entre realidad e imaginación. Tito entonces se "despedirá" del universo mitológico con un ambiguo "¡Realidad, qué hermosa eres!" (1178), "hermosa" realidad que no será sino la del cantón de Cartagena.

El movimiento cantonal, como se sabe y demuestra Galdós en la narración, fue promovido por las clases obreras. Ello quedará reflejado de nuevo en el personaje que más se presta al cambio y a la metamorfosis, Mariclío. Así, cuando Tito llega al cantón, Galdós se referirá a Mariclío como la *seña* Mariana[112], al igual que

112 Esta Mariana se ha entendido como una alusión al padre Mariana (Ribbans 1993) y también como un guiño a la Marianne de la Revolución francesa, cuya "representación ginecomórfica tanto en España como en Francia no solo encarnaba la República, sino la nación misma. En el caso español solía acompañarse de un león. Las resonancias del nombre en España además se remontaban a los orígenes de la revolución liberal, a la real pero mitificada figura de Mariana Pineda, la bordadora de pendones morados ejecutada por el absolutismo. Por lo

la Madre es llamada *señá* María cuando va a Boñices (véase un nuevo paralelismo). Galdós denomina prácticamente igual a sus personajes mitológicos cuando los acerca a las clases bajas y lo hace mediante términos en consonancia con ellas. El acercamiento de nuevo responde al interés del novelista en la unión de las clases sociales, a la que ya se ha aludido muchas veces en esta investigación. La particularidad de esta ocasión se encuentra en que Galdós sitúa la unión de las clases en una dimensión mítica que pertenece al nivel más puro de la imaginación, si volvemos a la categorización de Alfonso Sastre. Y narrar desde lo imaginado, como se ha visto anteriormente, le permite narrar con un margen de verosimilitud y de realidad material porque, como ya se ha apuntado, su conocimiento de esas clases bajas es limitado. Si Galdós quería tratar esa unión entre clases, necesitaba encontrar un mecanismo que le permitiera hacerlo desde una coherencia narrativa y que además tratara como real esa posibilidad. Lo mítico le otorga precisamente la capacidad de situar en el presente una idea que el realismo como estética no le permitía porque rompería el pacto con el lector. La imagen de las clases bajas está pasada por el filtro de la imaginación, y lo mitológico se convierte en un mecanismo para introducirlo dentro de la narración. Francisco Sánchez Pérez, que analizó las críticas de Galdós a la gestión de la I República, concluyó que los elementos positivos venían establecidos a partir del personaje de Mariclío, es decir, desde lo mitológico (2006: 35). Por lo tanto, lo que se dirige hacia la unión entre el pueblo y la burguesía, hacia el movimiento, el cambio, el avance y el progreso social en busca de una convivencia y un consenso, es positivo y se establece en un tiempo mítico, principio de un nuevo mundo para el que surge una posibilidad de comenzar en el presente. Por esta razón Mariclío aparece cuando existe una perspectiva de movimiento y de cambio, y desaparece cuando prima el estancamiento, como en *Cánovas*, comienzo de un periodo histórico en que el progreso se detendrá y el movimiento

tanto, este personaje es la encarnación misma de la Historia, España y la idea de República/Revolución" (Sánchez Pérez 2006: 355).

de la Historia se parará. Ella misma se lo confesará a Tito al final de la obra:

> Reconozco que en los países definitivamente constituidos, la presencia mía es casi un estorbo, y yo me entrego muy tranquila al descanso que me imponen mis fatigas seculares. Pero en esta tierra tuya, donde hasta el respirar es todavía un escabroso problema, en este solar desgraciado en que aún no habéis podido llevar a las leyes ni siquiera la libertad del pensar y del creer, no me resigno, no me resigno al tristísimo papel de una sombra vana, sin otra realidad que la de estar pintada en los techos del Ateneo y de las Academias (1409-1410).

No obstante, con la llegada de la Restauración, "los tiempos bobos" como ella misma los nombra, se paralizará la Historia hasta llegar a la que se está viviendo en 1912. Por eso, al final de la obra, en una reflexión sobre la situación venidera, cerrará no solo la serie sino la colección haciendo un llamamiento al cambio, al movimiento, a la protesta, a la revolución en el sentido de desobediencia como única manera de acabar con la parálisis del país:

> Declaraos revolucionarios, díscolos si os parece mejor esta palabra, contumaces en la rebeldía. En la situación a que llegaréis andando los años, el ideal revolucionario, la actitud indómita si queréis, constituirán el único síntoma de vida. Siga el lenguaje de los bobos llamando paz a lo que en realidad es consunción y acabamiento... Sed constantes en la protesta, sed viriles, románticos, y mientras no venzáis a la muerte, no os ocupéis de Mariclío... (1410).

Este final complementaría al de *El caballero encantado*, que proponía una serie de cambios socio-políticos concretos a través de los personajes de Cintia y Tarsis, que auguraban un futuro práctico y próspero. Este final sería el afianzamiento necesario y que quienes leían a Galdós necesitaban para llevar a cabo.

En este grupo de seis novelas complementarias el lector asistía al tratamiento de los mismos problemas de manera sincrónica en *El caballero encantado* y diacrónica en los Episodios Nacionales. En la primera encontraría el proyecto para construir una alternativa y solución a esos problemas, y en las segundas, el argumento de autoridad que los incentivaba para llevarlo a cabo. Los referentes históricos de esa clase quedarían establecidos y legitimados; su tiempo, aprehendido, y el proyecto, trazado. Sobre él seguiría incidiendo incansablemente desde obras como *Celia en los infiernos* (1913) o *La razón de la sinrazón*, donde la dimensión mítica también tendría su relevancia, aunque de una manera más simbólica y menos combativa.

Conclusiones

En este recorrido por los veinte primeros años del siglo XX hemos estudiado a Galdós como un producto de la Historia, intentando tomar distancia de su individualidad como autor y de verdades asumidas que lo han oscurecido y limitado injustamente durante largo tiempo. Al haberlo, no relacionado, sino insertado en la historia de esos años se ha abierto un campo de investigación que ofrece múltiples y nuevas lecturas de sus textos. Esta manera de analizar a Galdós, alejada del punto de vista teleológico y que atiende al proceso, nos ha acercado un poco más a su realidad y a su modo de vida en esos años. Ha surgido en consecuencia un Galdós más complejo y rico, que opera al compás de la realidad de su tiempo. Ni adelantado ni ajeno a la España de entonces, ni destacadamente liberal ni destacadamente socialista, ni continuador del realismo decimonónico ni un aniquilador de sus formas… Ha resultado un Galdós impulsivo en momentos puntuales, pero muy equilibrado en el conjunto del siglo; atrevido, pero no osado; un Galdós diferente al esperado o al acostumbrado porque tradicionalmente se ha estudiado como parte de una sociedad decimonónica ya en periodo de descomposición en estos años del siglo XX.

A través de este proceso se ha corroborado que Galdós y su "estilo de la vejez" son paradójicamente de una lucidez notable y que el novelista contó con una energía mucho mayor que en el resto de su vida para llevar a la práctica las ideas que subyacen en sus novelas, así como para hacerse eco de las novedades estéticas del momento. Sus textos y testimonios de los contemporáneos con que se relacionó (ignorados la mayor parte de las veces por los críticos posteriores) lo han certificado de manera notable. En relación con esto último, se ha demostrado que, frente a lo que muchas veces se ha pensado, Galdós no se encuentra aislado de la vida intelectual del momento, sino que, por el contrario, lo determina. El novelista participa de la creación del nuevo intelectual del siglo, cada vez más comprometido social y políticamente. Además, hemos visto cómo Galdós supera los conflictos generacionales entre lo viejo y lo nuevo desde su posición privilegiada de escritor consagrado, cómo se sirve de su estatus para aprender y contactar con la sociedad que le brindará el material necesario para configurar su novela de la clase media en formación.

Entre todos los intelectuales se ha destacado tradicionalmente la relación que Galdós mantiene con el 98, pero a partir de su adhesión al republicanismo hemos descubierto que existe una coincidencia ideológica con la generación de Ortega y Azaña, quienes verdaderamente buscan una alternativa desde el progresismo al sistema restauracionista en estado crítico. Al situar a Galdós cerca de esta generación y del movimiento intelectual de la época, encontramos una explicación coherente desde el punto de vista de la Historia a su trayectoria ideológica y política, puesto que su actividad forma parte de todo el conjunto de intelectuales que recoge las ideas de Costa y apoya el socialismo. La lectura ideológica de los textos y de la actividad política galdosiana, nos ha permitido analizar los movimientos y relaciones entre las diferentes generaciones que están construyendo la sociedad del siglo XX, específicamente las orientadas a crear nuevas alternativas al régimen desde las clases no hegemónicas, o más concretamente aún las gestadas entre la burguesía progresista y la clase proletaria. En este marco encaja la propuesta galdosiana sobre el consenso de las clases y su constante búsqueda a lo largo del siglo, porque en ese consenso reside la única manera de hacer frente al conservadurismo hegemónico. En consecuencia, surge un Galdós orientado hacia lo colectivo y a la superación de las propuestas individualistas de la década de 1890.

Sobre la base de esta coyuntura histórica e ideológica se ha analizado la narrativa galdosiana en relación también con las demás estéticas del momento. Ello nos ha corroborado que una sociedad confusa y en transición produce una estética frágil, heterogénea e inestable carente de una narrativa dominante al estilo del siglo precedente (aunque siga siendo la más exitosa). Así, la falta de homogeneidad en sus novelas o la incorporación constante de nuevos elementos desde las distintas partes de una narración han desvelado la dificultad de intentar clasificar a Galdós. En esto difiere del siglo anterior en el que su trayectoria y evolución resulta muy clara. En el siglo xx, como se desprende de este estudio, ubicar a Galdós en un lugar concreto deviene problemático: ni se sitúa a la vanguardia junto a los que rompen definitivamente con los moldes decimonónicos ni repite las fórmulas del siglo anterior, sino ambas a la vez en una clara materialización de la búsqueda constante del consenso social.

En el proceso de renovación de su propia novela con la que reflejar y construir a la vez la nueva clase media, su principal lectora, acaba situándose en los límites del realismo, lo que se traduce en una nueva manera de novelar. Galdós construye entonces una novela de y para el consenso tanto desde el punto de vista formal como ideológico, cuyos cauces estéticos van cambiando con la rapidez e inestabilidad propias del siglo. La base realista que utiliza para seguir denunciando los problemas y vinculando al receptor a la realidad del momento se ve atravesada por un uso de los niveles más extremos de la imaginación que la liberan de las fórmulas decimonónicas anteriores. Lo fantástico le permite, al igual que el diálogo, un dinamismo y un movimiento en la historia contada mucho más fluido y con mayor proyección práctica. Lo maravilloso, lo onírico y lo mitológico en consonancia con la hibridación de los géneros literarios enriquecen paradójicamente la realidad y ensanchan su espacio de escritura para jugar con lo ya existente y lo aún por llegar. Esta ampliación es la que le posibilita diseñar su propuesta de formación de la nueva clase media, cuyo modelo se ubica en una América imaginada, se describe profundamente en *El caballero encantado* y se intenta legitimar en los últimos Episodios Nacionales. Es decir, se va mostrando de una manera cada vez más completa a lo largo del siglo hasta llegar a su límite.

Galdós, por tanto, consigue establecer la sociedad del consenso tanto estética como ideológicamente en sus novelas. Paradigma de ello es *El caballero encantado*, la novela más destacada de este periodo. En ella se condensan cada una de las novedades estéticas e ideológicas que Galdós va asumiendo a lo largo del siglo. Ella define sin duda el siglo xx galdosiano y con ella su búsqueda estética llega a su fin, puesto que a partir de ahí se dedicará a explorar la vía que con tanto éxito había abierto y la que más vehementemente lo alejaba del realismo decimonónico: la nueva manera de relacionar realidad e imaginación. Después de ella cambió la búsqueda de nuevos cauces experimentales por la manera de seguir investigando las posibilidades que ofrecía y finalmente consolidarla.

Bibliografía

Aguirre Carballeira, Arantxa (2006): *Buñuel, lector de Galdós*. Las Palmas de Gran Canaria: Ediciones del Cabildo Insular de Gran Canaria.

Alcalá Galiano, Álvaro (1914): *La novela moderna en España: conferencia pronunciada el 9 de febrero de 1914 en la Unión de Damas Españolas*. Madrid: Valentín Tordesillas.

Alonso, Cecilio (1985): *Intelectuales en crisis. Pío Baroja, militante radical (1905-1911)*. Alicante: Instituto de Estudios Juan Gil-Albert.

Alvar, Manuel (1971): "Novela y teatro en Galdós". En *Estudios y Ensayos de Literatura Contemporánea*. Madrid: Gredos, pp. 52-110.

Álvarez Junco, José (2001): *Mater dolorosa: la idea de España en el siglo XIX*. Madrid: Taurus.

— (1994): "Los amantes de la libertad: la cultura republicana española a principios del siglo XX". En Nigel Townson, *El republicanismo en España (1830-1977)*. Madrid: Alianza, pp. 265-292.

— (1990): *El Emperador del Paralelo. Lerroux y la demagogia populista*. Madrid: Alianza.

— (1981): "La literatura sobre la cuestión social y el anarquismo". En Santiago Carrillo *et al.*, *Estudios de Historia de España. Homenaje a Manuel Tuñón de Lara*, vol. I. Madrid: Universidad Internacional Menéndez Pelayo, pp. 391-398.

AMOR DEL OLMO, Rosa (2006): "Introducción" a Benito Pérez Galdós, *Bárbara. Casandra. Celia en los infiernos*. Madrid: Cátedra, pp. 11-148.

— (2002): "Taller de creación". En Benito Pérez Galdós, *Alma y vida*. Santander: Tantín, pp. 7-77.

ANDRENIO (Eduardo Gómez de Baquero) (1918): *Novelas y novelistas*. Madrid: Calleja.

ÁNGELES, José Luis (2000): *Hacia una teoría de la producción literaria*. Valencia: Ediciones Bajo Cero.

ARENCIBIA, Yolanda (2005): "El colegio que formó a Galdós o la pedagogía progresista en Gran Canaria". *Isidora. Revista de Estudios Galdosianos* 1: 91-98.

— (2000): "Referencias clásicas en los *Episodios Nacionales* últimos de Pérez Galdós". En *Homenaje a Alfonso Armas Ayala*, vol. II. Las Palmas de Gran Canaria: Ediciones del Cabildo Insular de Gran Canaria, pp. 99-113.

ARMAS AYALA, Alfonso (1989): *Galdós, lecturas de una vida*. Santa Cruz de Tenerife: Caja General de Ahorros de Canarias.

— (1979): "Galdós, diputado por Puerto Rico". En *Actas del segundo Congreso Internacional de Estudios Galdosianos*. Las Palmas de Gran Canaria: Ediciones del Cabildo Insular de Gran Canaria, pp. 103-111.

ARNÁIZ AMIGO, Inés Palmira (1989): "El tema americano en 'La vuelta al mundo' en *La Numancia*". En *Galdós: centenario de* Fortunata y Jacinta *(1887-1987). Actas (congreso internacional, 23-28 de noviembre)*. Madrid: Universidad Complutense de Madrid, pp. 275-283.

ARROYO, Ciriaco M. (1966): "Galdós y Ortega y Gasset: Historia de un silencio". *Anales Galdosianos* I: 143-150.

ARTILES, Joaquín (1967): "Don Domingo Galdós de Alcorta y doña María de la Concepción Medina, abuelos de Pérez Galdós". *Anuario de Estudios Atlánticos* 13: 157-179.

AUBERT, Paul (1993): "Intelectuales y cambio político". En José Luis García Delgado (ed.), *Los orígenes culturales de la II República, IX Coloquio de Historia Contemporánea dirigido por Tuñón de Lara*. Ciudad de México: Siglo XXI, pp. 25-99.

Ayuso, Paulino (2014): “El teatro español en el cambio de siglo”. En *Drama sin escenario: literatura dramática de Galdós a Valle-Inclán*. Madrid: Antígona, pp. 29-58.

Azorín (José Martínez Ruiz) (1903): “La farándula: ‘Mariucha’”. *Alma Española* 2, 15 de noviembre: 4.

Behiels, Lieve (2000): “El último Zola y el último Galdós”. En Yolanda Arenciabia, María del Prado Escobar y José María Quintana, *Actas del VI Congreso de Internacional Galdosiano*. Las Palmas de Gran Canaria: Ediciones del Cabildo Insular de Canaria, pp. 223-232.

— (1998): “Diosas y madres en la obra tardía de Benito Pérez Galdós”. En Aengus M. Ward (ed.), *Actas del XII Congreso de la Asociación Internacional de Hispanistas, 21-26 de agosto de 1995*. Birmingham: The University of Birmingham Press, pp. 84-91.

— (1995): “La búsqueda del amor, de la verdad y de la Historia: *Los duendes de la camarilla* (1903)”. En *Actas del quinto Congreso Internacional de Estudios Galdosianos, II*. Las Palmas de Gran Canaria: Ediciones del Cabildo Insular de Gran Canaria, pp. 39-49.

— (1988): “Elementos míticos en *Celia en los infiernos* de Galdós”. En Claude Dumas (ed.), *Les mythes et leur expression au XIXème siècle dans le monde hispanique et ibéroamericain*. Lille: Presses Universitaires de Lille, pp. 121-135.

Bellón Fernández, Juan José (2018): “Textos políticos de Benito Pérez Galdós publicados en prensa”. En Yolanda Arencibia *et al.* (eds.), *La hora de Galdós*. Las Palmas de Gran Canaria: Ediciones del Cabildo Insular de Gran Canaria, pp. 481-508.

Beltrán Almería, Luis (1992): *Palabras transparentes. La configuración del discurso del personaje en la novela*. Madrid: Cátedra.

Beltrán de Heredia, Pablo (1970): “España en la muerte de Galdós”. *Anales Galdosianos* V: 89-101.

Beltrán Villalva, Miguel (2010): *Burguesía y liberalismo en la España del siglo XIX: sociología de una dominación de clase*. Granada: Universidad de Granada.

Benavente, Luis (1911): “Literatura galdosiana. El último episodio”. *El Liberal* de Murcia 2.310, 15 de junio: 1.

BERENGUER, Ángel (1988): *Los estrenos teatrales de Galdós en la crítica de su tiempo*. Madrid: Dirección General de Patrimonio Cultural de la Consejería de Cultura.

BERKOWITZ, H. Chonon (1948): *Galdós, Spanish Liberal Crusader*. Madison: The Wisconsin University Press.

BLANCO AGUINAGA, Carlos (2007): *De Restauración a Restauración (ensayos sobre literatura, historia e ideología)*. Sevilla: Renacimiento.

— (1978): *Juventud del 98*. Barcelona: Crítica.

BLANQUAT, Josette (1971): "Lecturas de juventud". *Cuadernos Hispanoamericanos* 250-252: 161-220.

— (1968): "Documentos galdosianos: 1912". *Anales Galdosianos* III: 143-150.

— (1966): "Au temps d'*Electra*. (Documents galdosiens)". *Bulletin Hispanique* 68: 253-308.

BLY, Peter (1979): "Sex, Egotism and Social Regeneration in Galdós' *El caballero encantado*". *Hispania* 62.1: 20-29.

BOO, Matilde L. (1982): "Suplemento de *Las cartas desconocidas de Galdós* en *La prensa* de Buenos Aires". *Anales Galdosianos* XVII: 125-127.

BOTREL, Jean François (1977): "Benito Pérez Galdós ¿escritor nacional?". En *Actas del primer Congreso Internacional de Estudios Galdosianos*. Las Palmas de Gran Canaria: Ediciones del Cabildo Insular de Gran Canaria, pp. 60-79.

BUENO, Salvador (1996): "Fernando Ortiz novelista". *Unión* 23: 65-67.

— (1995): "Literatura en Fernando Ortiz". Conferencia pronunciada en la Fundación La Naturaleza y el Hombre en La Habana, el 5 de octubre de 1995, transcrita en las actas inéditas del ciclo de conferencias "La ciencia y la cultura en la nación cubana", conferencia III, pp. 1-7.

— (1958): "La novia cubana de Galdós". *Revista Carteles* 39.12, 23 de marzo: 52 y 82.

BUSH, Peter (1980): "Galdós y *Vida Nueva*". *Monteagudo: Revista de Literatura Española, Hispanoamericana y Teoría de la Literatura* 68: 5-11.

CABREJAS, Gabriel (1992): "'Spain go home'. Pensamientos intempestivos sobre el tema de América en Galdós". *Thesaurus. Boletín del Instituto Caro y Cuervo* 47.2, mayo-agosto: 397-405.

Cairo, Ana (2003): *José Martí y la novela de la cultura cubana*. Santiago de Compostela: Universidade de Santiago de Compostela.

— (prefacio y compilación) (1987): *Letras. Cultura en Cuba* 4. La Habana: Educación y Pueblo.

Calvo Carilla, José Luis (1998): *La cara oculta del 98*. Madrid: Cátedra.

Camacho y Pérez Galdós, Guillermo (1973): "Ascendencia de los Pérez Galdós. Estudio especial de las ramas cubanas de esta familia". *Anuario de Estudios Atlánticos* 19: 575-629.

Campos Oramas, Javier (2009): "¿Por qué Galdós da una visión edulcorada del caciquismo en la Revolución de Loja de 1861? La controversia social dentro del Estado Liberal". En Yolanda Arencibia, María del Prado Escobar y Rosa María Quintana (eds.), *Actas del VIII Congreso de Internacional Galdosiano. Galdós y el siglo* XX. Las Palmas de Gran Canaria: Ediciones del Cabildo Insular de Gran Canaria, pp. 671-680.

Cánovas Sánchez, Francisco (2019): *Benito Pérez Galdós: vida, obra y compromiso*. Madrid: Alianza.

Caramanchel (Ricardo J. Catarineu) (1901a): *"Electra"*. *La Correspondencia de España* 15.702, 31 de enero: 3.

— (1901b): "El ensayo general de *Electra*", *La Correspondencia de España* 15.701, 30 de enero: 3.

Cardona, Rodolfo (1998): "La patrística al servicio de la ideología: *El caballero encantado*". En *Galdós ante la Literatura y la Historia*. Las Palmas de Gran Canaria: Ediciones del Cabildo Insular de Gran Canaria, pp. 173-193.

— (1968): "Un texto olvidado". *Anales Galdosianos* III: 151-154.

Carpintero, Helio y Mestre, M.ª Vicenta (1984): *Freud en España*. Valencia: Promolibro.

Carr, Raymond (2003): *España: de la Restauración a la democracia, 1875-1980*. Barcelona: Ariel, 8.ª ed.

Casado Díaz, Óscar (2008): "La imagen especular: de la ficción a la revolución". *Espéculo: Revista de Estudios Literarios* 39, <http://pendientedemigracion.ucm.es/info/especulo/numero39/imagesp.html>.

Casalduero, Joaquín (1961): *Vida y obra de Galdós*. Madrid: Gredos.

Casa-Museo Pérez Galdós (1993): *Galdós y Santander: cien años desde San Quintín: día del libro 1993 [exposición del 28 de abril-30 de mayo de 1993]*. Las Palmas de Gran Canaria: Casa-Museo Pérez Galdós.

Catena, Elena (1974): "Circunstancias temporales de la *Electra* de Galdós". *Estudios Escénicos* 18: 79-112.

Caudet, Francisco (2007): "Introducción" a Benito Pérez Galdós. *Episodios Nacionales. Quinta serie*. Madrid: Cátedra, pp. 11-166.

Celma Valero, M.ª Pilar (1989): *La pluma ante el espejo*. Salamanca: Universidad de Salamanca.

Chamberlin, Vernon A. (1986): "A Cuban's Reply to Galdós: *El caballero encantado y la moza esquiva*". *Anales Galdosianos* XXI: 63-67.

Charle, Christophe (2000): *Los intelectuales en el siglo xix. Precursores del pensamiento moderno*. Madrid: Siglo XXI.

Cheyne, George J. G. (1968): "From Galdós to Costa in 1901". *Anales Galdosianos* III: 95-98.

Ciges Aparicio, Manuel (1908): "Cobardía". *El Socialista* 1.156, 1 de mayo: 2.

Cimorra, Clemente (1974): *Galdós*. Buenos Aires: Nova.

Clavero, Bartolomé (1979): *Estudios sobre la revolución burguesa en España*. Madrid: Siglo XXI.

Coffey, Mary (2009): "Las colonias perdidas: un episodio nacional que no escribió Galdós". En Yolanda Arencibia, María del Prado Escobar y Rosa María Quintana (eds.), *Actas del VIII Congreso de Internacional Galdosiano. Galdós y el siglo xx*. Las Palmas de Gran Canaria: Ediciones del Cabildo Insular de Gran Canaria, pp. 704-713.

— (1999): "Galdós Sails to the Colonies: Searching for Spanish Identity in *La vuelta al mundo en La 'Numancia'*". *Revista Hispánica Moderna* LII, diciembre: 350-364.

Correa, Gustavo (1977): *Realidad, ficción y símbolo en las novelas de Pérez Galdós. Ensayo de estética realista*. Madrid: Gredos.

— (1963): "Simbolismo mítico en Pérez Galdós". *Thesaurus* 18.2: 428-444.

Cunillero, Ángel (1903): "Crónicas teatrales". *La Revista Blanca* 130, 15 de noviembre: 129-130.

Darío, Rubén (1901): *España contemporánea*. Paris: Garnier Hermanos.

Dean-Thacker, Verónica P. (1992): *Galdós político*. Las Palmas de Gran Canaria: Real Sociedad Económica de Amigos del País-Círculo Mercantil de Las Palmas.

De Armas, Frederick (2011): "Una rama de la familia Galdós en Cuba: genealogía e influencia". En Yolanda Arencibia y Rosa María Quintana (eds.), *Actas del IX Congreso Internacional Galdosiano. Galdós y la gran novela del siglo* XIX. Las Palmas de Gran Canaria: Ediciones del Cabildo Insular de Gran Canaria, pp. 787-796.

De Cambra, Jordi (1981): *Anarquismo y positivismo: el caso Ferrer*. Madrid: Centro de Investigaciones Sociológicas.

De la Nuez Caballero, Sebastián (1993): *El último gran amor de Galdós. Cartas a Teodosia Gandarias desde Santander (1907-1915)*. Santander: Concejalía de Cultura.

— (1986): "El tema de América en el teatro de Galdós". En Pedro Sáinz Rodríguez, *Homenaje a Pedro Sáinz Rodríguez*, II. Madrid: Fundación Universitaria Española, pp. 461-472.

— (1981): "Algunas relaciones de Galdós con la América hispana". En Alberto Navarro González (ed.), *Actas del I Simposio de Literatura Española*. Salamanca: Universidad de Salamanca, pp. 119-135.

De la Nuez Caballero, Sebastián y Schraibman, José (1967): *Cartas del archivo de Galdós*. Madrid: Taurus.

De la Nuez Torres, Rosario (2005): *Alma y vida y el reinado de Isabel II. La trama socio-política. Nuevas claves de lectura*. Las Palmas de Gran Canaria: Ediciones del Cabildo Insular de Gran Canaria.

De la Serna, Enrique y Cruz Quintana, Sebastián (1973): *Prehistoria y protohistoria de Benito Pérez Galdós. Contribución a una biografía*. Las Palmas de Gran Canaria: Ediciones del Cabildo Insular de Gran Canaria.

Delgado, Luisa Elena (2004): "Continuidades y diferencias: debates. Críticos del galdosismo internacional". En Yolanda Arencibia, María del Prado Escobar y Rosa María Quintana (eds.), *Actas del VII Congreso de Internacional Galdosiano. Galdós y la escritura de la modernidad*. Las Palmas de Gran Canaria: Ediciones del Cabildo Insular de Gran Canaria, pp. 933-936.

DE LUIS MARTÍN, Francisco y ARIAS GONZÁLEZ, Luis (1997): *Las casas del pueblo socialistas en España (1900-1936)*. Barcelona: Ariel.
DE MAEZTU, Ramiro (1911): *La revolución y los intelectuales. Conferencia pronunciada el 7 de diciembre de 1910 en el Ateneo de Madrid*. Madrid: Imp. de Bernardo Rodríguez.
— (1903): "'Mariucha' y el público". *Alma Española* 2, 15 de noviembre: 5.
— (1901): "Los libros y los hombres. Mi programa". *Electra* 1: 5-7.
DE MESA, Rafael (1920): *Don Benito Pérez Galdós: su familia. Sus mocedades. Su senectud*. Madrid: Imp. de Juan Pueyo.
DE RÉPIDE, Pedro (1911): "El último episodio. *Amadeo I*". *El Liberal* de Murcia 3.056, 11 de enero: 1.
DEL OLMET, Luis Antón y GARCÍA CARRAFFA, Arturo (1912): *Galdós*. Madrid: Impr. de Alrededor del Mundo.
DEL RÍO, Ángel (1969): *Estudios galdosianos*. New York: Las Américas Publishing Company.
— (1961): "Notas sobre el tema de América en Galdós". *Nueva Revista de Filología Hispánica* 15: 279-296.
DENDLE, Brian J. (1994-1995): "An Interview with Galdós, 1909". *Anales Galdosianos* XXIX-XXX: 147-149.
— (1991): "A Speech by Galdós (1904)". *Anales Galdosianos* XXVI: 79-80.
— (1990): *Galdós y* La Esfera. Murcia: Universidad de Murcia.
— (1984): "Galdós in *El año político*". *Anales Galdosianos* XIX: 87-107.
— (1981): *Galdós. The Mature Thought*. Kentucky: University of Kentucky Press.
DE VICENTE HERNANDO, César (2013): *La escena constituyente. Teoría y práctica del teatro político*. Madrid: Centro de Documentación Crítica.
DICENTA, Joaquín (1898): *Crónicas*. Madrid: Librería de Fernando Fe.
DÍEZ DEL CORRAL, Luis (1957): *La función del mito clásico en la literatura contemporánea*. Madrid: Gredos.
EAGLETON, Terry (2005): *Ideología. Una introducción*. Barcelona: Paidós.
EL BACHILLER CORCHUELO (Enrique González Fiol) (1910): "Nuestros grandes prestigios. Benito Pérez Galdós (confesiones de su vida y de su obra". *Por Esos Mundos* 185: 791-807 y 186: 27-56.

Eliade, Mircea (1973): *Mito y realidad*. Madrid: Guadarrama.

Elliot, Leota W. y Kercheville, F. M. (1940): "Galdós and Abnormal Psychology". *Hispania* 23.1: 27-36.

Eoff, Sherman H. (1965): *El pensamiento moderno y la novela española: ensayos de literatura comparada: la repercusión filosófica de la ciencia sobre la novela*. Barcelona: Seix Barral.

— (1954): *The Novels of Pérez Galdós. The Concept of Life as a Dynamic Process*. Saint-Louis: Washington University Press.

Escobar Bonilla, María del Prado (2000): "Técnicas narrativas en las últimas novelas de Galdós". En *Homenaje a Alfonso Armas Ayala*, II. Las Palmas de Gran Canaria: Ediciones del Cabildo de Gran Canaria, pp. 285-302.

Fanconi, Patricia (2013): "La presencia de Clío en los Episodios Nacionales". *Myrtia* 28: 311-327.

Fernández Cifuentes, Luis (1998): "Cartografías del 98: fin de siglo, identidad nacional y diálogo con América". *Anales de la Literatura Española Contemporánea* 23.1-2: 117-145.

Fernández Cordero, Carolina (2015): "Galdós frente al movimiento obrero. El movimiento obrero frente a Galdós". En *Actas del X Congreso de Internacional Galdosiano. Galdós, los fundamentos de una época*. Las Palmas de Gran Canaria: Ediciones del Cabildo Insular de Gran Canaria, pp. 289-297.

Ferreras, Juan Ignacio (2016): "Notas sobre la situación lamentable de la novela en nuestros días. La novela 'social'. Posible delimitación". En Julio Rodríguez Puértolas (coord.), *Actas de las VII, VIII y IX Jornadas sobre la cultura de la República*. Madrid: Universidad Autónoma de Madrid, pp. 152-166.

— (2012): *La novela en España. Historia, estudios y ensayos. Tomo V. La novela española de 1900 a 1936*. Madrid: La Biblioteca del Laberinto.

Finkenthal, Stanley (1980): *El teatro de Galdós*. Madrid: Fundamentos.

Fox, Inman E. (1988): *Ideología y política en las letras de fin de siglo (1898)*. Madrid: Espasa-Calpe.

— (1970-1971): "En torno a *Mariucha*: Galdós en 1903". *Cuadernos Hispanoamericanos* 250-251: 608-622.

Friol, R. (1981): "La huella de *Cecilia Valdés* en *Fortunata y Jacinta*". *Bohemia* 73.15, 10 de abril: 16-19.

FUENTES, Víctor (2019): *Galdós, 100 años después, y en el presente. Ensayos actualizadores*. Madrid: Visor.

— (2016): "Pensamiento y acción del Galdós republicano (1907-1913)". En Julio Rodríguez Puértolas (coord.), *Actas de las VII, VIII y IX Jornadas sobre la cultura de la República*. Madrid: Universidad Autónoma de Madrid, pp. 379-393.

— (2003): "Estudio preliminar" a Benito Pérez Galdós, *Misericordia*. Madrid: Akal, pp. 5-25.

— (1999): "Otra literatura y otra visión del mundo del 98". *Letras de Deusto* XXIX.82, enero-marzo: 173-187.

— (1987): "La dimensión mítico-simbólica de Fortunata". *Anales Galdosianos* XXII: 47-52.

— (1982): *Galdós, demócrata y republicano. (Escritos y discursos 1907-1913)*. Las Palmas de Gran Canaria/La Laguna: Ediciones del Cabildo Insular de Gran Canaria/Universidad de La Laguna.

— (1980): *La marcha al pueblo en las letras españolas, 1917-1936*. Madrid: Ediciones de la Torre.

— (1972): "El desarrollo de la problemática político-social en la novelística de Pérez Galdós". *Papeles de Son Armadans* 192: 229-240.

GARCÍA BARRÓN, Carlos (1992): "Introducción biográfica y crítica" a Benito Pérez Galdós, *La vuelta al mundo en la Numancia*. Madrid: Castalia, pp. 7-52.

— (1986-1987): "América en Galdós". *Anales de Literatura Española* 5: 146-152.

— (1983): "Fuentes históricas y literarias de *La vuelta al mundo en la Numancia*". *Anales Galdosianos* XVIII: 111-124.

GARCÍA VELLOSO, Enrique (1994): *Memorias de un hombre de teatro*. Buenos Aires: Galerna.

GILLESPIE, Gerald (1970): "Galdós and the Unlocking of the Psyche". *Hispania* 53.4: 852-856.

— (1966): "Reality and Fiction in the Novels of Galdós". *Anales Galdosianos* I: 11-30.

GIMBERNAT, José Antonio (2016): "La utopía blochiana de la III República". En Julio Rodríguez Puértolas (coord.), *Actas de las VII, VIII y IX Jornadas sobre la cultura de la República*. Madrid: Universidad Autónoma de Madrid, pp. 274-277.

Glick, Thomas F. (1981): "La recepción del psicoanálisis en España". *Estudios de Historia Social* 16-17: 27-39.

Goldman, Peter B. (1974): "Toward a Sociology of the Modern Spanish Novel: The Early Years. Part I". *Modern Language Notes* LXXXIX: 173-190.

Gómez de la Serna, Ramón (2004): "Pérez Galdós". En Ioanna Zlotescu (dir.), *Obras completas XVII. Retratos y biografías II*. Barcelona: Círculo de Lectores/Galaxia Gutenberg, pp. 554-555.

Gómez Molleda, M.ª Dolores (1980): *El socialismo español y los intelectuales. Cartas de los líderes del movimiento obrero a Miguel de Unamuno*. Salamanca: Universidad de Salamanca.

González Blanco, Pedro (1903): "Reseña a *Lo inconsciente* del Dr. Coste". *Helios* 3: 377-378.

González Martel, Juan Manuel (2009): "Pérez Galdós y Leal da Câmara. Un artista modernista portugués retrata y entrevista a don Benito en 1916". *Moralia, Revista de Estudios Modernistas* 9: 40-58.

Gracia, Jordi (2014): *José Ortega y Gasset*. Madrid: Taurus.

Gullón, Germán (1983): *La novela como acto imaginativo*. Madrid: Taurus.

Gullón, Ricardo (1987): *Galdós, novelista moderno*. Madrid: Taurus.

— (1980): *Técnicas en Galdós*. Madrid: Taurus.

Gustavo, Soledad (Teresa Mañé) (1936): "Galería de hombres célebres. Benito Pérez Galdós". *La Revista Blanca* 366, 24 de enero: 1277.

Hac, Eugène (1977): "'Hesperia': concepto de espiritualidad hispánica (intento de análisis de la novela *El caballero encantado*)". En *Actas del primer Congreso Internacional de Estudios Galdosianos*. Las Palmas de Gran Canaria: Ediciones del Cabildo Insular de Gran Canaria, pp. 330-335.

Hennesy, C. A. M. (1967): *La república federal en España*. Madrid: Aguilar.

Henríquez Jiménez, Antonio (2004): "Unamuno, Galdós, Rafael Romero (Alonso Quesada), Domingo Doreste (fray Lesco),... Repercusión de unas palabras de Unamuno sobre Galdós unas semanas después de su muerte". En Yolanda Arencibia, María del Prado Escobar y Rosa María Quintana (eds.), *Actas del VII Congreso de Internacional Galdosiano. Galdós y la escritura de la modernidad.*

Las Palmas de Gran Canaria: Cabildo Insular de Gran Canaria, pp. 304-375.

HERAS, Antonio (1941): "Galdós y el Nuevo Mundo". *Hispania* 24.1: 101-111.

HERNÁNDEZ SUÁREZ, Manuel (1972): *Bibliografía de Galdós*. Las Palmas de Gran Canaria: Ediciones del Cabildo Insular de Gran Canaria.

HIDALGO FERNÁNDEZ, Fernando (1985): *El estreno de* Electra, *de Pérez Galdós, en Sevilla: un estudio de socio-literatura*. Sevilla: Ayuntamiento de Sevilla.

HINTERHÄUSER, Hans (1963): *Los "Episodios Nacionales" de Benito Pérez Galdós*. Madrid: Gredos.

HOMERO (2004): *Ilíada*. Edición y traducción de Antonio López Eire. Madrid: Cátedra, 11.ª ed. actualizada y revisada.

— (1988): *Odisea*. Edición y traducción de José Luis Calvo. Madrid: Cátedra.

HUALDE PASCUAL, Pilar (2003a): "*Casandra*, de Galdós: reinterpretación desde el mito griego". *Exemplaria. Revista de Literatura Comparada* 7: 51-77.

— (2003b): "*Casandra* de Galdós e *Ícara* de Sellés. Mito griego y condición de la mujer en la España de comienzos del siglo XX". En M.ª Marta González González y Rosa M.ª Cid López (eds.), *Mitos femeninos de la cultura clásica: creaciones y recreaciones en la historia y la literatura*. Oviedo: Krk Ediciones, pp. 152-182.

ILLIE, Paul (1998): "Fortunata's Dream: Freud and the Unconscious in Galdós's". *Anales Galdosianos* XXXIII: 13-102.

JAREÑO LÓPEZ, Jesús (1981): *El affaire Dreyfus en España (1894-1906)*. Murcia: Gody.

JOVER ZAMORA, José M.ª (2001): *España sociedad, política y civilización (siglos XIX-XX)*. Madrid: Debate.

LÁZARO, Ángel (1940): "La vuelta a Galdós". *Nuestra España* V: 53-56.

LEY, Charles David (1993): "Realidad y las novelas dialogadas de Galdós". *Actas del cuarto Congreso Internacional de Estudios Galdosianos*, II. Las Palmas de Gran Canaria: Ediciones del Cabildo Insular de Gran Canaria, pp. 705-710.

LISSOURGUES, Yvan (1987): "El intelectual 'Clarín' frente al movimiento obrero (1890-1901)". En *Clarín y* La Regenta *en su tiempo:*

actas del Simposio Internacional. Oviedo: Universidad de Oviedo, pp. 55-70.

López, Sylvia (2002): "From Monstrous to Mythical: The Mother Figure in Galdós's *Casandra* and *El caballero encantado*". *Hispania* 85.4: 784-794.

López Morillas, Juan (1986): "Galdós y la historia: los últimos años (diálogo con Stephen Gilman)". *Anales Galdosianos* XXI: 53-61.

— (1972): *Hacia el 98: literatura, sociedad, ideología*. Barcelona: Ariel.

López Nieto, Juan C. (1993): "*Electra* o la victoria liberal (una nueva interpretación a la luz de la situación histórica española hacia 1900)". En *Actas del cuarto Congreso Internacional de Estudios Galdosianos*, I. Las Palmas de Gran Canaria: Ediciones del Cabildo Insular de Gran Canaria, pp. 711-730.

Luján Ramón, Salvadora (2018): "Galdós, educador nacional". En Yolanda Arencibia *et al.* (eds.): *La hora de Galdós*. Las Palmas de Gran Canaria: Ediciones del Cabildo de Gran Canaria, pp. 65-84.

— (2017): *Imaginario pedagógico en la producción de Benito Pérez Galdós*. Las Palmas de Gran Canaria: Universidad de Las Palmas de Gran Canaria. Tesis doctoral.

Madariaga de la Campa, Benito (1989): "*Amadeo I*, un episodio de ruptura". En *Actas del tercer Congreso Internacional de Estudios Galdosianos*, II. Las Palmas de Gran Canaria: Ediciones del Cabildo de Gran Canaria, pp. 371-380.

— (1979): *Pérez Galdós. Biografía santanderina*. Santander: Institución Cultural de Cantabria.

Magnien, Brigitte (ed.) (1995): *Hacia una literatura del pueblo: del folletín a la novela*. Barcelona: Anthropos.

Mainer, José-Carlos (2004): *La doma de la quimera: ensayos sobre nacionalismo y cultura en España*. Madrid/Frankfurt am Main: Iberoamericana/Vervuert.

— (1987): *La Edad de Plata*. Madrid: Cátedra.

Marichal, Juan (1974): "La 'Generación de los intelectuales' y la política (1910-1914)". En José Luis Abellán (ed.), *La crisis de fin de siglo, ideología y literatura. Estudios en memoria de Rafael Pérez de la Dehesa*. Barcelona: Ariel, pp. 25-41.

MARTÍNEZ, Domingo (2007): "Federico Urales y *La Revista Blanca.* La cultura como instrumento transformador". *Página Abierta* 182, <http://www.pensamientocritico.org/dommar0607.html>.

MARTÍNEZ DE SAS, M.ª Teresa (1975): *El socialismo y la España oficial. Pablo Iglesias Diputado a Cortes.* Madrid: Tucar.

MARTÍNEZ MARTÍN, Jesús A. (2018): "El *Madrid moderno.* La ciudad letrada y la movilización de públicos". En Luis Enrique Otero Carvajal y Rubén Pallol Trigueros (eds.), *La ciudad moderna. Sociedad cultura en España, 1900-1936.* Madrid: Catarata, pp. 65-78.

MARTÍNEZ SIERRA, Gregorio (1903): "Galdós". *Helios* 3: 401-411.

MARTÍNEZ UMPIÉRREZ, Elsa M.ª (1977): "'Epistolario': el problema de la transformación de la novela en drama a través de algunas cartas de D. Benito". En *Actas del primer Congreso Internacional de Estudios Galdosianos.* Las Palmas de Gran Canaria: Ediciones del Cabildo Insular de Gran Canaria, pp. 106-117.

MARX, Karl y ENGELS, Friedrich (1985): *La ideología alemana. Crítica de la novísima filosofía alemana en las personas de sus representantes Feuerbach, B. Bauer y Stirner, y del socialismo alemán en las sus diferentes profetas.* Buenos Aires: Ed. Pueblos Unidos-Cartago.

MATOS ARÉVALO, José Antonio (1999): *La historia en Fernando Ortiz.* La Habana: Fundación Fernando Ortiz.

MCDERMOTT, Patricia (2002): "Nuevos horizontes: el canon decimonónico y la nueva crítica de 1900". En Luis F. Díaz Larios *et al.* (eds.), *La elaboración del canon en la literatura española del siglo XIX.* Barcelona: PPU, pp. 267-278.

MCGOVERN, Timothy (2004): "Worlds of Enchantment: Abandoning Realism in *El caballero encantado* and *La razón de la sinrazón*". En *Galdós Beyond Realism: Reading and the Creation of Magical Worlds.* Newark: Juan de la Cuesta, pp. 179-217.

MEDINA, Jeremy (1979): *Spanish Realism: the Theory and Practice of a Concept in the Nineteenth Century.* Madrid: José Porrúa Turanzas.

MENÉNDEZ ALZAMORA, Manuel (2006): *La generación del 14 una aventura intelectual.* Madrid: Siglo XXI.

MENÉNDEZ ONRUBIA, Carmen (1983): *Introducción al teatro de Benito Pérez Galdós.* Madrid: CSIC.

Miller, Stephen (2004): "La modernidad de Galdós con respecto a Nietzsche y Darío". En Yolanda Arencibia, María del Prado Escobar y Rosa María Quintana (eds.), *Actas del VII Congreso Internacional Galdosiano. Galdós y la escritura de la modernidad.* Las Palmas de Gran Canaria: Ediciones del Cabildo de Gran Canaria, pp. 428-436.

Montesinos, José F. (1968): *Galdós, III.* Madrid: Castalia.

Morato, Juan José (1968): *Pablo Iglesias Posse. Educador de muchedumbres.* Barcelona: Ariel, 2.ª ed.

Morote, Luis (1906): "Prim". *El Heraldo de Madrid* 5.832, 13 de noviembre: 1.

— (1903): "En Santander. Oyendo a Pérez Galdós". *El Heraldo de Madrid* 4.668, 31 de agosto: 1.

Nadal, Jordi (1999) *El fracaso de la Revolución industrial en España, 1814-1913.* Barcelona: Ariel.

Narbona, Rafael (2020): "Galdós, el sublime observador". *El Cultural,* 3 de enero, <https://elcultural.com/galdos-el-sublime-observador>.

Ontañón de Lope, Paciencia (2009): "Galdós y Freud". *Isidora. Revista de Estudios Galdosianos* 9: 93-102.

— (2000): *El caballero encantado de Galdós.* Murcia: Universidad de Murcia.

Ortega, Soledad (1964): *Cartas a Galdós.* Madrid: Revista de Occidente.

Ortega y Gasset, José (1964): "En defensa de Unamuno". *Cuadernos de la Cátedra Miguel de Unamuno* 14-15: 5-10, <http://gredos.usal.es/jspui/bitstream/10366/120230/1/ccmu14_1964_0001.pdf>.

Ortiz, Fernando (1987): *Entre cubanos: psicología tropical.* La Habana: Ciencias Sociales, 2.ª ed.

— (1911): *El caballero encantado y la moza esquiva.* La Habana: Imprenta La Universal.

— (1910): *La reconquista de América; reflexiones sobre el panhispanismo.* Paris: Librería P. Ollendorff.

Ortiz Armengol, Pedro (1996): *Vida de Galdós.* Barcelona: Crítica.

Ortiz García, Carmen (1999): "Ideas sobre el pueblo en el imaginario nacional español del 98". En Consuelo Naranjo Orovio y Carlos Serrano (eds.), *Imágenes e imaginarios nacionales en el ultramar español.* Madrid: CSIC/Casa de Velázquez, pp. 19-45.

PALOMERO, Antonio (1906): "*Prim*, por B. Pérez Galdós". *ABC* 670, núm. extraordinario, 13 de noviembre: 4.

PALOMO VÁZQUEZ, Pilar (1993): "De la noticia al Episodio Nacional: *La vuelta al mundo en La Numancia*". En *Actas del cuarto Congreso Internacional de Estudios Galdosianos*, II. Las Palmas de Gran Canaria: Ediciones del Cabildo Insular de Gran Canaria, pp. 255-262.

PARÍS, Luis (1888): *Gente Nueva*. Madrid: Impr. Popular.

PARSONS, James J. (1983): "The Migration of Canary Islanders to the Americas: An Unbroken Current Since Columbus". *The Americas* 39.4: 447-481.

PATTISON, Walter T. (1986): "Los Galdós en Cuba: la primera generación". *Anales Galdosianos* XXI: 15-32.

— (1965): *El naturalismo español: historia externa de un movimiento literario*. Madrid: Gredos.

PENUEL, Arnold M. (1972): "Galdós, Freud, and Humanistic Psychology". *Hispania* 55: 65-75.

PEREYRA, Carlos (1979): "El determinismo histórico". *Teoría* 3, octubre-diciembre: 167-183.

PÉREZ DE LA DEHESA, Rafael (1970a): *El grupo "Germinal": una clave del 98*. Madrid: Taurus.

— (1970b): "Los escritores españoles ante el proceso de Montjuich". En *Actas del tercer Congreso Internacional de Hispanistas*. Ciudad de México: El Colegio de México, pp. 685-694.

— (1966): *El pensamiento de Costa y su influencia en el 98*. Madrid: Sociedad de Estudios y Publicaciones.

PÉREZ GALDÓS, Benito (2016): *Correspondencia*. Edición, introducción y notas de Alan E. Smith, María Ángeles Rodríguez Sánchez y Laurie Lomask. Madrid: Cátedra.

— (2013): *Antología de escritos galdosianos sobre Cantabria*. Selección, estudio y notas de Benito Madariaga de la Campa. Polanco: Ayuntamiento de Polanco.

— (2005-2006): *Benito Pérez Galdós: arte, naturaleza y verdad. La sombra. La fontana de Oro. El audaz. Tomo 1*. Proyecto y edición de Yolanda Arencibia. Las Palmas de Gran Canaria: Ediciones del Cabildo Insular de Gran Canaria.

— (2003): *Obras Completas. Tomo I.* Introducción, biografía, bibliografía, notas y censo de personajes galdosianos por Federico Carlos Sainz de Robles. Madrid: Aguilar.

— (1999): *Ensayos de crítica literaria.* Ed. de Laureano Bonet. Barcelona: Península.

— (1968a): *Obras Completas. Tomo II. Episodios Nacionales.* Introducción, biografía, bibliografía, notas y censo de personajes galdosianos por Federico Sainz de Robles. Madrid: Aguilar, 10.ª ed.

— (1968b): *Obras Completas. Tomo III. Episodios Nacionales.* Introducción, biografía, bibliografía, notas y censo de personajes galdosianos por Federico Sainz de Robles. Madrid: Aguilar, 9.ª ed.

— (1968c): *Obras Completas. Tomo VI. Novelas. Teatro. Miscelánea.* Introducción, biografía, bibliografía, notas y censo de personajes galdosianos por Federico Sainz de Robles. Madrid: Aguilar, 5ª ed.

— (1924): "La cuestión social". En *Obras inéditas. Volumen VI. Cronicón* (ordenadas y prologadas por Alberto Ghiraldo). Madrid: Renacimiento, pp. 147-156.

— (1923a): "América y España". En *Obras inéditas. Volumen III. Política española. Tomo I* (ordenadas y prologadas por Alberto Ghiraldo). Madrid: Renacimiento, pp. 289-292.

— (1923b): "Las dos razas del nuevo continente". En *Obras inéditas. Volumen IV. Política española. Tomo II* (ordenadas y prologadas por Alberto Ghiraldo). Madrid: Renacimiento, pp. 245-252.

— (1923c): "Unión Ibero-americana". En *Obras inéditas. Volumen III. Política española. Tomo I* (ordenadas y prologadas por Alberto Ghiraldo). Madrid: Renacimiento, pp. 255-262.

— (1915): "¿Qué opina usted de Pablo Iglesias?". *Acción Socialista* 93, 26 de diciembre: 9.

— (1913): "Teatro Español. Siete meses de lucha por el arte". *El Liberal* 12.268, 9 de junio: 2.

— (1911): "1.º de mayo de 1911". *El Socialista* 1.311, 1 de mayo: 1.

— (1910): "Impresión de Benito Pérez Galdós". En Augusto Vivero y Antonio Villa, *Cómo cae un trono (la revolución en Portugal).* Madrid: Renacimiento, pp. 308-309.

— (1903): "*Mariucha*. Carta de Galdós". *El Liberal* 8.679, 17 de julio: 1.

— (1901): "Carta de Galdós". *Electra* 1, 16 de marzo: 1.

— (1899): "****". *Revista Nueva* 1, 15 de febrero-5 de agosto: 638.

— (1898): "La patria". *Vida Nueva* 5, 10 de julio: 1.

— [s. a.]: *Apuntes de Literatura latina según las explicaciones del Dor. Dn. Alfredo Adolfo Camús, catedrático de esta asignatura en la Universidad Central.* Casa-Museo Pérez Galdós, sign. VII-76.

PFLÜGER SAMPER, Juan Ernesto (2001): "La generación política de 1914". *Revista de Estudios Políticos (Nueva Era)* 112, abril-junio: 179-197.

PICHARDO, Manuel S. (1914): "Una carta de Pérez Galdós", *El Fígaro* 30.30, 26 de julio: 360.

— (1905): "Pérez Galdós y *El abuelo*", *El Fígaro* 33.31, 13 de agosto: 406-407.

POLIZZI, Assunta (1999): *El proceso metaficticio en el realismo de Pérez Galdós*. Las Palmas de Gran Canaria: Ediciones del Cabildo Insular de Gran Canaria.

POSADA, Adolfo (1981): *Breve historia del krausismo español*. Oviedo: Universidad de Oviedo.

RAGUER, Hilari (2009): "Joan Maragall y la Semana Trágica". *El País*, 25 de julio, <http://elpais.com/diario/2009/07/25/opinion/1248472811_850215.html>.

RAMÓN Y CAJAL, Santiago (1902): "Prólogo" a Marcos Zapata, *Poesías*. Madrid: Fernando Fe, pp. 15-26.

RIBBANS, Geoffrey (1993): *History and Fiction in Galdós' Narratives*. Oxford: Clarendon Press.

— (1986): "Galdós' Literary Presentations of the Interregnum, Reign of Amadeo and the First Republic (1868-1874)". *Bulletin of Hispanic Studies* 63.1: 1-17.

RICARD, Robert (1972): "Otra vez Galdós y Ricardo Palma". *Anales Galdosianos* VII: 135-136.

RIOPÉREZ Y MILÁ, Santiago (1979): *Azorín íntegro*. Madrid: Biblioteca Nueva.

RISCO, Antonio (1987): Literatura fantástica en Lengua española. Madrid: Taurus.

— (1980): *Azorín y la ruptura con la novela tradicional.* Madrid: Alhambra.

ROBERT, Vincent (1989): "La 'protestation universelle' lors de l'exécution de Ferrer: les manifestations d'octobre 1909". *Revue d'Histoire Moderne et Contemporaine* XXXVI, avril-juin: 245-265.

RODGERS, Eamonn (1993): "Galdós ¿escritor disolvente?: Aspectos de su pensamiento político". En Linda Willem (ed.), *A Sesquicentennial Tribute to Galdós, 1843-1993*. Newark: Juan de la Cuesta, pp. 269-282.

RODRÍGUEZ, Alfred (1979): "Aspectos de un 'tipo' galdosiano: el maestro de escuela, ayo o pasante". En *Actas del segundo Congreso Internacional de Estudios Galdosianos*, II. Las Palmas de Gran Canaria: Ediciones del Cabildo de Gran Canaria, pp. 341-359.

RODRÍGUEZ, Juan Carlos (2002): *De qué hablamos cuando hablamos de literatura*. Granada: Comares.

RODRÍGUEZ PUÉRTOLAS, Julio (2006): "Estudio Preliminar" a Benito Pérez Galdós, *El caballero encantado*. Madrid: Akal, pp. 7-83.

— (1999): *El Desastre en sus textos. La crisis del 98 vista por los escritores coetáneos*. Madrid: Akal.

— (1995): "*Casandra* y la modernidad". En Jesús Bombín Quintana, *Actas del quinto Congreso Internacional de Estudios Galdosianos*, II. Las Palmas de Gran Canaria: Ediciones del Cabildo Insular de Gran Canaria, pp. 511-522.

— (1993): "Notas sobre los críticos de Galdós: ultramontanos, fascistas y modernos varios". En *Actas del cuarto Congreso Internacional de Estudios Galdosianos*, II. Las Palmas de Gran Canaria: Ediciones del Cabildo Insular de Gran Canaria, pp. 209-225.

— (1975): *Galdós, burguesía y revolución*. Madrid: Turner.

— (1972): "Galdós y *El caballero encantado*". *Anales Galdosianos* VII: 123-126.

ROGERS, Douglass M. (1979): *Benito Pérez Galdós. El escritor y la crítica*. Madrid: Taurus.

ROLDÁN, Santiago y GARCÍA DELGADO, José Luis (1973): *La formación de la sociedad capitalista en España. 1914-1920* (2 vols.). Madrid: Confederación Española de Cajas de Ahorro.

ROMÁN ROMÁN, Isabel (2000): "Galdós y el regeneracionismo". En Yolanda Arenciabia, María del Prado Escobar y José María Quintana (eds.), *Actas del VI Congreso de Internacional Galdosiano*. Las Palmas de Gran Canaria: Ediciones del Cabildo Insular de Canaria, pp. 100-114.

ROMERO TOBAR, Leonardo (2003): *La novela regeneracionista en la última década del siglo*. Alicante: Biblioteca Virtual Miguel de Cervantes, <http://www.biblioteca.org.ar/libros/155419.pdf>.

ROMERO, Tomás (1911): "*De Cartago a Sagunto*. Anticipo de un libro". *El Liberal* 11.651, 27 de septiembre: 1.

RUBIO CREMADES, Enrique (2009): "Cartas inéditas, copias y manuscritos autógrafos galdosianos custodiados en el archivo de A. Ghiraldo en la Biblioteca Nacional de Chile". En Yolanda Arencibia, María del Prado Escobar y Rosa María Quintana (eds.), *Actas del VIII Congreso de Internacional Galdosiano. Galdós y el siglo XX*. Las Palmas de Gran Canaria: Ediciones del Cabildo Insular de Gran Canaria, pp. 553-564.

RUBIO JIMÉNEZ, Jesús (1998): "*Don Quijote* (1892-1903): prensa radical, literatura e imagen". En Leonardo Romero Tobar (ed.), *El camino hacia el 98 (los escritores de la Restauración y la crisis de fin de siglo)*. Madrid: Visor, pp. 297-315.

RUIZ PÉREZ, Ángel (2009): "Visión bucólica y regeneracionismo de Galdós". En Yolanda Arencibia, María del Prado Escobar y Rosa María Quintana (eds.), *Actas del VIII Congreso de Internacional Galdosiano. Galdós y el siglo XX*. Las Palmas de Gran Canaria: Ediciones del Cabildo Insular de Gran Canaria, pp. 123-138.

SAID, Edward W. (2013): *Orientalismo*. Barcelona: Random House Mondadori, 5.ª ed.

SALAVERRÍA, José M.ª (1930): *Nuevos retratos*. Madrid/Buenos Aires: Renacimiento.

SÁNCHEZ, Roberto (1974): *El teatro en la novela. Galdós y Clarín*. Madrid: Ínsula.

SÁNCHEZ PÉREZ, Francisco (2006): "La imagen de la I República en Galdós y en Sender". En Yolanda Arencibia y Ángel Bahamonde (eds.), *Galdós en su tiempo*. Santander: Universidad Internacional Menéndez Pelayo, pp. 327-362.

SASTRE, Alfonso (1978): *Crítica de la imaginación*. Barcelona: Grijalbo.

SCHNEPF, Michael (2006): "A Reticent Retreat: Background Notes on the Creation of Galdós's *Mariucha*". *Decimonónica* 5.1: 71-82, <http://www.decimononica.org/wp-content/uploads/2013/01/Schnepf_5.1.pdf>.

SCHRAIBMAN, José (1966): "Galdós y el estilo de la vejez". En *Homenaje a Rodríguez Moñino*, II. Madrid: Castalia, pp. 165-175.

— (1964): "Poemas inéditos de Galdós". *Revista Hispánica Moderna* XXX: 359-373.

— (1961-1962): "Cartas de Manuel Tolosa Latour a Galdós". *El Museo Canario* 77-84: 171-186.

— (1960): *Dreams in the Novels of Galdós*. New York: Hispanic Institute.

SECO SERRANO, Carlos (2000): "El reflejo del 98 en Galdós". En Yolanda Arenciabia, María del Prado Escobar y José María Quintana (eds.), *Actas del VI Congreso de Internacional Galdosiano*. Las Palmas de Gran Canaria: Ediciones del Cabildo Insular de Canaria, pp. 1.099-1.109.

SERRANO, Carlos (2000): *El turno del pueblo: crisis nacional, movimientos populares y populismo en España (1890-1910)*. Barcelona: Península.

SERRANO, Carlos y SALAÜN, Serge (1991): *1900 en España*. Madrid: Espasa-Calpe.

SEVILLA, Alberto (1905): "La última obra de Galdós. *Casandra*". *El Liberal* de Murcia 1.229, 13 de diciembre: 1.

SHOEMAKER, William H. (1984): "Galdós' Letters to Gerardo". *Anales Galdosianos* XIX: 151-157.

— (1973): *Las cartas desconocidas de Galdós en "La prensa" de Buenos Aires*. Madrid: Ediciones Cultura Hispánica.

— (1972): *Los artículos de Galdós en "La Nación" 1865-1866, 1868 recogidos, ordenados y dados nuevamente a luz con un estudio preliminar*. Madrid: Ínsula.

— (1966): "Sol y sombre de Giner en Galdós". En *Homenaje a Rodríguez Moñino*, II. Madrid: Castalia, pp. 213-223.

— (1962): *Los prólogos de Galdós*. Ciudad de México: Ediciones de Andrea.

— (1953): Reseña a "Chonon H. Berkowitz. *La biblioteca de Benito Pérez Galdós: Catálogo razonado precedido de un estudio*. Las Palmas de Gran Canaria: Ed. El Museo Canario, 1951". *Hispanic Review* 21.4: 353-355.

SIN FIRMA (1920a): *Juicio crítico de Galdós*. Madrid: La Novela Corta.

— (1920b): "Muerte de Galdós". *El Socialista* 3.397, 4 de enero: 1.

— (1914): "El homenaje a Galdós. Cómo pensamos los socialistas". *El Socialista* 1.783, 11 de abril: 1.

— (1906): "'Prim'. Por Pérez Galdós". *El País* 7.039, 13 de noviembre: 3 y 4.

— (1901): "Electra". *El Socialista* 779, 8 de febrero: 1-2.

SINNIGEN, John H. (1998): "Cuba en Galdós: la función de las colonias en el discurso metropolitano". *Casa de las Américas* 212, julio-septiembre: 115-121.

SMITH, Alan (2005): *Galdós y la imaginación mitológica*. Madrid: Cátedra.

— (1992): *Los cuentos inverosímiles de Galdós en el contexto de su obra*. Barcelona: Anthropos.

SOLDEVILLA, Fernando de (1901-1920): *El año político*. Madrid: Imp. de Enrique Fernández de Rojas.

SUÁREZ CORTINA, Manuel (1994): "La quiebra del republicanismo histórico, 1898-1931". En Nigel Townson (ed.), *El republicanismo en España (1830-1977)*. Madrid: Alianza, pp. 139-164.

— (1986): *El reformismo en España: republicanos y reformistas bajo la monarquía de Alfonso XIII*. Madrid: Siglo XXI.

TENREIRO, Ramón M.ª (1920): "Galdós, novelista". *La Lectura* XX.I: 321-335.

— (1910): "*El caballero encantado*". *La Lectura* X.I: 174-178.

TORTELLA, Gabriel *et al.* (1981): *Historia de España T. VIII Revolución burguesa, oligarquía y constitucionalismo (1834-1923)*. Barcelona: Labor.

TORTELLA, Gabriel y NÚÑEZ, Clara Eugenia (2011): *El desarrollo de la España contemporánea. Historia económica de los siglos XIX y XX*. Madrid: Alianza.

TRONCOSO, Dolores (2016): "Visión galdosiana del general Prim". *Studi Ispanici* 41: 37-51.

Tuñón de Lara, Manuel (1997): "El salto del siglo, 1895-1905". En Antonio Elorza *et. al. La víspera de nuestro siglo*. Madrid: Historia 16, pp. 15-50.

— (1973): *Medio siglo de cultura española (1885-1936)*. Madrid: Tecnos, 3.ª ed. revisada.

— (1972): *El movimiento obrero en la historia de España*. Madrid: Taurus.

— (1967): *Historia y realidad del poder*. Madrid: Cuadernos para el Diálogo.

— (1960): *La España del siglo XIX* (2 vols.). Barcelona: Laia.

Turner, Harriet S. (2009): "Galdós y sus críticos en el siglo xx. Diálogos con Galdós: del descubrimiento al diseño". En Yolanda Arencibia, María del Prado Escobar y Rosa María Quintana (eds.), *Actas del VIII Congreso de Internacional Galdosiano. Galdós y el siglo XX*. Las Palmas de Gran Canaria: Ediciones del Cabildo Insular de Gran Canaria, pp. 842-847.

Urey, Diane (1989): *The Novel Histories of Galdós*. Princeton: Princeton University Press.

Varela Olea, M.ª Ángeles (2002): *El regeneracionismo galdosiano en la prensa*. Las Palmas de Gran Canaria: Ediciones del Cabildo Insular de Gran Canaria.

— (2001): *Galdós regeneracionista*. Madrid: Fundación Universitaria Española.

Varios autores (1912): "El Partido Reformista. Homenaje a Melquíades Álvarez". *El Heraldo de Madrid* 7.800, 7 de abril: 2.

— (1901): "El estreno de *Electra*". *El País* 4.943, 31 de enero: 1-2.

Vernant, Jean-Pierre (1987): *Mito y sociedad en la Grecia antigua*. Madrid: Siglo XXI.

— (1985): *Mito y pensamiento en la Grecia antigua*. Barcelona: Ariel.

Vilar, Pier (1982): *Hidalgos, amotinados y guerrilleros: pueblo y poderes en la historia de España*. Barcelona: Grijalbo.

Villacorta Baños, Francisco (1980): *Burguesía y cultura. Los intelectuales españoles en la sociedad liberal, 1808-1931*. Madrid: Siglo XXI.

Villegas, Juan (1976): "Interpretación mítica de *El caballero encantado*". *Papeles de Son Armadans* 21: 11-24.

VIÑALET, Ricardo (2012): *Acercamientos y complicidades*. La Habana: Ediciones Unión.

— (2002): "De cómo Fernando Ortiz supo hallar una moza esquiva para cierto caballero encantado". *América Sin Nombre* 2: 43-55.

— (2001): *Fernando Ortiz ante las secuelas del 98*. La Habana: Fundación Fernando Ortiz.

— (1997): "*El caballero encantado* en la óptica cubana de Fernando Ortiz: un enfoque socio-político regeneracionista en 1910". En Yolanda Arencibia, María del Prado Escobar y Rosa María Quintana (eds.), *Actas del VI Congreso de Internacional Galdosiano. Galdós y el siglo XX*. Las Palmas de Gran Canaria: Ediciones del Cabildo Insular de Gran Canaria, pp. 673-684.

YNDURÁIN, Francisco (1977): "Sobre *El caballero encantado*". En *Actas del primer Congreso Internacional Galdosiano*. Las Palmas de Gran Canaria: Ediciones del Cabildo Insular de Gran Canaria, pp. 336-350.

ZAVALA, Iris M. (2001): *El rapto de América y el síntoma de la modernidad*. Valencia: Montesinos.

— (1991): *Unamuno y el pensamiento dialógico*. Barcelona: Anthropos.

— (1974): *Fin de siglo. Modernismo, 98 y bohemia*. Madrid: Cuadernos para el Diálogo.

Índice onomástico

Acebal, Francisco: 16
Acuña, Rosario de: 44
Alcalá Galiano, Álvaro: 177
Alcalá Galiano, José: 35
Alfonso XII: 45 n., 221 n.
Alfonso XIII: 103, 106, 112, 117, 125, 145, 147, 154, 174 n.
Almagro Sanmartín, Melchor: 76
Altamira, Rafael: 55, 212
Álvarez, Melquíades: 103, 105, 137 n., 145, 147
Álvarez Quintero, hermanos: 16
Amadeo I de Saboya: 297 n.
Andrenio (Eduardo Gómez de Baquero): 14, 18
Ángel Guerra (José Betancort Cabrera): 207 n., 218 n.
Arniches, Carlos: 17
Azaña, Manuel: 75, 75 n., 77, 181 n., 306
Azcárate, Gumersindo de: 55, 103, 104, 112, 138, 145
Azcárraga, Marcelo de: 34, 112
Azorín (José Martínez Ruiz): 16, 17, 54, 56, 61 n., 63, 64 n.,65, 69 n., 70, 80 n., 166, 177, 181 n., 183, 187, 196
Balart, Federico: 59 n.
Balzac, Honoré de: 19, 60 n., 108, 193
Bardón, Lázaro: 269 n.
Bark, Ernesto: 60
Baroja, Pío: 16, 17, 57 n., 59 n., 61 n., 65, 109, 119 n., 143 n., 182, 183
Barrès, Maurice: 177
Benavente, Jacinto: 60, 81 n., 235
Benavente, Luis: 14
Besteiro, Julián: 64
Blasco Ibáñez, Vicente: 17, 18, 56, 63-65, 67, 108, 109, 117, 182, 183
Blasco, Eusebio: 199 n.
Bonafoux, Luis: 60
Bouget, Paul: 177
Breuer, Joseph: 249
Brossa, Jaume: 55
Bueno, Javier: 206, 218
Bueno, Manuel: 18, 66
Burell, Julio: 127
Cambó, Francisco: 72
Campión, Arturo: 180 n.

Camús, Alfredo Adolfo: 269 n.
Canalejas, José: 43 n., 97, 98, 102, 111, 125, 143, 145 n., 231
Cánovas del Castillo, Antonio: 44, 59 n., 127
Carlos M.ª Isidro de Borbón: 135
Carrère, Emilio: 177, 180
Caserta, Carlos: 63
Castelar, Emilio: 127, 129, 130
Castro y Serrano, José: 59 n.
Ceret, Domènec: 237 n.
Cernuda, Luis: 18
Cervantes, Miguel de: 18, 19, 242, 255 n.
Charcot, J. M.: 248
Ciges Aparicio, Manuel: 65, 70, 119 n., 143 n., 166, 182, 184, 199 n.
Cimorra, Clemente: 20 n., 109 n.,
Clarín (Leopoldo Alas): 57, 59 n., 60, 61 n., 80 n., 127, 161, 183 n., 184, 199 n.,
Clemenceau, Georges: 55
Cobeña, Carmen: 232
Combes, Émile: 153
Conan Doyle, Arthur: 177
Conde de Romanones (Álvaro Figueroa y Torres): 47 n., 111 n.,
Corominas, Pere: 55
Costa, Joaquín: 54, 55, 63, 66, 73 n., 78, 111-114, 116, 119, 125, 126, 145, 146, 160, 164-166, 180 n., 269, 306
Cunillero, Ángel: 84
Cura Merino (Jerónimo Merino Cob): 271
D'Annunzio, Gabriele: 177
Danvila, Alfonso: 180
Darío, Rubén: 56 n., 206
De Burgos, Carmen: 180
De la Vega, Ventura: 59 n.
De Mesa, Rafael: 22 n., 108
De Répide, Pedro: 16, 180, 183, 291 n.
Del Olmet, Luis Antón: 180
Dels Sants Oliver, Miquel: 56
Dicenta, Joaquín: 61 n., 81 n., 108
Dicenta, Joaquín (hijo): 184
Dickens, Charles: 19, 108
Díez-Canedo, Enrique: 18
Doctor Coste: 249
D'Ors, Eugenio: 64, 181 n.
Dostoyevski, Fiódor: 57 n.
Duques/Casa de Alba: 46 n., 48
Echegaray, José: 59 n., 63, 67, 127, 235
Eguílaz, Luis: 59 n.
Elliot, T. S.: 224
Estévanez, Nicolás: 111
Estrañi, José: 83, 133, 136
Fe, Ricardo: 65
Fernández Grilo, Antonio: 59 n.
Fernández Solares, Prudencio: 249
Fernando VII: 135, 152
Fernanflor (Isidoro Fernández Flórez): 210
Ferrer i Guàrdia, Francesc: 70-72, 74, 78 n., 96, 140 n.
Ferreras, José: 112, 125 n., 141 n.
Figueras, Estanislao: 14, 129
Figuerola, Laureano: 130
France, Anatole: 177
Freud, Sigmund: 247, 248 n., 249, 268
Frollo, Claudio: 34
Fuentes, Manuel A.: 221
Fulgosio, Fernando: 221
Galán, Fermín: 132
Gandarias, Teodosia: 78, 93, 140 n., 154, 155, 172-174, 255, 276, 291
Ganivet, Ángel: 180 n.
García Lorca, Federico: 18
García Prieto, Manuel: 112
Gayarre Espinar, Miguel: 249

Ghiraldo, Alberto: 18, 206 n.
Giner de los Ríos, Francisco: 54, 55, 75, 156 n.
Gómez de la Serna, Ramón: 16, 18 n., 177, 181 n.
Goncourt, hermanos: 222 n.
González Blanco, Pedro: 64, 249
Grandmontagne, Francisco: 18
Gustavo, Soledad (Teresa Mañé): 18
Hardy, J.: 248
Hermosilla, José: 276 n.
Hoyos Vinent, Antonio de: 183
Hugo, Victor: 108
Ibsen, Henrik: 108
Iglesias, Pablo: 37 n., 38, 61, 66, 75, 81 n., 93, 96-99 n., 101, 103, 105 n., 106
Insúa, Alberto: 16, 18, 183
Isabel II: 47 n., 88, 128, 129, 131, 133 n., 138, 193
Jiménez, Juan Ramón: 66
Kropotkin, Piotr: 57
Labra, Rafael M.ª de: 112
Lanza, Silverio: 60
Leal da Câmara, Tomás: 20 n.
León XIII (Papa): 153 n.
León y Castillo, Fernando: 192
León, Ricardo: 180
Lerroux, Alejandro: 62 n., 63, 72, 84, 145
Liébault, A. A.: 248
Llanas Aguilanedo, José M.ª: 181 n.
López Bago, Eduardo: 183
López de Haro, Rafael: 183
López Pinillos, José: 119, 143
López-Roberts, Mauricio: 17, 180, 183
Lorenzo, Anselmo: 56, 105, 106
Machado, Antonio: 64
Machado, Manuel: 61, 65, 66
Macías Picavea, Ricardo: 111, 180 n.
Maeterlinck, Maurice: 177
Maeztu, Ramiro de: 54, 56, 57 n., 65, 74-76 n., 80 n., 104, 160
Malcior Farré, Víctor: 249
Mallada, Lucas: 111, 119
Manuel II de Portugal: 142 n.
Maragall, Joan: 72, 164, 199 n.
Marañón, Gregorio: 18, 108
Marquina, Eduardo: 17, 18, 61 n.
Martínez Sierra, Gregorio: 18, 64, 180, 193 n.
Maura, Antonio: 44, 70-72 n., 87, 98, 126, 132, 134, 136 n., 137, 140 n.
Mella, Ricardo: 56
Miró, Gabriel: 64, 143, 177, 181 n.
Montalbán, Juan Manuel: 129
Montero Ríos, Eugenio: 63, 65-67, 112, 16, 163 n.
Morato, Juan José: 99 n.
Morell, Concha: 56 n.
Moret, Segismundo: 66, 112, 125, 138
Mori, Arturo: 184
Morote, Luis: 16, 64, 65, 69, 111, 126, 127, 162 n.
Moya, Miguel: 136 n.
Nakens, José: 61 n., 112
Narváez, Ramón M.ª: 88
Nervo, Amado: 206, 220 n.
Novo y Colson, Pedro: 221 n.
Núñez de Arce, Gaspar: 59 n.
O'Donnell, Leopoldo: 44, 128
Oliver, Federico: 232
Oller, Narcís: 109
Orbe, Timoteo: 109
Ortega y Gasset, José: 18, 75-77, 98, 176, 306
Ortega y Munilla, José: 119
Ortiz, Fernando: 211-216, 218, 219, 221
Palacio Valdés, Armando: 17
Palacio, Manuel del: 199 n.

Palma, Ricardo: 202, 203, 206, 220
Pardo Bazán, Emilia: 57 n., 64, 177, 184, 199 n.
París, Luis: 59, 60, 65, 176
Peñarrubia, Gerardo: 174 n.
Pereda, José M.ª de: 59 n., 60 n.
Pérez de Ayala, Ramón: 16-18, 20 n., 75, 77, 78, 143 n., 177, 181, 183
Pi i Margall, Francisco: 14, 45 n., 61 n.
Pichardo, Manuel Serafín: 175 n., 206 n.
Pineda, Mariana: 300 n.
Pope, Alexander: 276 n.
Prat de la Riba, Enric: 72
Prim, Juan: 127-133, 135, 136, 203, 204, 205, 208, 215, 200 n.
Primo de Rivera, José Antonio: 107
Promio, Alexandre: 235
Queral y Formigales, Pascual: 180 n.
Ramón y Cajal, Santiago: 176, 249
Recabarren, Luis Emilio: 220
Rivero, Nicolás: 129, 149
Rodríguez Correa, Ramón: 59 n.
Romero, Tomás: 15, 140 n.
Ruiz, Antonio: 56
Rusiñol, Santiago: 199 n.
Ruskin, John: 57
Sagasta, Práxedes Mateo: 34 n., 79, 111, 112, 125 n., 141 n., 152, 174, 201
Salaverría, José M.ª: 61, 73, 162 n., 180
Salmerón, Nicolás: 74, 104, 111, 297
Sanz Coy, Andrés: 207
Sawa, Alejandro: 60, 61 n.
Sawa, Miguel: 61 n.
Segalá, Luis: 276 n.
Sellés, Eugenio: 59 n.
Serrano, Francisco: 68
Sevilla, Alberto: 16, 225 n.
Simarro, Luis: 77, 78 n.
Sojo, Eduardo: 183 n.
Sol y Ortega, Juan: 138
Soriano, Rodrigo: 56, 61, 62, 72, 103, 114, 127, 142 n.
Stendhal (Henri Beyle): 262
Tarrida del Mármol, Fernando: 56
Tolstói, Lev: 57 n., 108, 189
Trigo, Felipe: 17, 64, 66, 119 n., 177, 180 n., 182, 184, 199 n.
Tubino, Francisco M.ª: 131
Turguéniev, Iván: 57
Unamuno, Miguel de: 18, 54, 56, 57 n., 60, 61, 64, 66, 68, 69, 80 n., 114, 164, 166, 181 n., 183, 244 n.
Urales, Federico (Juan Montseny): 55, 64
Urbano, Rafael: 64
Valle-Inclán, Ramón M.ª: 16, 18, 61, 65, 177, 181, 183, 187, 196
Varela, Félix: 205
Vicent, Antonio: 81 n.
Vicenti, Alfredo: 81
Villaverde, Cirilo: 201 n.
Waldeck-Rousseau, Pierre: 153
Weyler, Valeriano: 65, 112
Zahonero, José: 183
Zamacois, Eduardo: 17, 182 n.
Zapata, Marcos: 249
Zola, Émile: 35, 55, 56 n., 60 n., 108, 222 n., 269
Zulueta, Luis de: 69 n.